oba
D0719635

MAURICE BLANCHOT

YÜCELER YÜCESİ

KABALCI YAYINEVİ: 314

Çağdaş Fransız Düşüncesi: 10

Maurice Blanchot çağdaş Fransız yazınındaki en esrarengiz ve etkili kişilerden biridir. Çalışmaları felsefi eleştiri (ya da tamamen anti-felsefi) makaleleri ve kitaplarının yanı sıra roman ve récit yazımını da kapsar. Üniversite ortamı dışında çalışan son yüzyılın önemli edebiyat kuramcılarından biridir.

Blanchot 22 Eylül 1907 tarihinde Doğu Fransa'da Saint-Germain-du-bois (Saone-et-Loire) kantonundaki Quain köyünde yaşayan bir Katolik ailede doğdu. 1930'ların başında üniversiteden sonra, *Journal des Débats*'nın yazı işleri kadrosunda dış politik ilişkilerde yazı işleri sorumlusu oldu.

En uzun süren ve gelişen arkadaşlığı Emmanuel Levinas'la olanıdır. Emmanuel Levinas, 1925'te tanıştıkları Strasbourg Üniversitesi'nde Blanchot'yla birlikte doktora öğrencisiydi. Çalışması, varlığın ahlaksal boyutlarının baskısıyla ilgili bir Batı düşünüşü kritiği oluşturmaktı. Blanchot'nun 1945 sonrası çalışması özellikle Levinas'ın *Totalité et infini* kitabının 1961'de yayımlanmasından sonra Levinas'ınkiyle üstü kapalı bir diyalog oluşturmuştur.

Savaş yılları Blanchot'nun Franz Kafka'dan ve 1940'larda arkadaş olduğu Georges Bataille'dan etkilendiği ilk kitapları *Thomas l'obscure* (1941) ve *Aminadab* (1942) yayımlanmasına tanık oldu. 1958 yılında Blanchot Paris'e döndü. "Bütün geçmişi reddediyorum ve günümüzün hiçbir şeyini kabul etmiyorum." 1958 yılında Dionys Mascalo'ya yazdığı bir mektupdaki bu sözcükler Blanchot'nun 68 olayları sırasında da devam eden 20 yıllık politik suskunluğuna işaret eder. Blanchot'nun yalnızlığı ve yazma dışında topluma girmeyi reddi, ona özgü bir mistik ve ün etkisi yarattı. Gizli çekilmiş bir fotoğrafı bile geniş çaplı ilgi ve söylentinin nedeni oldu. Maurice Blanchot, 20 Mart 2003 yılında öldü.

Birinci Basım: Şubat 2008

Kapak Düzeni: Gökçen Yanlı
Teknik Hazırlık: Zeliha Güler
Yayıma Hazırlayan: Çağan Orhon

KABALCI YAYINEVİ
Himaye-i Etfal Sok. 8-B Cağaloğlu 34110 İSTANBUL
Tel: (0212) 526 85 86 Faks: (0212) 513 63 05
yayinevi@kabalci.com.tr www.kabalci.com.tr

Cet ouvrage, publié dans le cadre du programme d'aide à la publication, bénéficie du soutien du Ministère des Affaires Etrangères, de l'Ambassade de France en Turquie et de l'Institut Français d'Istanbul

Çeviriye ve yayıma katkı programı çerçevesinde yayımlanan bu yapıt, Fransa Dışişleri Bakanlığı'nın, Türkiye'deki Fransa Büyükelçiliği'nin ve İstanbul Fransız Kültür Merkezi'nin desteğiyle gerçekleştirilmiştir.

KÜTÜPHANE BİLGİ KARTI
Cataloging-in-Publication Data (CIP)
Blanchot, Maurice
Yüceler Yücesi
ISBN 975-997-120-8

Baskı: Yaylacık Matbaacılık San. Tic. Ltd. Şti. (0212 567 8003)
Litros Yolu Fatih San. Sitesi, No: 12/197-203 Topkapı-İstanbul

MAURICE BLANCHOT

YÜCELER YÜCESİ

Çeviren
İsmail Yerguz

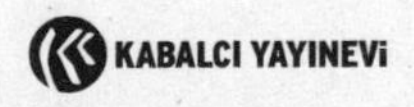

"Ben sizin için bir tuzağım. Size her şeyi söylemeye çalışmam boş bir çaba olacak; ne kadar dürüst olursam o kadar çok aldatmış olacağım sizi: sizi tuzağa düşürecek olan açık yürekliliğimdir."

"Yalvarıyorum anlamaya çalışın, benden size gelen her şey yalandan başka bir şey değildir sizin için, çünkü ben hakikatim."

I

Yalnız değildim, sıradan bir insandım. Nasıl unutulur bu sözler?

Hastalık iznim sırasında, kent merkezinde bir semte gezmeye gittim. Ne güzel kent diyordum içimden. Metroya inerken birine çarptım. Adam sert konuştu benimle. Ben de bağırdım ona: "Beni korkutmuyorsunuz." Yumruğu büyüleyici bir hızla uzandı, yere yuvarlandım. Bir sürü insan toplandı başıma. Boş yere kalabalığa karışmaya çalıştı. Öfkeyle yakındığını işittim: "O itti beni. Rahat bırakın beni!" Bir tarafım acımıyordu, ama şapkam suya düşmüştü, yüzüm bembeyaz olmalıydı, titriyordum. (Hastalıktan yeni kalkmıştım. Fiziksel ve ruhsal sarsıntılardan kaçınmam tembihlenmişti.) Kalabalığın arasından bir polis çıktı ve sakin bir tavırla kendisini izlememizi istedi. Merdivenleri çıktık, kalabalık bizi birbirimizden ayırmıştı. O da sapsarı, hatta bembeyazdı. Karakolda patladı.

– Çok basit, dedi polis, sözünü keserek. Bu adama saldırdı ve çenesine bir yumruk patlattı.

– Şikâyetçi misiniz? diye sordu komiser bana.

– Benim şeyime... bu adama bir ya da iki soru sorabilir miyim?

Adamın yanına yaklaştım ve yüzüne baktım.

– Kim olduğunuzu öğrenmek isterdim.

– Sizi ilgilendiriyor mu bu?

– Evli misiniz? Çocuklarınız var mı? Hayır, başka bir

şey sormak isterdim size. Bana vurduğunuzda, bunu yapmanız gerektiğini hissettiniz, bir görevdi sizin için, size meydan okuyordum. Şimdi üzülüyorsunuz bu hareketinizden dolayı, çünkü biliyorsunuz ki, ben de sizin gibi bir insanım.

– Sizin gibi mi? Bu canımı sıkar işte!

– Sizin gibi, evet, sizin gibi. Aslına bakarsanız çok gerekirse dövebilirsiniz beni. Ama öldürmek, yok etmek... Yapabilir misiniz bunları? Burnunun ucuna kadar ilerledim. Sizin gibi bir insan değilsem eğer, niçin ayağınızın altına alıp ezmiyorsunuz beni?

Beceriksizce bir telaş göstererek geriledi. Bir homurtu duyuldu. Komiser kolumdan tuttu. "Ama bu bir... çılgının biri bu," diye bağırdı. Polis çekti beni. Karakoldan çıkarken soğuk, donmuş yüzler gördüm. Saldırganım sırıtarak baktı bana ve yüzü bembeyazdı.

Bir ailesi olmak... Bunun ne anlama geldiğini biliyordum. Bazen hiçbir fikrim olmuyordu bu konuda, çalışıyordum, herkese faydam dokunuyordu, birbirimize yakındık. Ama ansızın bir şey oluyordu: geriye dönebilirdim. Kliniğin salonunda annem, kız kardeşim bekliyorlardı beni. Ne sevimsiz bir salon! Koltuklar, kanepeler, halılar, bir piyano ve soğuk bir ışık, sürekli bir yarı aydınlık. Oysa hastane moderndi. Ama bir ortam, bir sessizlik sorunu vardı: doktor anlatmıştı durumu bana. Rahatsız olmuştum. Yıllardır annemi görmemiştim. Beni incelediğini hissediyordum.

– İyi gözükmüyorsun.

Kendilerine niçin bu kadar geç haber verdiğimi sor-

– Fırsat bulur bulmaz, yazdım size durumu. Çok ateşlendim, sadece ateş. Başka belirtiler bekleniyordu, ama yoktu. Sanıyorum sayıkladım. Aslında kötü hissetmiyordum kendimi. Esas şimdi yorgun ve sıkıntılıyım.

– Çok kötü koşullarda yaşıyorsun. Kaldığın yer mezar gibi. Niçin eve dönmüyorsun?

– Kaldığım yer? Evet, kaldığım yer çok güzel geliyor bana. Doktoru gördünüz mü?

– Hayır, gitmiş, ama hemşireyle görüştük.

– Çalışmaya başlamam gerekiyor. Kamu yaşamının dışında kalamam. Büroda yerime bakan biri var. Ama çalışmayı özledim.

İkisi birden baktılar bana.

– Gülünç, biliyorum. Son derece önemsiz bir işim var. Ama önemli mi bu? Rolümü oynamam gerekir.

Annem şöyle bir gözlemde bulunmak zorunda hissetti kendini: "Daha iyi bir pozisyona sahip olmak sadece senin elindedir." O zaman zor durumda hissettim kendimi: ikimiz de yalan söylüyorduk. Yalan söylemiyorduk, daha da beterdi durum. Ben gerekeni söylüyordum, ama birden kopmuştum o andan. Bütün bunlar sanki çok eskiden, binlerce yıl önce olmuş bitmişti... Öyle geliyordu bana, zaman açılmıştı sanki ve ben açılan o yerden düşmüştüm. Annem çok belirgin biçimde tatsızlaşıyordu. Sıkılmıştım ve aynı zamanda da niçin bu kadar mesafeli davrandığını, niçin onu yıllarca görmediğimi daha iyi anlıyordum. Çok eskilere dayanıyordu bu durum. Annem şimdi bir eski zaman insanıydı, be[illegible] birtakım çılgınlıklara sürükleyebilecek anıtsal bir kişilikti. Aile buydu işte. Eski zamanların yasaya yaptığı çağrı, geçmişten gelen bir çığlık, çiğ sözler. Anneme baktım. Sıkıntılı bir yüzle seyrediyordu beni.

– Evinize dönün, dedim. Yarın görüşürüz.

– Ne oluyor sana canım? Yeni geldik daha.

Ağlamaya başladı. Gözyaşları daha kötü yaptı beni. Özür diledim.

– Öyle ilgisiz, öyle tuhaf biri oldun ki... diyordu ağlarken.

– Yok canım. O izlenimi veren hayat. Çalışmak gerekiyor, her günün hakkını vermek gerekir. İnsan kendini herkese verirse, kendi ailesinden ayrılır.

– Nekahetin süresince eve gel.

– Bakalım.

– Çok zayıfladın. Endişelendiriyor beni bu hastalık. Önceden hissettin mi hastalığı? Yorgun hissediyor muydun kendini?

Anneme baktım, hiçbir şey söylemedim.

– Bırak, anne, dedi Louise kuru bir sesle. Sıkma adamı.

Öğle yemeğini belediyenin yanındaki bir sokaktaki küçük bir lokantada yedim. Masalar daracık bir salon boyunca karşılıklı yerleştirilmişti. Yer olmadığından, birinin masasına oturdum.

– Ben yokken neler oldu? diye sordum garson kıza. Herhalde mönü değişmez.

– Doğru, gözükmediniz bir süre. İzinde miydiniz?

– Hayır, hastalandım.

Yüzünü ekşitti.

– Afedersiniz, dedim masa arkadaşıma, sizi daha önce çok gördüm, müdavim misiniz? Bu civarda mı çalışıyorsunuz?

– Bu civarda değil, pek. Bir süre inceledi beni. Birkaç yıl önce bu semtte bir mağazada tezgâhtarlık yapıyordum. Semt değiştirdim, ama sık sık geliyorum buraya.

Çok gürültü vardı, birbirlerine çarpan eşyaların çıkardığı sesler, tabakların dibini kazıyan kaşıklardan, bardaklara boşalan içeceklerden gelen sesler. Karşımda iki kadın masadan masaya konuşuyorlardı. "İspiyonluyor, taciz ediyor beni." Açık seçik duydum bu lafları. Pek iştahım yoktu.

– Yemeklerin pek iyi olduğu söylenemez.

Sigara sarıyordu.

– Pahalı değil ve bol kepçe.

Bana getirilen tabakta çeşitli sebzeler ve büyük bir haşlama et vardı.

– Malzeme bol, dedim çatalımla ete vurarak, ama ziyan ediliyor ürün.

– Hı! Bu akşam için güzel bir çorba gözüküyor ufukta. Restoranı abartılı bir üslupla övmeye devam etti. Ya siz? diye sordu. Siz nerede çalışıyorsunuz?

Ufak tefek, çok şık bir adamdı. Yetkili bir ağız gibi konuşuyordu. "Açıkça konuşun o halde onunla, diyordu karşı masadaki kadın. – Hayır, bundan böyle kesinlikle hiçbir şey söylemem."

– Belediyede çalışıyorum.

– Memur mu? Avantajları olan bir iş.

Bir şey eklemek istedi sözlerine. Ama kadın ağlamaya başlamıştı, birden kalktı yerinden ve salonun arka tarafına doğru yürüdü.

– Ne oluyor? diye sordum garson kıza. Kız, hiçbir şey söylemeden tabağımı kaldırıyor ve küçük bir pasta koyuyordu önüme. Şöyle diyordu sanki: Ne olmasını istiyorsunuz? Beni ilgilendirmez.

– Bir dikiş atölyesinde çalışıyor. Sanıyorum amiriyle geçinemiyor.

– Ya siz, idareyle aranız iyi mi?

Omuz silkti, gülümsedi.

– Çok iyi, dedi giderken.

Masadaki adam bu konuşmaları dikkatle dinlemişti, ama biz baş başa kalır kalmaz gazetesine daldı. Kadın geri geliyordu, yüzü sakin ve parlaktı.

– Ne haberler var?

Bana doğru uzattığı sayfada şu başlıkları okudum: *Bir kadın kaza sonucu beşinci kattan düşüyor*. *Halk sağlığı hizmetlerinde yeni mevzuat. Batı Yakasında yine yangın* (benim oturduğum semtti). *Büyüme*... Bir sabırsızlık hissediyordum, ateş basıyordu.

– Şu yazıyı okudunuz mu: Merkez Yolu, bir kadın düşüyor?...

– Evet, okudum.

– Size göre, kaza mı, intihar mı?

– Bilemiyorum. Başlığa bakılırsa kaza.

– Ama, dedim heyecanla, intihar da kazadır. Okuyun şu hikâyeyi. Doktorun ifadesine göre kadının hafif bir rahatsızlığı varmış. Sürmenaj. Ve çalıştığı yerdeki amiri izin vermiş ona. Dikkat edin: izin. Yöneticilerin bir hatası yok bu işte. Kadın yorgunluk belirtileri verir vermez, doktor istirahat tavsiye ediyor, ilaç yazıyor, sistem mükemmel işliyor. Ama hastanın başı dönebilir, havaya ihtiyacı olabilir. Pencereye gidiyor ve bir sıkıntı kaplıyor içini. Şimdi ne oluyor? Niçin düşüyor? Niçin düşmenin en zor ve en tehlikeli olduğu taraftan düşüyor? Hem sonra, belki isteyerek atmıştır kendisini boşluğa... çünkü... çünkü hasta hissediyordu kendisini, çünkü ne bileyim ben, artık çalışamadığı için utanıyordu belki de. Bu ve bu gibi şeyler düşünülebilir. Sonuç olarak sorumlu kim? Yazıyı kaleme alan, doktorun görevini gerektiği gibi yerine getirmediğini, hastayı hastaneye göndermesi gerektiğini ima ediyor.

– Yani? diyor karşımda, elini çenesine dayamış ve gözlerini gözlerime dikmiş olan adam.

– Açık işte.

– Açık olan ne?

– Bilmiyorum, diyorum kendimi biraz yorgun hissederek. Eleştiri yaptığım için kınadınız beni biraz önce. Eleştiri yapılmamalı mı sizce?

– Ben mi? Ben mi kınadım sizi?

– Restoranla ilgili olarak.

– Tuhafsınız. Ben bu restoranın fena olmadığını, ötekilerden eksik bir yanı olmadığını söylemek istedim.

Benim bu restorandan bir çıkarım yok.

– Ama, dedim yine ısrarcı bir tavırla, eleştirmek? Sevmiyorsunuz eleştiriyi değil mi? Gelişigüzel bir eleştirinin düzensizliğe, kargaşaya götüreceğini düşünüyorsunuz, kuşkunun zihinleri zehirlediğini, sağlıksız geri zekâlılara özgü bir şey olduğunu düşünüyorsunuz. İşinizde, eleştiriler yapıyorsunuz, ama bu işi yetkili kurumlar önünde, daha önceden belirlenmiş yöntemlere göre yapıyorsunuz. Bu restoranda bir sallapatilik, aldırmazlık olduğunu yüksek sesle dile getirdiğim için kızıyorsunuz bana, tıpkı amirinden şikâyetçi olduğu için o kadına kızdığınız gibi. Öyle mi?

Yüzüne bakıyordum: alçak sesle dile getirmiş olmama rağmen, yersiz olduğunu düşünüyordum açıklamalarımın.

– Afedersiniz. Bu olaylar çok etkiliyor beni. Sizin bakış tarzınızı da onaylamıyor değilim. Ama bakın, makale beni destekliyor. Yazıyı kaleme alan 'kimse suçlu değildir' demiyor. Tersine, birini suçlama konusunda tereddüt göstermemiş, bir soruşturma yapılacak, durum açıklık kazanacak. Ben bunun dışında bir şey söylemek istemedim.

Adam tekrar gazeteyi aldı eline ve dikkatlice okudu. Sonra katladı gazeteyi.

– İstediğiniz kadar eleştirebilirsiniz. Kişisel olarak umurumda değil benim. Okumak istemiyor musunuz artık? diye sürdürdü konuşmasını gazeteyi uzatarak. Kalktı, garsonu çağırdı. Ben de herhangi biri kadar görüyorum yürümeyen şeyleri, dedi suratını ekşiterek.

Ben de açık konuşmasını bilirim. Ama herkesin önünde de sorumsuzca ve sorumsuz kişilerin karşısında uluorta şikâyet etmem. Boş kafalı insanlarla dolu çevremiz.

Eliyle bir işaret yaptı: yeter bu konu demek istiyordu sanki. Garson paranın üstünü getirdi. "Bu akşam görecek miyiz sizi? diye sordu garson kız. – Evet, tabi: akşama. Alın, size hediye ediyorum bu gazeteyi." Ben de hesabı istedim. İçerisi hâlâ çok kalabalıktı. Müşteriler masaların çevresinde çaresiz ve itaatkârca ayakta bekliyorlardı. Garson kız bir türlü gelmek bilmiyordu. "Bayan!" diye bağırdım. İşitmemiş gibi geçip gidiyordu önümden. "Ne yer!" dedim kendi kendime yüksek sesle ve kasaya gittim hesabı ödemek için.

Eve döndüğümde kapıda tanımadığım biri bekliyordu beni.

– Sizi tanımayı çok istiyordum, dedi telaşla; sizden çok olumlu söz edildiğini işittim. Üstelik sizin en yakın komşunuzum ben. Çok iyi ilişkiler içinde olmamız mutlu eder beni.

Adama baktım, bir şey demedim.

– Hastaydınız galiba?

– Evet.

Sessizce baktı. Çok uzun boyluydu, yüzü de çok büyüktü.

– Kapıcıdan öğrendim. Taşındığımda sizi rahatsız etmekten korkuyordum, ama bir klinikte tedavi gördüğünüzü söyledi. Tamamen sağlığınıza kavuştunuz mu?

– Tamamen.

– Sağlık tuhaf bir şey. Sizin de görebileceğiniz gibi sağlam bir yapım var benim. Hiçbir zaman ciddi bir hastalığım olmadı, çok güçlüyüm. Ama öyle günler oluyor ki, yataktan çıkmak istemiyor canım, hiçbir şey yapmak istemiyorum, uyumak bile istemiyorum. Öyle sanıyorum ki kanım yönetmeyi bıraktı artık ve yeniden emir vermeyi istemesini bekliyorum. Eviniz epey dar, dedi, bulunduğumuz odaya, sonra da camlı kapıdan fark edilebilen ve besbelli dairemin tümünü oluşturan öbür odaya bakarak.

– Bekârım, yetiyor bana.

Gülmeye başladı.

– Pardon, dedi. Üslubunuz ilginçti. Oldukça yalnız yaşıyorsunuz, sanıyorum. İnsanlarla görüşmeyi pek sevmiyorsunuz, öyle mi?

Gözlerinin içine baktım, o da bana bakıyordu.

– Olabilir, dedim sakin bir sesle. Yani: herkesi görüyorum gönlümce, bir tercih yapmıyorum bu konuda, özel ilişkiler anlamsız geliyor bana.

– Sahi mi, öyle mi düşünüyorsunuz?

Elleri dizlerinde, sırtı pencereye dönük durumda sessiz kaldı bir süre: iyi yontulmamış, doğrudan doğruya dağdan koparılmış bir taş gibiydi.

– Memur musunuz?

– Nüfus müdürlüğünde görevliyim.

– Nasıl bir iştir bu tam olarak?

– Büro işi tabii ki.

– Size göre bir iş mi peki?

– Tam bana göre bir iş.

– Birkaç gün önce bir münasebetsizlik yaptım, dedi birden. Sanıyorum evvelsi gün caddede yürüyordunuz. Ben arkanızdaydım, sizin kim olduğunuzu biliyordum. Dikkatle inceliyordum sizi.

– İnceliyor muydunuz? Niçin peki?

– Niçin mi? Aslında bunu söylemek kabalık gibi gözüküyor. Ama komşum olduğunuzu biliyordum. Nitelikli biri olduğunuzu da biliyordum. Bunda bir kötülük yok. Sizi izledim işte. Hızlı hızlı ve çevrenize hiç bakmadan yürüyordunuz caddede. İşten dönüyordunuz muhtemelen değil mi?

– Her gün aynı saatte dönerim. Bütün akşamlarım birbirine benzer.

– O akşam oldukça karanlıktı ortalık. Hatırlıyor musunuz bir adam?...

– Evet, ee?

– Size yanaştı değil mi?

Bakıştık: yarı meraklı yarı tasvipkâr bakışlarını bana dikmişti; sonra hiçbir ifade kalmadı gözlerinde.

– Dilenciydi, dedim.

– Evet, ona para veriyormuşsunuz gibi geldi bana.

– Bunu da mı gördünüz? Gerçekten çok yakından inceliyormuşsunuz beni.

– Evet, özür diliyorum sizden

– Bakın, eğer bu olay sizi ilgilendiriyorsa, daha başka ayrıntılar da verebilirim bu konuda.

– Rica ederim, bırakalım bunu. Merak çok uzaklara sürükledi beni.

– İzninizle söyleyeyim ki, çok ilginç gözükmüş bu hikâye size. Yoksa niçin gelip anlatasınız bana bunları? Adamın bana neler söylediğini de öğrenmek istersiniz belki? Üzgünüm, çok yavan şeyler bunlar. Böyle durumlarda söylenen şeyleri söyledi. Bana gelince, onu kesinlikle bir hayır kurumuna gönderebilir ya da çalışmayı niçin bıraktığını sorabilirdim. Hesap sorabilirdim. Ama hiçbir şey yapmadım. Parasını aldı, hepsi bu kadar.

Oynak bir ifade fark ettim yüzünde, yüz çizgilerini bulanık bir duygunun arkasına gizlemek istemişti sanki.

– Adamı belirgin bir biçimde tanımlamamı ister misiniz? Fark etmişsinizdir hiç kuşkusuz, üstü başı fena değildi, sağlam bir deri ceket vardı sırtında. Maalesef böyleydi durum. Şurası açık ki, üstü başı paramparça olsaydı, benim davranışım daha iyi anlaşılırdı.

– Nasıl yani? Davranışınız son derece doğal bence.

– Bilemem. Belki, dedim, gözlerinin içine bakarak, bu tür hikâyeler karmakarışıktır. Öyle sanıyorum ki, insanları durdurup yardım isteyen bu adamların bazıları gerçekten, söyledikleri gibi ihtiyaç içinde değiller. İnsanların cömertliklerini sömürmeye kalkıştıkları da söylenemez. Amaçları bambaşkadır belki de; sözgelimi işlerin çok iyi gitmediği izlenimi vermek, sistemin, gitgide daha sıkı ilmikler atılmasına rağmen sefil ve üzücü olaylardan dolayı tozlandığını ya da kimi insanlar için çalışmanın mümkün olmadığını göstermek istiyorlardır belki de. Niçin? Bu ne sağlık, ne iyi niyet, ne de inanç işidir. İsterler ve yapabilirler, ama aynı zamanda yapamıyorlar. Bütün bunlar düşündürtüyor.

İlgili bir tavırla bakıyordu bana, suratımın ona büzülmüş ve kararmış gibi göründüğünü hissediyordum.

– Memur olduğumdan, dürüst davranıp resmi görüşleri savunmaya hevesli olduğumu mu sanıyorsunuz yoksa? Hiçbir şeye hevesli değilim. Herkes gibi tamamen özgürüm. Hem zaten benim fikrimin hiç önemi yok, bir benzetmeden başkası değil, inanmıyorum.

– Ama para verdiniz o dilenciye, değil mi?

– Evet, ya devamı? Hoşuma giden şeyi yaptım. Korktum, işte gerçek. Sıkıldım. Konuşmasını kısa kesmesi için biraz para verdim. Kişisel tepkileri de dikkate almak gerekir.

– Sinirli bir insansınız değil mi?

– Onu reddetseydim, ya özel bir Büro'ya gitmesini isteyecektim ya da sıkıntılarının nedenlerini daha ayrıntılı biçimde öğrenme amacıyla sorular soracaktım ona. İkna etmeye çalışacaktım onu. Neye? Saçma. Ona boyun eğerek, en ucuza kapattım işi.

Dirseklerini masama dayamış, sessizce bakıyordu bana. Yüzünün beni ne kadar büyülediğini, öteki yüzlerden ne kadar farklı göründüğünü fark ettim o zaman. Çok renkli, neredeyse kırmızı yanaklı, ama yer yer de beyazlıkları olan bir yüzdü bu yüz. Alnı ve kulakları kâğıt gibi bembeyazdı. Otoriter, rahatsız edici buyurganlığı olan biri gibi gözüküyordu, hiçbir şeye önem vermeyen bir pervasızlık içindeydi sanki. Ve ansızın yüzünde bir çekingenlik, müthiş rahatlığını kuşkulu hale getiren kurnazlık ve acemilik kokan bir ifade de gördüm aynı zamanda.

– Söylediğim için kızmayın, ama herkesten farklı gözüküyorsunuz bana. Gençsiniz, ben kesinlikle çok yaşlıyım sizden. Genellikle bu tür gözlemler saklansa da ben söyleyebilirim size bunları. Etkilendim sizden... konuşma biçiminiz mi, fikirleriniz mi yoksa bazı hareketleriniz mi etkiledi beni? Afedersiniz, açık yürekliliğim gülünç oluyor. Yabancı değilsiniz değil mi?

Başımla hayır, değilim anlamında bir işaret yaptım.

– Ben doktorluk yaptım. Varlıkları sınıflandırmaya gereksinim duyuyorum. Sizin tersinize, çok ince açıklamalar aramıyorum ben. Zaten, bütün olarak bakıldığında teoriler, doktrinler kimsenin umurunda değildir. Benden söz edildiğini duydunuz mu hiç?

Hayır anlamda bir işaret yaptım.

– Epey uzun süre dışarıda yaşadım. Bunun ne anlama geldiğini bilirsiniz: gelenekler, alışkanlıklar farklı, falanca şeyin yerine filanca şey yenir; manzara aynı değildir, en azından bir yere kadar, çünkü büyük kentler doğal olarak birbirlerine benzerler. Sonra dil... neyse gerek yok bütün bunlara. Sonuç olarak her şey farklı. Bir ülkeden ötekine her şey epey farklıdır. Bununla birlikte bu şaşkınlık ve benzer öteki izlenimler bir yana bırakıldığında insan kısa sürede anlıyor ki, sınır geçmek çok önemli bir şey değil ve yabancı ülke diye bir şey de yok pek o kadar. İnsan, terk ettiği ülkenin, bütün öteki ülkelere yayıldığını, yüzölçümüyle kendi yüzölçümünün bin katı yüzölçümlerini kapladığını, geri kalan tüm ülkelerin de kendisi olduğunu mükemmel bir biçimde fark ediyor. Ve gezgin bu durumu fark ederse, bulunduğu kenti dünyanın merkezi ve eşdeğerlisi yapan yerli haydi haydi fark eder ve belli belirsiz başka şeyleri düşlemekle yetinir.

Konuşmasını kesti ve sabit küçük gözlerini bir an üstüme dikti. Gözlerinin bu heybetli yüze oranla çok küçük olduklarını fark ettim sıkıntıyla.

– Bu tür sıradan şeylerin farkına varmak için büyüleyici yorumların peşinde koşmanın bir yararı olduğunu sanmıyorum. Öyle insanlar vardır ki, parmaklarının uçlarıyla dünyanın ucuna dokundukları duygusu içindedirler. İnsanı sarhoş eden bir duygudur bu aslında, ama ne anlama gelir? Kurnaz kuramcıların basit görme biçimi.

– Niçin benim başkalarından farklı olduğumu söylüyorsunuz?

– Hayır, çok farklı değilsiniz. Sıradan düşüncelere bulaşmışsınız ve başınız dönmeye başlıyor. Bu düşüncelerin belki de hiçbir önemi olmadığını hissediyorsunuz belli belirsiz, ama bunlar yok olursa, geriye ne kalırdı? Boşluk, hem sonra hiç olamaz da değil bunlar; öyleyse her şeydir bunlar ve boğuluyorsunuz siz. Bazen yürürken konuştuğunuzu biliyor musunuz? dedi saf bir küstahlıkla. Dudaklarınızı oynatıyorsunuz, hatta bazı hareketler yapıyorsunuz. Aforizma ve özdeyiş akışını bir dakika bile durdurmak istemiyorsunuz sanki. Bütün düşünce yapınız güçlü bir biçimde kamu görevleriyle biçimlenmiş sanki!

O anda bir şeyler sezmiş gibi oldum, konuşmamızda

kopma gibi bir şey oldu, muhatabım olur olmaz şeyler söylüyordu, dinlemiyordum onu, bambaşka bir şey dinliyordum, ama söyledikleri de benim duyduğumu sandığım şeylerden çok farklı şeyler olamazdı. Sadece ona bakmak için çaba harcadım. Dikkatle odayı inceliyordu

– Çok kitabınız var, dedi, okumayı seviyor musunuz? Küçük tekerlekler gibi dönmeye hazır gözüken gözlerinin hareketini izliyordum. Yerinden kalktı ve bazı kitap adlarını okudu. Tekrar yerine oturduğu sırada, okumaya vaktim yok, dedi. Uzun uzun baktı bana, elinde olmadan bakıyordu belki. Dışarıda bulunduğum sırada çok okudum, yazdım da.

– Gazeteci miydiniz?

– Evet, bazı gazetelerde yazdım. Devam etti konuşmasına: Bu ülkeye döneli çok az bir zaman oldu. Böyle bir sözcük pek fazla bir anlam taşımasa da göç dedikleri olgunun alanına giriyor benim durumum. Doktorluğu bıraktıktan sonra çok çeşitli sorunlarla uğraştım.

Bir çaba daha gösterdim.

– Doktorluk mu yaptınız? Bu mesleği bıraktınız mı?

– İşten atıldım.

Gözlerim, giysilerine, ellerine takıldı; sonra pencereden baktım ve karanlık, inanılmaz derecede karanlık caddeyi fark ettim.

– Açığa alındım, diye sürdürdü konuşmasını sakin bir tavırla.

Komşularda böğüren radyonun sesi geliyordu kulağıma. Tiz, yaygaracı bir şarkı, gerçekten toplu bir ses, karşı konulmaz bir güçle bir kattan ötekine geçiyordu.

– Şaşırttım sizi, gördüğüm kadarıyla, dedi birden gülümseyerek. Aslında, kovuldum, işimi kaybettim, demek tuhaf. Böyle bir kullanım yok. Üstelik tam anlamıyla doktor değildim, asistandım; birçok kuruma bağlı olarak çalıştım. Gerçek anlamda staj yaptım sadece, bu iş bana göre değildi.

– Çok dolaşmışsınız, dedim zorlukla.

– Evet. Evet ve hayır. Dışarıda yaşadım, ama dışarıda dolaşmıyordum. Bir otel odasında kalıyordum.

– Ama... hangi sıfatla kalıyordunuz orada?

– Hangi sıfatla mı? Yine üstüme dikti gözlerini. Size durumu açıkladığımı sanıyordum, dedi soğuk bir sesle. Devlet işlerine bulaştım. Belli bir süre ülkeden uzaklaşmak zorunda kaldım.

– Olamaz! Ne demek istiyorsunuz? Bunları bana niçin anlatıyorsunuz?

– Sakin olun, dedi yine ayağa kalkarak. Bunda ne gibi bir olağanüstülük var? Sizin dürüst bir insan olduğunuzu düşünüyorum, güvenebilirim size.

– Ne diyorsunuz?

– Burada normal bir konumdayım. Endişelenmenize gerek yok. Normal bir yaşam sürüyorum, dedi üstüne basa basa.

Yanımda ayaktaydı, kitapların bulunduğu etajere yaslandım.

– Önemsiz ve ilgilenmeye değmez basit bir hikâye. Hiçbir onursuzluk yapmadım, temin ederim sizi. Takibata falan uğramadım. Kendi özgür irademle sürüldüm, çünkü böyle bir tercih yapmamın uygun olacağını düşündüm ve bazı şeyleri anlamak istiyordum. Şu anda bir işim var, çalışıyorum. Bu açıklamalar yeterli mi sizin için?

– Niçin anlattınız bunları bana? dedim alçak sesle.

– Sordunuz. Günün birinde öğrenecektiniz hikâyeyi ve ketumluğumdan dolayı kızacaktınız bana. Adım Pierre Bouxx.

– Bouxx, dedim. Bunun için mi bıraktınız görevinizi?

– Evet... yani, evet. Kaldı ki, yineliyorum, bu koşullarda hastalarla ilgilenecek yapıda değildim. Bu gibi işlerle ilgimi sürdüremeyeceğimi çok çabuk anladım.

– Yalnız mı yaşıyorsunuz? Aileniz var mı?

– Hayır, ailem yok. Gördüğünüz gibi yaşlıyım artık, annem babam yok. Yurt dışındayken evlendim, ama karım öldü. Basel'de evlenmiştik. O dönemde çok yalnızdım. Sürgün yoldaşlarımın çoğunun meslekleri ve uğraşları vardı. Karım öldükten sonra büyük bir gayretle çalışmaya verdim kendimi; açık seçik bir biçimde gördüm ki, bütün gücümü toplayarak sadece tek bir şeyi değiştirmeyi başaracak olsam da, sadece küçücük bir saman çöpünü yerinden oynatacak olsam bile, boşa gitmeyecekti çabalarım. Ve belki bunların çok daha fazlasını yapacaktım.

Kapıyı açtı ve bir süre bekledi.

– Gidiyor musunuz?

Hareket etmedi.

– Sözlerimin keyfinizi kaçırdığını anladım. Öyle gelişigüzel konuşmak gibi bir alışkanlığım olduğun sanmayın sakın. İçtenlikle sürüklendim. Daha önce de söylediğim gibi, öyle sanıyorum ki sizde çok özel birtakım şeyler var, yani şu anda değil belki, ama doğacak. Bu kentte herhangi bir kimseyle konuşmaya kalkışmanın boş bir çaba olduğunu biliyorum. Söyleyecek bir şey yok, öğrenecek de. Kent dedikleri bu işte. Buna karşılık, sizinle anında konuşma arzusu duydum. İzledim sizi. Kısacası sizi kafama taktım. Ama doğal olarak eğer bu ilişkiler sıkarsa sizi, ısrarcı olmayacağım. Komşu olduğumuz gerçeğini hesaba katmamak gerek.

O gittikten sonra müthiş bir tiksinti hissetmiş olmam şaşırttı beni. Utanç verici bir sahne gerçekleşmişti sanki. Bununla birlikte onu tekrar görmeyi de istiyordum. "Ne oyuncu!" diyerek özetledim her şeyi.

Ertesi gün Louise evi toplamaya geldi. Süpürdüğünü, dönüp durduğunu işitiyordum. Halıyı yuvarlıyor, tabureleri itiyor, iskemleleri deviriyordu. "Ne yapıyoruz? Sinemaya gitmek ister misin?" Elime bir gazete aldım, yatağa oturdum. "Yeter artık, sıkıyorsun beni bu süpürme işiyle." Örtüleri çekiştirmeye başladı; kolundan tutmak ve dışarı gezmeye göndermek geldi içimden, ama karışmadım işine. "Annen beni gördükten sonra ne dedi? Konuşsana."

– Çok özel şeyler söylemedi canım.

Dışarı çıkınca, çıktığıma pişman oldum. Hava ılık ve nemliydi. Metro duman ve gürültülerle dolu bir havayı soluduğum O. Meydanına attı bizi. Olağanüstü bir şamata vardı. "Ne gürültü ama, dedim ona yüksek sesle.

Cumartesi günü herkes alışveriş yapıyor." Koluna girdim ve yan sokaklardan birine doğru götürdüm onu. Burası o kadar kalabalık değildi. İnsanlar birkaç adım uzağımızdan, önümüzden geçiyorlardı.

– Benim için bir şey yap, dedim ona. Gördüğün her şeyi tam olarak betimleyeceksin.

– Ne?

– Evet, temel olarak ne görüyorsun?

Bir süre, yavaş yavaş bulvardan aşağı doğru inen insanları seyrettik. Kimi zaman bir kız kalabalığın arasından kopuyor ve mağazaların vitrinlerine doğru gidiyordu. Vitrinlere kayıtsız bir tavırla, pintilik kokan ve sıkıntılı hareketlerle yaklaşıyor, oralarda bir süre duruyor, daha sonra ürpererek, koşar adımlarla uzaklaşıyordu bulunduğu yerden ve kalabalık içinde kayboluyordu yeniden.

– Sinemaya gitmeyi çok mu istiyorsun? diye sordum Louise'e.

Kafe tıka basa doluydu. Bayram günüydü sanki, herkes çok heyecanlı ve ateşli gözüküyordu. Louise bir dondurma istedi, tattı ve geri itti. "İyi değil mi?" Gülümsedi. Oturduğumuz masanın önünden yarım sayfası okunabilen bir gazeteyi gösteren bir gazetece satıcısı geçti. "İlginç, dedim, yine bir yangın." Müşteriler tutkulu, neredeyse acı dolu bir biçimde gidip geliyorlardı. Hiç konuşmuyorlardı, ama seslerden, bağırtılardan, akordu bozulan ve yeniden akort edilen aletlerden gelen sağır edici bir şamata vardı içerde. Hatta arka taraftan çığlıklar geliyordu ve muhtemelen garsonlar ve şefleri arasında kavga çıkmıştı.

– Evde kesinlikle benimle ilgili birtakım yorumlar yapılıyor. Bu konuşmaları bana kelimesi kelimesine aktaramaz mıydın: masadaki konuşmaları sözgelimi?

– Konuşma? Annem dönmeni istiyor. Ama biliyorsun, söyledi sana.

– Ya sen, sen de ister miydin?

– Sanıyorum, günün birinde yine başlardı kavgalar.

– Kavgalar?

Müzik sesi patladı ansızın. Kadınlardan, kırmızı işlemelerle süslü beyaz gömlekli iri yarı ve güçlü kadınlardan oluşan bir orkestra çalıyordu. Gürültülü ve ilkel bir açılış parçası çalıyorlardı; her zil sesinde haykırışlar, yanıp yakarmalar duyuluyordu. Yorgun hissettim kendimi. Genel bir uyuşukluk havası vardı ortalıkta. Louise çantasını açınca rujunu aradığını sandım, ama o anda yüzünde neredeyse hiç makyaj olmadığını fark ettim. Gözlerini, dudaklarını gördüm, karşıdan seyrettim onu.

– Ne kadar kötü giyinmişsin zavallı Louise'im benim. Niçin annen sana başka bir giysi almıyor? Otuz yaşında gösteriyorsun.

Mantosunu açtı ve bakışları giysisinin kirli ve solmuş siyah kumaşına takıldı.

– Ne oluyor? Tüm öğle sonrasını bu duygular içinde sıkılarak geçirdiğimin farkına varıyorum şimdi. Sana bakamıyordum, hoş olmayan, acı veren bir şeyler hissediyordum. Niçin bir yoksul gibi giydiriyorlar seni?

Neredeyse küçümseyici bir tavırla gözlerimin içine baktı.

– Abartıyorsun, dedi.

– Bir tuhaflık görüyorum sende. Hasta mısın? Seni kızdıracak bir şey mi yaptım? Buradasın ve hiç konuşmuyoruz.

– İlle de konuşmak için görmüyoruz biz birbirimizi, dedi, biraz sert bir ses tonuyla.

Ona ne kadar aşağılayıcı bir ihtiyatlılık içinde olduğunu söylemek istedim. Son derece yapmacık bakışlarla seyrediyordu beni, sanki hatalı ve ayıplanacak bir davranış sergilemiştim. Onu yaşlandıran, başka bir devrin insanı gibi gösteren buydu. Geri kalmış, gelişmemiş bir insan izlenimi uyandırıyordu, benim de geriye bakmamı umuyordu. Çiçek sepeti taşıyan küçük bir kızı yanıma çağırdım ve bir demet menekşe aldım.

– Keşke sinemaya gitseydik, dedim çıkarken.

Yorgun uyandım. Pazar günü korkunç bir gün, diye düşündüm. Kapıcı kadın kapıya vurdu ve içeri girdi. Bakışlarından, üstümü başımı, odadaki karışıklığı, panjurların hâlâ kapalı olmasını onaylamadığını anladım. Sıkıca kapatılmış iki çömlek kap içinde yemek getirirdi bana.

– Açayım mı?

Pencereyi itti. Giyinmemiştim henüz, kendimi kirli hissediyordum, saçlarım karmakarışıktı ve gözlerimi açamıyordum.

– Amma da uyuyor! dedi sıkıntılı bir sesle.

Büyük olasılıkla bir süre seyretti beni, daha sonra giysilerimi katladı ve tepsiyle birlikte iskemleyi divanın yanına itti. Yorgun, bitkin durumda sürünüyordum.

– Açık havada dolaşsanız iyi olurdu. Biraz bir şey yemeye çalışın hiç değilse.

Koridora çıkınca seslendim ona.

– Bu sabah bir geçit töreni mi oldu?

Yarı uykulu durumda müthiş bir uğultu, çığlıklar, uzaklardan gelen bir müzik sesi, çan sesleri duymuştum. Bu sesler sokaktan değil, yan taraftaki bir radyodan geliyordu.

– Evet tabii, yıldönümü kutlandı... Bir tarih söyledi bana.

Bu töreni düşünürken belli başlı görüntüleri canlandırdım: sokaklar bomboş, dükkânlar kapanmış, kentin büyük bölümü sessizliğe gömülmüş ve buna karşılık merkezde büyük bir kalabalık, birbirlerine sokulmuş bedenler, tepinen insanlar, pankartlar ve flamalarla görkemli bir şekilde yürüyen bu öteki kalabalığa doğru ürkerek bakan insanlar. Bu kalabalıkla birlikte bu ortak sükunet anından daha önemli yaşanacak başka bir anın olmadığı da kesinleşiyordu sanki.

– Ben bu törenleri çok seviyorum, dedim. Bütün sabah radyodan dinledim. Sağlığım elverse hiçbirini kaçırmazdım.

– Ben de seviyorum, dedi.

– Başka ilginç toplantılar da oluyor. Birçok kimse için pazar günleri spor yapmak anlamına geliyor: bir araya geliyorlar, coşuyorlar, bağırıp çağırıyorlar; ne söylenebilir onlara? Olağanüstü anlardır onlar için bu anlar.

– Spor iyi bir şey, dedi.

– Evet, güçlü bir gençlik oluşturmak bir ödevdir. Ama sinema da sağlıklı bir keyif. Aslında bir araya gelmenin her türlüsü iyidir.

Gülüyormuş gibi bir ses çıkardı ve başını eğdi. Ben de gülmeye başladım. "Ne var?"

– Ama siz çok sık çıkmıyorsunuz evden!

Ona baktım, birden olayları nasıl algıladığımı açıklamak istedim. Beni anlayacağını hissediyordum, sade bir insandı, güçlü ve genç bir kadındı. Aynı düzeydeydik. Ama şöyle dedi:

– Suç sizin sağlığınızın bozuk olmasında.

– Teşekkür ederim, gitgide iyileşiyorum. Biliyorsunuz bekârım ben, ama sorun bu değil. Herhangi bir insandan daha yalnız değilim, kesinlikle yalnız yaşamıyorum. Olup biten her şeye katılıyorum, benim düşüncelerim her şeye ait. İyi bir yurttaş olmak için evlenmem ya da toplantılara katılmam gerekmiyor.

– Ah! sizi incitmek istemedim, dedi telaşla. Apartmanda herkes övgüyle söz ediyor sizden. Sizin dürüst ve çalışkan bir insan olduğunuzu herkes biliyor.

Sessizce baktım ona.

– Evet dürüstüm, ama yeteri kadar değil henüz: insanlar en küçük izlenimlerin, en önemsiz sözlerin bile önemli olduğunu anımsayabilseler! Sık sık hastalanırım da ben.

Biraz sonra kapının kapandığını işittim. Bütün gün, kafamın üstünde kalabalıklardan gelen sesler, maç röportajlarıyla yalnız kalacağımı düşündüm, caddedeki ağaçlara bakacak, koltuğumda uyuklayacaktım. Bu uyku düşüncesi tuhaf bir anımı düşündürdü. Bir an kliniği, hemşireyi gördüm tekrar. Orada müthiş bir uyuşukluğa dalmış olduğumu anımsadım, son derece önemsiz bir şey uyandırıyordu beni, uyumamış olduğumu biliyordum, uykuda bir komedi, bir yanılsama, bir kışkırtma olduğuna inanmıştım: hiçbir zaman kendimi kaybetmemiştim, sayıklamalarımın ve yüksek ateşimin dile getirdikleri bunlardı ve ben yineliyordum bunları, çünkü her şeye rağmen insanın kendini savunması gerekir. O anda bunu düşündüm yine ve bırakmadı beni bu düşünce. Düşünmemem gerekiyordu bunu: kapıdaki küçük kareleri sayıyor, masaya bakıyordum. Kaldı ki düşünce denebilir miydi kafamın içindekilere? Yemeği fark ettim ve yedim.

Akşama doğru duvarın öbür tarafından sesler geldi. Bir gramofonun müziği inlemeye başladı. Parkelerdeki çıtırtıları hissediyordum, sanki bir mahzenin dibinde insanlar belli belirsiz, ritimsiz tepinip duruyorlardı. Zaman zaman bir çığlık duyuluyordu ve bitmek bilmeyen kahkahalar yanıtlıyordu bu çığlığı. Saatlerce bu şamatayı izlemeye çalıştım, ama karanlık bastırınca ropdöşambırımı giydim ve mutfağa gittim. Işığı yakmadan, karşı odalardan gelen ışıkta bir bardak su içtim. Düzensizlik, masanın dağınıklığı, küflenmiş yiyecek kokusu yüreğimi sıkıştırıyordu. Koridor boyunca yürüdüm yavaş yavaş ve biraz ileride, sol tarafta Bouxx'un dairesini görünce, sağa, müzik sesinin sanki çukur gibi bir yerden, bir işkence alanından geldiği izlenimi uyandıran duvara doğru döndüm.

Sertçe vurdum kapıya. Bir süre sonra kapı açıldı, ben karşımda genç bir kadın beklerken, sırtında sadece bir gömlek olan, parlak saçlı, yüzü yuvarlak ve belki de kızıl renkli bir oğlan gördüm. Holün öbür tarafında aydınlık bir mekân başlıyordu. Müzik sesi kesildi ansızın.

– Ev sahibesiyle görüşmek istiyordum.

– Ne istiyorsunuz?

– Bu apartmanda oturuyorum, biraz yorgunum. Bu gürültü...

Sarışın kadın çıktı ortaya.

– Sizi rahatsız ettiğim için özür dilerim, dedim yüzüne bakarak.

– Çok mu gürültü yapıyoruz?

Işık arkadan vuruyordu kadına, ama yüzünün çevresinde teninden gelen bir tür pırıltı, ışıltı ve solukluk fark ediliyordu. Üstünde oldukça şık, bol, ama bana rengi solmuş ve kumaşı sıradanmış gibi gözüken bir sabahlık vardı.

– Bugün pazar, dedi çocuk. Saat dokuz değil. Müzik dinlemeye hakkımız var.

– Dokuz mu? Özür dilerim.

– Ama hasta olduğunuzu söylemediniz mi siz? diye sordu kadın.

O anda girişteki ışığı yaktı.

– Hasta? Hayır; biraz keyifsizdim, şimdi de biraz yorgun hissediyorum kendimi, öğleden sonra uyumaya çalıştım ve şenliğinizden gelen sesleri duydum. Kalabalık olduğunuzu sanmıştım. Yalnız olduğunuza göre gelmemem gerekirdi.

Çocuk genç kadına doğru döndü, 'Ne oluyor! nedir bu adam böyle!' diyordu sanki. Kadın bir saniye çocuğa baktı.

– Önemi yok, dedi birden. Çıkıyorduk zaten. Rahat rahat dinlenebilirsiniz.

Kadına bakıyordum hâlâ: yüzü ışık altında kemikli ve biraz sıradan gözüküyordu, ama cildinde gençliğin, yaşamın verdiği çekici bir canlılık vardı.

– Ama benim için çıkmayın.

– Haydi, haydi, dedi çocuk kısa süre sonra. Daha sağlıklı bir yaşam diliyoruz size.

Koridordan döndüm. Daireme girdikten sonra bütün ışıkları yaktım. Bugünün dökümünü, ayrıca tüm yaşamımı yazıya geçirmek istiyordum: rapor, yani basit bir günce. Bütün insanlar aynı şekilde yasalara uysunlar, ah! bu düşünce sarhoş ediyordu beni. Herkes keyfince davranıyordu sanki, herkes karanlık işler çeviriyordu ve bu gizli yaşamların çevresinde bir ışık halesi yükseliyordu: tüm öteki insanları bir umut gibi, bir sürpriz gibi görmemiş olan ve onlara doğru kararlı adımlarla yönelmemiş olan bir insan yoktu. Nedir peki bu devlet denilen şey? diye soruyordum kendi kendime. Dokularıma kadar içimde, her eylemimde hissediyorum onu. Şimdi artık kesinlikle inanıyorum ki, eylemlerimin bir yorumunu saat saat yazmak ve böylelikle aramızda etkin biçimde dolaşan ve kamu yaşamının durmaksızın takıntılı ve dönüşlü bir oyunun içine attığı, gözetlediği, özümsediği, yeniden attığı bir gerçeğin fışkırmasını yeniden bulmak yetecektir bana.

II

Erkenden kalktım. Yorgun ve sinirliydim. Bütün gece rüzgâr esmişti, bir tür sonbahar rüzgârıydı bu; pencerelerdeki tıkırtı uyumamı engelliyordu.

Merdivende hâlâ rüzgâr esiyor, pencereler titriyordu. Komşu kadını yakaladım, o da aşağı iniyordu.

– İzin verin de birkaç adım eşlik edeyim size. Bir şey söylemek istiyorum.

Dışarıda rüzgâr o kadar kuvvetli esiyordu ki, bazen durmak ve kıçın kıçın gitmek gerekebiliyordu. Başına bir eşarp bağlamıştı.

– Ne söyleyeceksiniz bana?

– Geçen akşam kaba davrandım. Öğleden sonra bütün gün çalan müzik şaşırttı beni. Neşeli bir toplantı canlandırıyordum gözümün önünde ve hoşuma gidiyordu bu: birkaç metre öteden, hemen duvarın öbür tarafından ayak sesleri, gülüşmeler duyuluyordu. Ama ansızın sinirlerim gerildi.

– Bırakın canım, hiç önemi yok bu olayın.

– Evet, o kadar önemli değil.

Yan yana yürüyorduk, ağaçların gölgesindeydik bu kez. Caddenin öbür tarafında metro istasyonunu görüyordum.

– Belediye binasının olduğu meydanda mı çalışıyorsunuz? Ben de bu semtte çalışıyorum, biliyorsunuz belki? Sizi çalıştığınız mağazada çok gördüm.

Cevap vermedi. Çevremizdeki herkesin acelesi vardı

ve biz de acele ediyorduk.

– Yine de teşekkür etmek istiyorum size. Daha kötü karşılayabilirdiniz beni. Bizde genellikle bir komşu 'çok gürültü yapıyorsunuz' dediğinde, onu nezaketle dinlemek gibi bir alışkanlığımız yoktur.

– Ama çok mu iyi karşıladık sizi biz?

– Evet, kesinlikle. En azından siz, sanırım. Kanıtı da şu ki, daireme döndüğümde çok heyecanlandım, kendimden geçtim. İnsanlar arasındaki ilişkilerin bu kadar basit, bu kadar eksiksiz olması olağanüstü geldi bana. Düşünsenize bir, inanılır gibi değil: gelip kapınızı çalıyorum, beni tanımıyorsunuz, ortaya çıktığım ana kadar habersizdiniz benden. Ve buna rağmen davranışımın nedenlerini bütünüyle anlıyorsunuz, size son derece sevimsiz gözükse de isteklerimi kabul ediyorsunuz, yerine getiriyorsunuz.

– Komşular arasında adettir bu!

– Bakın, çok iyi biliyorum ki bana sevimli davranmanızın nedeni ilginizi çekmiş olmam ya da birden beni sempatik bulmanız değildir. Sıradan bir adamdan, bir komşudan başkası değilim sizin için. Ama beni asıl heyecanlandıran size özel bir öğüt verme ihtiyacı duymamış olmamdır. Sizi ilgilendirmiyordum ve buna rağmen hoş karşıladınız beni. Bu şekilde anlaşabilmiş olmamızı şaşırtıcı bulmuyor musunuz? Size bir şey söylüyorum, bana cevap veriyorsunuz; sizi sıkıyorum belki, ama konuşma gerçekleşiyor, sanki bizi ayıran hiçbir şey yok, sanki özümüz aynı. Beni açık bir insan bulduğunuzdan eminim, öyle değil mi?

– Siz... siz coşkulu bir insansınız. Ama bu konuşmanın ne anlama geldiğini de bilemiyorum.

– Ben, tersine, beni aydınlığa çıkardığınıza inanıyorum, dedim, ona bakarak.

İstasyona geldik ve kuyruğu izlemek zorunda kaldık. Aramızdan biri geçti, sonra bir başkası, kalabalıkta dalgalanan kırmızı eşarbı görüyordum. Peronda, kapının önünde tekrar buldum onu. Yolda, çok yakınında olduğumdan, yüzüne iyice bakmaya çalıştım: şurası öyleydi, burası böyleydi, ama aslında sadece beyaz ve parlak cildini fark ediyordum; belki çok genç değildi, ama çizgilerinden, yanaklarından sağlıklı ve güçlü bir yapıya sahip olduğu anlaşılıyordu.

– Acele etmem gerekiyor, dedi metrodan çıkarken.

– Bir şey daha söyleyeceğim size. İnanın, çok önemli.

– Rica ediyorum, rahat bırakın beni artık.

Sabah, rahat çalışamadım. İki ziyaretçi geldi yanıma, kayıp bir belgenin kopyasını istiyorlardı. Tavırları sinirlendirdi beni. Beceriksiz, çekingen insanlardı; amirleriyle konuşur gibi konuşuyorlardı benimle; tersledim onları, çığrından çıktı. Onlar çıktıktan sonra evin numarasını çevirdim. Ne amaçla? Heyecanımın üstesinden gelmek için mi, çünkü kız kardeşimle konuşmak rahatlatmış mıydı beni? Ama başka biri cevap verdi bana; bu sesi duyunca, 'kapıcı kadın' diye düşündüm; oysa biliyordum ki annemin sesiydi bu ses. Ahizeyi usulca yerine koydum ve çıktım. Iche'in odasına girdiğimde, kendisini beklemek zorunda kaldığımdan üstlerinde tarihi kişilerin son derece güzel yontulmuş büstlerinin bulunduğu, bütün bir taş sırasını gözden geçirdim. Bunları hayranlıkla seyrediyordum, hiçbir sıkıntı duymadan: bunlar hatıralarımda bambaşka, daha az gösterişli, hatta daha hareketli, daha çok gerçek canlı kişiler gibiydiler; heykellerinse cenaze ciddiyetleri vardı.

– Sahi siz bu büstlerin tümünü niçin odanızda bulunduruyorsunuz?

Iche de heykelleri, halıları, süslü tavanı, odanın tümünü ilgiyle seyretti, sonra söndü bakışları.

– Haftalardır yoktum ve bu yüzden özür dilemeye geldim. Henüz alışamadım işime. Ama yokluğum, eskiden farkında olmadığım birçok ayrıntı konusunda gözlerimi açtı.

Amirim olmasına rağmen ona bakabiliyor, gözlerimi bebeksi, bıyıksız, neredeyse saçsız, genç, ama yıpranmış yüzüne dikebiliyordum. Eşitim gibi konuşuyordum onunla: hiyerarşi sözlerimin anlamını değiştirmiyordu, aynı dili kullanıyorduk.

– Hastalığım sırasında her konuyu düşündüm. Zamanımızla ilgili olarak doğru bir düşünceye sahip olmadığımı fark ettim. Bir tür açığa çıkma oldu bu, hiçbir şey öğrenmedim, ama bıkkınlık içinde yaşadığım şeylerin önemini fark ettim. Şu son zamanlara kadar insanlar parçalardan başka bir şey değillerdi ve düşlerini göğe doğru yansıtıyorlardı. Bu nedenle bütün geçmiş uzun bir tuzaklar, mücadeleler dizisi olmuştur. Ama şimdi insan var. İşte bunu keşfettim.

– Peki azizim, dedi Iche ıslık gibi bir ses çıkararak.

Gülümsedim.

– Açık konuşacağım sizinle. Hastalığım sırasında çalışmadığım için çok sıkıntı çektim. Kendimi gerçekten hasta hissetmediğimden daha da artıyordu sıkıntım. Eylemsizliğe katlanamıyordum. Yararlı bir şeyler yapmak istiyordum, ama istirahat kesin kuraldı. Bazen tuhaf biçimde davranmak zorunda kaldığımı fark ediyorum. Elime bir süpürge alıp koridorları süpürdüğüm oldu, kimi zaman da bir hastanın çaldığı zille hemen harekete geçiyordum. Bu çılgınlıklarımla hemşirenin kara kedisi oldum. Yine de bazı küçük rezaletler çıkarıp, disiplinsiz, çılgın biri gibi davrandıysam da tavır ve tutumumda dürüstçe bir duygu, bir özlem vardı: çalışma yaşamın temelidir, insan, çalışarak aşağılandığı ve tükendiği bir dünyada yaşadıkça, yaşamıyor demektir.

– Neyiniz var sizin? dedi Iche. Felsefe bu.

– Dikkat edin, bunların modası geçmiş düşünceler olduğunu biliyorum.

Beyaz bir kâğıt aldığını ve kaşlarını kaldırarak rasgele bir şeyler karaladığını gördüm.

– Eskiden bu işle yetinmek istememe rağmen bu büro işini sevmiyordum. Bağışlayın, ama sevmiyordum bu işi. Belki çok boş zaman olduğu için ya da bürokrasi nedeniyle... kısacası, nefret ediyordum bu işlerden. Ama fark ettim ki, bu durumda bile hizmet veriyordum. Hem sonra, çalışmak nedir? Odada bulunmak, bir deftere bir not düşmek, sekretere bir kopyasını çıkarması için bir yazı vermek demek değildir sadece. Öyle sanıyorum ki –benim keşfim de budur– ne yaparsam yapayım, yararlı çalışmalar yapıyorum. Konuştuğum zaman, düşündüğüm zaman, çalışıyorum, açık bu. Herkes kavrıyor bunu. Ama baksam da... neye olursa olsun, bu odaya, bu büstlere, evet sadece baksam bile kendimce çalışmış oluyorum: burada, şeyleri görülmesi gerektiği gibi gören bir insan söz konusu, o var ve onunla birlikte, uğrunda yüzyıllardır mücadele ettiğimiz bütün kavramlar, düşünceler var. Ben değişseydim ya da kafayı üşütseydim, inanıyorum ki tarih alt üst olacaktı.

– Çok fazla düşünüyorsunuz, dedi Iche bir an sessiz kaldıktan sonra.

Pencereden köprüyü ve rıhtımdaki ağaçları görebiliyordum. Irmak hızlı akıyordu ve mavnalar, gemiler yükselen suyun çalkantısı içinde akıntıyı izliyorlardı. Kıyıda balık avlayanlar vardı. Pencereye doğru gittim. Ağaçlar, evler tatlı bir ışık içinde gözüküyorlardı. Bunların tümü o kadar hakikiydi ki! Ne sessiz manzara! Kesinlikle bizim ırmağımızdı bu ırmak ve herhangi bir ırmak değildi. Saçmalıyor muydum? Açıklamalarım kısır mıydı yoksa? Birden Iche'in sözleri çarptı beni: "Çok fazla düşünüyorsunuz."

– Haklısınız, çok afaki konuşmamak gerekir.

Ama yazıları imzaladığını fark ettim. Sekreter, ayakta klasörün sayfalarını çeviriyor ve okurken seyrediyordu onu. "Yeni sekreterimi tanımıyorsunuz: Suzanne." Belli belirsiz gülümsedi sekreter bana. "Zavallı kız bir felaket kurbanı, evi yandı, neredeyse her şeyini yitirdi." Sekreter gülümsemeye devam ediyordu, yüzü, sanki bu felaketin hatırlatılması onu sonsuz bir kutsamaya dönüştürmek için yeterli olmuş gibi ışıldıyordu.

– Eviniz mi yandı? Yangını söndüremediler mi?

– Talihsiz durumlar silsilesi, dedi Iche beni kapıya kadar geçirirken. Biliyor musunuz, üvey babanızı gördüm. Yeni bir istirahata ihtiyacınız varsa, sakın çekinmeyin.

– Yok, teşekkür ederim, şimdilik yok.

Rüzgâr devam ediyordu, ama sıcak bir rüzgârdı şimdi esen, öğle rüzgârı. Komşumun çalıştığı dükkân çok küçük gözüktü gözüme, üstelik her çeşit eşyayla tıkış tıkış doldurulmuştu. Canlı bir ışık buz gibi gülümseyen sayısız portrenin parladığı duvarları aydınlatıyordu. Genç kız küçük bir kabinden çıktı.

– Vesikalık fotoğrafa ihtiyacım var, dedim ona.

Perdeyi kaldırdı ve daracık bir yere oturttu beni. Karşımda bir ışık parladı birden, aralıklı olarak yanıp sönüyordu. İş bitince duvarlardaki portrelere baktım, özellikle erkek portreleriydi bunlar ve çizgilerdeki farklılıklara rağmen hepsi birbirine benzeyen enerjik, açık ve güven verici yüzlerdi. Ortada büyütülmüş bir portre dikkatimi çekti. Onun portresiydi bu, omuzları açıktı, saf ve kışkırtıcı ifadeli yüzünü arkaya atmıştı. Ben asla tahayyül edemezdim onu böyle. Beni en çok etkileyen ruhu, sağlıklı görünümüydü ve şimdi kendi ideali gibi oradaydı işte: kendisinden yine ayrı olmayan, döner dönmez yüzünde bulacağımdan emin olduğum, ama bu çerçevenin içinde şaşırtıcı bir nedenle, saf halde yalıtılmış yasası gibiydi. Aslında basit bir reklam fotoğrafıydı bu, ama yine de ilginçti. Gerçekten, yüzünün kamuya mal edilmesi, herkese açık bir yüz haline getirilmesi sayısız düşünce içine atıyordu beni.

Az sonra hazır oldu fotoğraflarım: düzeltti, kesti ve uzattı bana resimleri. Ancak şöyle bir bakabildim. Küçük bir paket yaptı. Parasını ödedim.

– Bana söyleyecek bir şeyiniz varsa, hemen şimdi söyleyin ve etrafımda dönüp durmayın bir daha, dedi aksi bir tavırla.

Oturdum, ama o kapının yanında durdu, son derece sinirli gözüküyordu.

– Sizinle şu anda konuşabilir miyim, bilemiyorum. Yeni bir çerçeve içinde görüyorum sizi. Uzun zamandır burada mı çalışıyorsunuz?

– Birkaç yıldır.

– Burada bir çalışan mısınız yoksa yönetiyor musunuz burayı?

– Yönetiminden sorumluyum.

Kasanın bir köşesinde şahane çiçekler vardı, kırları değil, kentlerin çekici lüks seralarını hatırlatan çiçeklerdi bunlar. Dükkân çok moderndi. Büyük bir sıkıntı içinde sürdürdüm konuşmamı. Daha farklı ortamlarda körü körüne, istemeden konuştuğum olmuştu, ama bu durumlarda, daha sakin, daha genel bir şeyler çıkardı ağzımdan; bu kez ise sarhoş biriydi konuşan, yeteneksiz ve cahil birinin sesi çıkıyordu. Ama söylemeye çalıştığım şeyler mantıksız şeyler değildi. Birden insanların ona özellikle resmi işler için, nüfus kâğıdı, pasaport vb. için geldiklerini fark ettim. Bu açıdan bakıldığında işlerimiz neredeyse aynıydı, işbirliği içindeydik: bizim sayemizde insanların hukuksal bir varlıkları vardı, kalıcı bir iz bırakıyorlardı, kim oldukları biliniyordu; kısacası, yasalar bağlamında benzer görevleri yerine getirdiğimizi göstermek istiyordum ona. Bunların tümü çocukça şeylerdi de tutarsız değildi. Ama sözlerim ona karmaşık ve yersiz gelmiş olmalıydı ki, şaşkınlık içinde bakıp duruyordu bana. Ben de kesmek istedim artık. Ama orada kalmamın nedeni onun karakterine çok iyi nüfuz etmemdi: ne özgün, ne inceydi, ama bir üstünlüğü vardı sanki, yapısı güçlü, sıradandı, her şeyi bilen ve tuhaflıkları, kafa karıştıran kalıntıları reddeden gerçek bir zamane kızı karakterini taşıyordu. Neyse ki bir müşteri girdi içeri o anda, o da vesikalık fotoğraf istiyordu.

– Arşiviniz var mı? diye sordum adam çıktıktan sonra.

– Arşiv mi? Birkaç tanınmış insanın fotoğrafı var.

– Niçin çektiğiniz her fotoğrafın negatifini bulundurmuyorsunuz? Bunları, adları, adresleri, bazı tarihler ve birkaç açıklamayla büyük bir deftere yapıştırırsınız. Şahane bir belge kaynağı olur. Bütün meslektaşlarınız böyle yapsaydı, gerçek, Emniyet Müdürlüğündeki gibi eksiksiz arşivlerimiz olurdu şimdi.

– Niçin ama? diye sordu bir yandan düşünürken. Neye yarayacak bu? Bu işlerle başka kurumlar uğraşıyor zaten. Bizdeki bilgilerin ne gibi bir değeri olabilir?

– Kanıtlayıcı bir belge isteyebilirdiniz sözgelimi, postanede ya da başka birtakım yerlerdeki gibi. Bu formalitelerin çok az yararı vardır belki. Evet, sonuçta fazladan kırtasiye işinden başka bir şey değildir bu, doğru.

– Söylemek istediğiniz bu muydu?

– Hayır, hiç ilgisi yok. Haftalarca hasta yattım. Yalnız yaşıyorum. Geçen gece pek iyi hissetmedim kendimi, aşırı sinirliydim, ateşlenmiştim sanki. Daha önceki sıkıntılarım da yüksek ateşle başlamıştı. Birden tekrar hastalanmaktan korktum. Ve aklıma böyle bir fikir geldi... Bakın kızacaksınız belki, ama suç pazar günkü ziyaretimde. Birbirimize çok yakın yaşadığımızın farkına vardım: şu duvara vurmak yeterli, diye düşünüyordum. Peki, başıma çok önemli bir şey gelse, sözgelimi felçlensem ya da birden yerimden kalkamasam, duvara vurmama izin verir miydiniz?

– Felç olmaktan mı korkuyorsunuz?

– Özellikle felçten korktuğum yok. Hatta hastalanmaktan ve yalnız kalmaktan da korkmuyorum. Hiç kuşkusuz geceleri bir damla su olmadığından boğulmaya mahkûm olmak ve boşuna yardım istemek zor bir durumdur, ama böyle bir yalnızlığın avantajları da vardır. Kısaca söylemek gerekirse böyle bir durum katlanılır olmalı. Ben çok başka bir şeyden korkuyorum. Geceleri kendimi gerçekten çok yalnız hissettiğim oluyor. Uyanıyorum ve her şeyi hatırlıyorum: ailem, iş arkadaşlarım, görmüş olduğum herhangi bir yüz; odamı tanıyorum, biraz ötede cadde, başka evler var, her şey yerinde duruyor, her yerde biri var yanımda, ama yetmiyor bana bu. O anda etiyle kemiğiyle birinin yanımda ya da öteki odada olması ve bir şey söylersem bana cevap vermesi gerekir: evet, böyle, ben de bileyim ki onun için konuşuyorum. Oysa cevap gelmezse, tek başıma konuştuğumu anlayarak sesimi yükseltirsem neredeyse titremeye başlarım; en beteri de budur. Bir hakaret, gerçek bir suçtur bu. Bir cinayet işlemiş gibi hissediyorum kendimi, ortak yaşamın dışında yaşadım. Ayrıca var mıyım ki? Varoluş başka yerde, birlikte yaşayan, birbirlerini bekleyen yasaları ve özgürlükleri gerçekleştiren yığışmış binlerce insanın içinde. Böyle zamanlarda nasıl çılgınca düşüncelere kapıldığımı anlayamazsınız belki siz: hayasızlık, ahlaksızlık dolu düşünceler bunlar, anlatamam size. Geçen gece, evvelsi gün beni önceleri pek fazla etkilememiş olan bir sahneyi hatırladım. Metroda bir kadın hırsızın arkasından bağırmaya başlamıştı, cüzdanını çalmışlardı ve birkaç adım ötede duran etkileyici, iyi giyimli bir adam olan suçluyu işaret ediyordu kadın. Adam kadını küçümseyerek karşı çıktı, ama kadın üstüne atladı, elini pardösüsünün cebine soktu ve muzaffer bir edayla cüzdanı çıkardı. İstasyonda ikisi de indiler, peşlerinde çok heyecanlı ve bağırıp çağıran sayısız tanık vardı; sanıyorum bu kalabalık hep birlikte karakola gitti. Evet... işte, bu kadar.

Yüzüne baktım.

– Bu hikâye tuhaf mı sizce?

– Hayır, dedi düşünürken, niçin tuhaf olacakmış?

– Değil değil mi? Ama o gece neredeyse inanılmaz geldi bana. Bu adam niçin hırsızlık yaptı acaba? diye düşünüyordum. Bir şey aldı –gerçekten aldığını farz ederek– ve bunu yapmaya hakkı yoktu, kesin ve açık bu. Nasıl olabilir böyle bir şey? Birkaç dakika kaybettim kendimi, hiçbir şey anlayamıyordum artık. Bu noktada yanılıyorsam, her şeyde yanılıyor olduğum saplantısı içindeydim. Ve birden aydınlandı durum. Gerçekten suç olmadığını hatırladım, adam hırsızlık yapmıştı, ama her şeye rağmen bir insandı; ve polis onu hapse atabilirdi, bunun ötesinde gerçek mahkûmiyet yoktu. Sadece göstermelikti söz konusu olan, yasaları yaymak, herkese özgürlüğün derinliğini, dokunulmazlığını anımsatmak için bir tür oyundu bu. Buradaki de oradaki de aynı insandır, anlıyor musunuz: dolayısıyla bağırmanın bir anlamı yoktur, en azından sanıldığı gibi bir anlamı yoktur, şu anlama gelir sadece: gerçeği, barışı, hakkı elimizde bulunduruyoruz ve bu adam çalıyor, adaletin dışında kaldığı için yapmıyor bunu, devlet böyle bir örneğe ihtiyaç duyduğundan ve zaman zaman tarihin ve geçmişin içine girecekleri bir parantez açmak gerektiği için yapıyor.

Başını çevirdi ve küçük elektrikli duvar saatine baktı, on ikiyi geçiyordu saat. Benimle birlikte civarda bir yerde öğle yemeği yiyip yemeyeceğini sordum, daha sonra dükkâna dönerdi yine. Bu saatte meydan çok gürültülü ve canlıydı. Arabalar yavaş gidiyorlardı. Kaldırımlarda insanlar hiç konuşmadan, kuralların zorlayıcılığından gelen bir tevekkül içinde bekliyorlardı. Onun yanımda oturduğunu, benimle aynı şeyleri yemeye, aynı hareketleri yapmaya, aynı insanlara bakmaya hazır durumda görünce şaşırdım. Şaşkınlıktan da öte bir şeydi bu. O anda olup biten şeyleri hep hissetmiştim; hep birlikte yaşadığımızı, birbirimizde yansıdığımızı biliyordum, ama onunla bu birlikte varoluş, baş döndürücü ve çılgınca bir kesinliğe dönüşüyordu. Önce onunla konuşabileceğimin kanıtına sahip olmuştum: söylediklerim genel kanıya, bazen gözlerimin önünden başka devirlerin hikâyesi gibi geçen gazetelerin bilgeliğine son derece uygun şeylerdi. Ama çok değişik bir duyguya kapılmıştım ben. Yasa sürekli devinim halindeydi, belli belirsiz birinden ötekine geçiyordu, eşit biçimde dağıttığı, herkesi ve her şeyi her zaman farklı ve aynı zamanda tıpatıp aynı biçimde aydınlattığı saydam ve mutlak ışığıyla her yerdeydi, genellikle her şey onu hissettiriyordu bana ve ben onu hissederken kimi zaman kendimden geçiyor ve sarhoş oluyor kimi zaman da ölüp ölmediğimi soruyordum kendime. Ama şu anda, yani şimdi eline, tırnaklarına güzel bir biçim verilmiş, oldukça güzel, bütün kişiliği gibi büyük ve güçlü eline, o ele baktığımda, bu elin benim elimin benzeri olduğunu hayal edemezdim ve bunun eşsiz bir el olduğuna da inanamazdım. Beni allak bullak eden bu eli tutmak, ona belli biçimde dokunmaktı, evet bu deriye, bu cilde, bu nemli kabartıya dokunmayı başarsaydım aynı zamanda orada olan, açıktı bu, belki de gizemli bir biçimde kendini bir süre benim için dünyanın dışında tutacak olan yasaya da dokunmuş olacaktım.

Bu düşüncenin bilincine varınca restorana doğru bakabilmek için çaba harcadım: her zamanki gibi çok kalabalıktı, içerdekilerin çoğunu tanıyordum, kimilerini sadece görmüştüm, kimileriyle ayaküstü birkaç kelime konuşmuşluğum vardı, hatta işten bir arkadaş bile vardı içeride. Ama bir tuhaflık vardı: hiç kimse bakmıyordu bana, kimse benim varlığımın farkında değildi sanki, sanki kimse yoktu ve çevremizde gürültülü bir boşluk, gerçek, ilkel, pis bir çölden başka bir şey yoktu. Bütün bunlara bir de sessizlik ekleniyordu ve biz masaya oturalı beri rahatsız edici bir biçimde hissettiriyordu bu sessizlik kendisini. Komşum iştahla ve hatta büyük bir açgözlülükle yiyordu yemeğini: ağzındakileri çiğnerken dosdoğru önüne bakıyordu, yüzü ciddiydi, kayıtsız bakıyordu. Onun böyle kişiliksiz, belli bir doyuma ulaşmaksızın, ama bağırsaklarından gelen derin ve engellenemez bir ihtiyaçla çiğneyen, tekrar tekrar çiğneyen bir ağız olduğunu görünce tuhaf şeyler hissediyordum. Baktıkça, içinde bulunduğu tuhaf görünümü daha çok fark ediyordum. Ama görmek hiçbir şeydi, görünür bir şey söz konusu değildi, daha derin, ortaya çıkabilmek için bakıştan daha fazlasını isteyen, adeta gelecekteki bir değişiklikti söz konusu olan: sözgelimi elimin yaklaşması. Kaçınılmaz gözüktü bana bu. Bu yüzde benimle birlikte, benim sayemde, benim hareket etmemle ortaya çıkacak gizli bir değişme vardı. Gözlerimi yarı kapalı tuttum. Yavaşça ona doğru yöneltttim bakışlarımı. Evet, şimdi bir şey olacaktı. Hafifçe titredi, sonra yüzüme bakarak gülümsedi. Ter içinde kaldım, öyle titriyordum ki, kollarımı göğsüme bastırdım. Bir şeyler söyledi, büyük olasılıkla, 'yemiyorsunuz' falan dedi. Sonra konuşmaya devam etti, işinden, müşterilerinden söz etti, aile sözcüğünü duydum açık seçik. Ben de istedim, onunla konuşmayı çılgınca istedim.

– Ailemle aram açık, dedim gözlerinin içine bakarak. Babam öldü, annem ikinci kez evlendi. Kız kardeşimle sık sık görüşürüz. Hastalandığımda annem kliniğe ziyaretime geldi ve yanlarına yerleşmemi istedi. Kentin güneyinde bahçeli bir villada oturuyor annemler. Bahçe geniş ve ağaçlarla dolu. Çok büyük, güzel bir ev, en azından bana öyle geliyor, çünkü uzun zamandır gitmedim. Sizin aileniz var mı?

O da bir annesinin olduğunu söyledi.

– Anneniz? İlgileniyor mu sizinle? Yani aranız nasıl demek istiyorum, samimi misiniz? Her şeyinizi anlatır mısınız ona?

Omuz silkti.

– Yok böyle bir şey tabii ki.

– Emindim bundan. Yalan söylüyorsunuz ona, kaçınılmazdır bu. Bakın, benim annemin yanına dönmemem gerekiyor ve sanıyorum annem ısrar edecek bu konuda. Çok ısrar ediyor. Kız kardeşimi de kendi yanına çekti. Otoriter ve inatçıdır annem. Korkunç bir fikir bu, anlayamazsınız siz. Dairemi terk etmemem için yardımcı olacağınıza söz verin bana.

– Ama söyleyin ona canım, özgür bir insansınız siz.

– Evet özgürüm, ama ya hastalanırsam? Tekrar hastalanmaktan ne kadar korktuğumu tahmin edemezsiniz. Siz hiç hastalandınız mı? Son derece fantastik bir durum: sürekli bir dürtü, neler olup bittiğinin farkında olamıyorsunuz, insanları tanıyamaz oluyorsunuz, ama bir taraftan da her şeyi çok daha iyi anlamaya başlıyorsunuz. Başlangıç diye bir şey yoktur artık, her şey sükunet içinde, tam bir aydınlığa yayılmıştır ve herkesin bakış açısı birleşmiş, kaybolup gitmiştir.

– Neyiniz var sizin? dedi dirseğiyle iterek. Dikkat edin. Kendinizi kaybediyorsunuz.

Gözlerimi onun gözlerine dikmiştim, bir an umutlandım ve olağanüstü güçlü olduğumu sandım. Bunu söylerken yeniden yaşamın çok önemli bir anını yakaladığımı hissediyordum.

– Sayıklıyorsunuz, dedi.

– Evet sayıklama, dedim susarak. Korkunç olan, geçtikten sonra, insan bilincini yitirdiğini ve çocukluğun ve hiçliğin mezarına dönüştüğünü sanıyor. Hemşire yataktan çıktığımı ve durmaksızın bir masanın çevresinde döndüğümü söylüyordu. Ne budalalık değil mi? Ama bir anlamı vardı bunun, yemin ederim size, hatta müthiş bir semboldü. Ama hastalığın uğursuz bir kaza, bir felaket olmasını engellemez bu: yasayı kavrayamıyorsunuz artık, seyrediyorsunuz sadece, kötü bir durum. Böyle durumlarda annem beni kolayca alıp götürebilir evine.

– Hazır mısınız? dedi içten ve tatlı bir sesle. Kalkıyor muyuz?

– Bana niçin ailemin evine dönmek istemediğimi sormuyorsunuz. Doğal geliyor size bu değil mi?

– Haydi, dedi ve kolumdan çekerek kalktı.

O sırada birçok sonucu olan gülünç bir olay meydana geldi. Onu izledim, kafam ona söylemek istediklerimle meşgul olduğundan hesabı ödemediğimin farkında değildim. Garson kapıda yakaladı: "Hesap!" Bu hatırlatma sinirlendirdi beni. Bir hakaret havası vardı üslubunda, hesabı ödemek istememekle suçlanıyordum ve unutkanlığım garson kızın gözünde bir hıyarlık ve düşüncesizlikti adeta. Bu mutfak bezi karşısında pabuç bırakmış olmamak için "Bir dahaki sefere" dedim. Aynı zamanda da hafifçe itmek zorunda kaldım onu. Sanki hırsızlık yapmışım gibi koluma asıldı birden ve bir yandan cırlak sesiyle bağırmaya, beni sarsarak hakaretler yağdırmaya başladı. Dayanılacak gibi değildi, komik bir durumdaydık. Olup bitenlerin farkında değildim artık. Utanç verici bir hikâyeye doğru sürüklendiğimi görüyordum, herkes bana bakıyordu. Ne yapmıştım? Belki bir tehdit işareti, onu hareketsiz hale getirme amacıyla vurur gibi yapmıştım belki. Ama inanılmaz bir süratle karşılık verdi kız ve bir tokat aşk etti suratıma. Kör oldum sanki, sonra cüzdanımı attım ona ve dışarı çıktım.

Sokakta temiz havada sakinleştim tekrar. Hiçbir şey görmüyordum, komşumu görmüyordum, yokluğu uzak ve normal bir olay gibi geldi bana. Yanıma geldiğinde, ben çıktıktan sonra disiplinli ve yöntemli hareket eden bir insan olarak aldığı cüzdanımı bana uzatırken, bu dönüşü çok doğal gözüktü bana. Herhangi bir istikamete doğru birkaç adım atmış olabiliriz. Sonra işe dönme zamanı geldi, canlı ve sevimli bir hareketle elini uzattı bana.

– Yanağımda iz var mı?

– Hayır, diye karşılık verdi. Bir şeyler daha söylemek istiyordu sanki, ama kalabalık çekti onu, sardı ve kayboldu. Odama bir servis merdiveninden çıkabiliyordum ve böylelikle halka açık, kâtiplerin bulunduğu bir salondan geçmekten kurtuluyordum. Boşuna geliyordum buraya şimdi. Öğle sonrasını karanlıkta, tozlar içinde ve unutulmuş biri olarak geçireceğimi düşünüyordum. Hiç kuşkusuz çalışmaya da hazırlıklı olmam gerekiyordu artık. Büroda birçok arkadaşım vardı ve bunlarla ilişkilerim samimi, ama yüzeyseldi, tam büro ilişkileri... Fikirleri olmayan, oldukça sıradan gençlerdi bunlar ve bu yüzden onlardan hem hoşlanıyor hem hoşlanmıyordum. Genellikle geliş gidişleri pek ilgilendirmiyordu beni; ne iş yaptıklarını bilmiyordum ve birlikteyken ben de onlardan biriydim, hepsi bu. O gün bir mektup taslağı üstünde çalışmaya başlamak üzereydim ki, Albert adlı bir çocuk yanıma geldi ve dikkatlice denetlemek zorunda olduğu uzun bir isim listesini birlikte okumamamızı rica etti. Sayfaları verdi, bir iskemle aldı. Kâğıtlara bir göz attım ve ani ve sert bir hareketle attım hepsini masadan aşağı. Albert'in çok hoşuna gitti bu şaka. Bir kahkaha attı, omzuma vurdu ve neşe içinde toplamaya başladı sayfaları. Listenin bulunduğu sayfaları ancak toplayıp düzenlemişti ki, bir fiske daha attım, odanın dört bir yanına saçtım hepsini ve eylemime çok ciddi bir hava vermek için şunları söyledim: "Bugün çalışmıyorum," talihsiz sözlerdi bunlar, çünkü şakanın devamı gibiydi. Bu oyunu çok seven Albert sefil sayfalarını toplamak için koşup durdu odada. Ama tekrar kalkıp, kapının yanında hazır duruma gelince bana baktı, somurttu ve omuzlarını kaldırarak, hiçbir şey söylemeden çekip gitti. On beş dakika sonra uzun boylu zayıf bir çocuk girdi içeri, sol kolu, peş peşe gelen krizler sonucu felçlendiğinden özürlü diyorlardı ona. İlgilendim kendisiyle, çünkü adaşımdı, üstelik, onu bazı günler, masasında, hareketsiz, kafasını hiçbir şey yazmadığı defterlere eğmiş halde görünce, çok iyi bildiğim o bunalımlara yem olduğunu ve çalışma zorluklarını aşmaya çalıştığını düşünüyordum. Bununla birlikte ilginçtir, kendisine ne zaman yardımcı olmak istediysem çok sert biçimde geri çevirmişti beni. Kutsal Kitap'tan daha kalın koca bir dosyayı masama koyarak açtı ve bazı düzeltmeler için kendisine birkaç dakika ayırmamı istedi benden. Bu çocuğun bana karşı düzenlenen bir komplonun içinde yer aldığını anında anladım. Yavaşça kalktım, yüzüne baktım: bu hastalıklı, kapalı ve ciddi yüzde yalan da yerini bulmuştu, komediyi belli belirsiz bir iftira kokusuyla karmaşık, iğrenç bir sahneye dönüştüren bir yalandı bu. Aklıma başka bir şey geldi o anda. Hiçbir şeyin farkında değildi belki. İşi başından aşkındı, bana gerçekten ihtiyacı vardı, yönetim, işleri öyle ayarlamıştı ki, sürekli bozulan dengesi tam bu anda yok olup gitmişti: deniz kazasına uğramıştı sanki, enkaz gibiydi; yardım ederek kurtarıyordum onu, kendimi de kurtarıyordum aynı zamanda. Sıradışı bir çakışma! Özel, kasıtlı bir rastlantı söz konusuydu. Başımı salladım. "Bugün çalışmıyorum," dedim. Geri döndü. Homurdandığını duydum: "Afedersin." Aslında, büyük olasılıkla bir komediydi bu. Ötekileri de bekliyordum, ama gelmedi onlar. Ne var ki sahneyi önceden sezmiştim: bana on beş dakikada bir dosyalarını, istatistiklerini getiren kâtiplerden oluşan bir geçit töreni ve ben inatla aynı yanıtı verecektim hepsine. Ama gelmediler. Tam, eksiksiz bir zafer kazanmıştım. Onları pes ettirmem hoş olmuştu belki, ama şimdi kapımda bekliyordu eşeklikleri. Ne konuşuyorlardı, ne yapıyorlardı? Orada, küçük kafede tokat olayına tanık olan ve buna büyük olasılıkla gülen öteki arkadaşı anımsadım. Ama ne önemi vardı bunun! Kalktım ve dışarı çıktım.

Sokak müthiş aydınlıktı, rüzgâr kesilmişti. Bir tür ışıklı akım bir yayadan ötekine, bir arabadan ötekine gidip geliyordu. Kaldırımlar, evler parlıyordu. Parmağımı bir duvara, sonra bir cama, sonra demir parmaklıklı bir kapıya ve tekrar bir duvarın pürtüklerine dokundurdum. O anda beyaz bir kare şekil, daha koyu ufkun içine yerleştirilmiş parlak, hakiki bir resim fark ettim. Meydanı geçtim ve fotoğraf stüdyosunun yapmacık renklerini tanıdım. Oraya gitmedim tabii ki. İstemiyordum onu, özellikle önüme birinin çıktığını görmeyi hiç istemiyordum ve hatta böyle bir şeyin mümkün olmadığını düşünüyordum. Bir sokakta yürüdüm, daha sonra bir diğerinde. En önde yürüyordum, kimse durdurmuyordu beni, güneşli bir gündü, gündüzün ve gecenin değişkenliğinin ötesinde, mevsimler arasında kalan ışıktan bir ufkun neden silinmediğini tam olarak açıklayan günlerden biriydi. Kimi görsem bütün sırlarımın kendisine açıklanmış olduğu, onun sırlarının da benim tarafımdan öğrenilmiş olduğu duygularına kapılıyordum: sırları – yani yürümesi, yürürken bir şey düşünüyordu ve ondan beni şaşırtacak hiçbir şey gelemezdi. Koşmaya başladım. Niçin? Bir kentte koşulmaz. Ama ben tuhaf hareketler yapabilirdim. Gerçekten yapabilirdim: buradaydım, her yerde, dışarıda, herkes görebilirdi beni, binalarda, polisin beyaz eldiveninde, ırmağın uzak kıyısında, ama koşuyordum ben, aslında koşmuyordum, bir zafer duygusu sarmıştı beni, gökyüzünün de sonsuza kadar bize ait olduğunu kesinlikle fark etmiştim ve biz gökyüzünü her şeyiyle birlikte yönetmek yükümlüğündeydik, her an dokunuyordum gökyüzüne ve üstünde uçuyordum. Irmağa ulaştım. Buraya gelmiş olmam tuhaftı, çünkü son derece sakin bu manzara beni korkutuyor ve rahatsız ediyordu. Sükunet duygusu mükemmeldi. Su akıyordu, kimileri kıyıda balık avlıyor, kimileri kitap okuyordu, uzaklarda bir römorkör mavnaları sürüklüyordu. Böyle bir manzara tehditlerle dolu olurdu. Bir şey gerekiyordu, ne? Burada bir entrika duygusu boğuyordu beni, ipleri sessizce elimden geçen birbirine karışmış nedenleri ve olayları seziyordum: bu ırmağın sesi, bu sükûnetin, başka bir zamana bağlanmış bu hareketsiz imajların gülünç anlamı buydu. Bu semtin tümü çok eskiydi ve eski olmakla kalmıyordu, sanki hiç değişmemişti ve ırmak da müthiş sükûnetiyle başlangıcın da sonun da olmadığını, tarihin hiçbir şey meydana getirmediğini, ne bileyim, insanın hiçbir zaman olmamış olduğunu anlatmaya çalışarak zamanın içinden akıp gitmişti. Bu güvenin içinden soluk kesen bir yanılgı gibi bir yalanın, sonsuz bir aldanışın çağrısı, soylu duyguları alçaltmaya yönelik bir saldırı yükseliyordu. Kaldı ki, soysuzca bir aptallıktan başka bir şey olamazdı bu.

Rıhtım boyunca yürüdüm, başka bir yola saptım.

Coşkum geçmişti. Güneş, parlaklığıyla iğrenç gözüküyordu. Boğazıma tuhaf bir şey saplanıyor ve acı veriyordu, sanki bu güneşi, bazen çok saf bir suyun içinden kusulan bir şey haline dönüştürmek istemiştim. En az tiksintiyi hak etmiş birinin duyduğu tiksintiler içinde geri döndüm. Mikrop kapmıştım. Sürüp gidemezdi böyle bu, üstelik hoş olmadığını da söyleyemezdim, boğazıma saplanan bir şey bile çekici olabilirdi. Bu sokağın beni nereye götürdüğünü biliyordum: onun dükkânına doğru. Ama görmek istemiyordum onu. Kapısının önünden geçerken, sırtından şöyle bir gördüm, ardiyeye doğru yarı dönük vaziyetteydi ve öteki bölmede duran birisiyle konuşuyordu büyük olasılıkla. Yerleşim düzenini bilmiyordum dükkânın: o daracık yerin dışında küçük bir "sanat fotoğrafları" stüdyosu vardı; günün belli saatlerinde bir teknisyen geliyordu; stüdyo bir kapıyla binadaki bir koridora açılıyordu ve koridorun karşı tarafında gereksiz eşyaların konduğu, aynı zamanda da yöneticinin kullandığı başka bir odanın kapısı görülüyordu. İçeri girdim ve bir yere oturdum. Bakmıyordum hiç ona. Yeri, çerçeveleri, büyütülmüş fotoğrafları, küçük koltukları yabancılamadım. Çok yorulmuştum, buraya sanki yüz kez gelmiş gibiydim, oysa yine bir kez geçerken uğramıştım ancak. Bütünüyle bu izlenimler içinde kaldım orada.

Belki artık geç olduğundan ve müşteri beklemediğinden, oturdu. Sabahki tavrıyla şimdiki tavrı arasındaki fark belirgindi. Birçok şekilde açıklanabilirdi bu durum: bana alışıyordu, restorandaki tartışma yüzünden benim adıma üzgündü ya da kafasında bir proje vardı. Apartmandaki bazı kiracılardan söz etti. Tanımıyordum ben, çekiniyordum onlardan. Merdivende karşılaştığımızda bir tekini bile çıkaramıyordum. Israrla birtakım hikâyeler anlattı. Altıncı katta dedikodulara konu olan bir aile oturuyormuş, ailenin büyük kızının önemli bir rahatsızlığı varmış, büyük olasılıkla bulaşıcı bir hastalıkmış bu. Birkaç hafta önce de en küçük çocukları ölmüş. Komşumdan fotoğrafını çekmesini istemişler, elindeki negatifleri gösterdi bana. Hiç hoş olmayan bir manzara: ölü bir çocuğun hiçbir güzelliği, hiçbir tazeliği yoktur; korkunç zayıflamıştı resimdeki çocuk ve tesadüfen bir çukurda bulunmuş kemik yığınıydı adeta. Komşuma bakılırsa, büyük kız bulaştırmıştı hastalığı kardeşine. Daire temiz gözükmüştü gözüne, ama havasızdı sanki ve duvarlar nemliydi ve bu yüzden bir yoksul konutunu andırıyordu. Hastanenin böyle bir hastanın farkına varmamış olması, ölümünden sonra ve doktorun teşhisinden sonra bile Halk Sağlığı Enstitüsü'nün bir önlem almamış olması herkesi şaşırtıyormuş. Böyle bitiyordu hikâye: çocuklardan biri polismiş; genç olduğundan –üniforması içinde ergenlik çağında bir kız gibiymiş– pek fazla ciddiye alınmadığı kesinmiş; ama öte yandan onun girişimleri yine de kuralların onların lehine esnemesine yol açmış ve hepsini riske atmış.

Anlamsız hikâye, diye düşündüm, gereksiz gevezelikler. "Adınız ne? –Soy adım mı, adım mı?" Portresini aldı duvardan, elinde tuttu: yüzü bana sanki çok uzaklardan bir şeyler vadeden ve hoş bir gülümsemeyle bakıyordu ve yerime başka birini, kim olduğunu bilmediğim birini koyarak arkama bakıyor gibiydi. Portrenin altına, iri harflerle Marie Scadran yazmıştı. Tabloyu bir iskemleye koydum. Kasaya oturmuş hesap yapıyordu. Camdan meydanın değişmekte olduğunu, ışıklarla dolup taşan gri renkli bir düzlüğe dönüştüğünü, hızla gidip gelen arabaların yelpaze gibi açıldığı karmaşık bir biçimsizlik haline geldiğini görüyordum. "Uzun zamandan beri var mı bu fotoğraf?..." Defterini karıştırdı. "Altı ay ya da yaklaşık" dedi. Kalktım ve kapıdan dışarı baktım: vitrinin önünde parlak ve ince, temiz ve dokunulmaz, hiçbir iz bırakmayan yüzlere aday birkaç kişi vardı. Yüzlerini bir süre cama dayıyor, sokağın dumanları içinde kayıp gidiyorlardı sonra. Tekrar içeri döndüğümde portrenin hâlâ sakin içtenliğiyle bana baktığını gördüm, sanki altı aydır hiç eksik olmamıştım önünden ve bu ışıklı kâğıda ve arkasında bulunduğu iddiasında olan vaatlerle dolu resme evet demiştim hep. "Gidiyorum," dedim.

Metronun ağzı pek iyi aydınlatılmamıştı henüz. Aydınlıktı ortalık, bayağı parlak bir aydınlıktı bu, ama öğle vaktine oranla daha fazla hissedilir gibi olan sis nedeniyle daha ışıltılıydı. Kaldırımın kenarında bir polis hücum eden araçları seyrediyordu. Birkaç metre ötede, başka bir polis, eli trafik işaretlerinde, kalabalığın, vereceği işareti sezip saldırıya geçmeye hazır bir kitle yeni bir ışığın kırpışmasıyla geçit üstünde kara ve saydamsız dalgaları çakıştırıncaya kadar, istilayı andıran bir eylem içinde caddeden taşmasına izin veriyordu. Hareketsiz kaldım ve bir dakika içinde gelip geçenler üstüme yapıştılar adeta, sonra yavaşça, karşı konulmaz bir biçimde karşı tarafa doğru yöneldiler. O zaman koşmaya başladım ben de. Henüz dükkândaydı, mantosu kolundaydı ve arka taraftaki lambaları söndürmüştü. "Fotoğraf çektirtemez miydiniz acaba? –Şimdi mi?" Belli belirsiz gülümsedi. Ben küçük stüdyoya girmiştim ve düğmeyi arıyordum. "Bu saatte yardım yok," dedi arkamdan ışık saçarak. Bununla birlikte belli bir süre poz verdikten sonra kendi kendine fotoğraf çekmeyi sağlayan düzeni gösterdi bana. Ama ansızın sinirlendi. "Bu akşam olmaz, yorgunum, çok geç." Gereksiz eşyaların konduğu yerde bir çerçeveye yer bulması gerekiyordu. İyi aydınlatılmamış tek yerdi burası: burada bir yığın eşya, mobilyalar, klasörler, hatta bir de divan vardı. O dolaşıp dururken ben oturdum. Dükkânın kapısının çalındığını işittik. "Biraz bekleyin. Patrondur belki," dedi. O yokken, bir klasörün içinde, çeşitli boyutlarda fotoğraflar gördüm: bozuk çıkmış, ıskartaya atılmış bir yığın negatif. Daldırdım elimi, düzinelerce yüzü kucağıma koydum. Bu kadar çok yüz tuhaf duygular uyandırdı bende, belki yüz, belki iki yüz çehre vardı elimde, önüme yığdım bunları. Bu fotoğrafların hepsi birbirine benziyordu, profesyonel fotoğrafçılarda böyle olurdu: duruşlar aynıydı; giysiler, hep birinden ötekine geçen bayram giysileri; hatlardaki farklılık ifadelerin aynı olmasıyla kayboluyordu; kısacası müthiş bir tekdüzelik. Ama ben yine yorulmadan bakıyordum bu fotoğraflara. Daha fazlası gerekiyordu hep. Hepsi aynıydı, ama sonsuz sayıda aynı. Parmaklarımı daldırıyordum fotoğraf yığınına, dokunuyor, yokluyordum, sarhoş ediyordu beni bu resimler.

Bu arada komşum geri döndü. Kafasını patrona takmıştı, bana onu anlatmaktan başka bir şey düşündüğü yoktu. İlginç bir insanmış, güçlü bir karaktere sahipmiş; üstelik yeni bir alet icat ettiğinden teknoloji dünyasında çok tanıdığı varmış ve bu nitelikleriyle Ekonomik Konsey'e girmişmiş falan filan. Biraz fazla övüyormuş gibi geldi bana. Bunun üzerine ben de amirlerimi övmeye başladım. Genel olarak hiç iyi şeyler düşünmezdim onlar hakkında: ne iyi, ne kötü; hiçbir yargıda bulunmazdım; benim işim başka, onların işi başkaydı, bazı zorunlu hallerde bir araya geliyorduk. Ama şimdi onları işlerinden ayrı tutuyor ve ölçüsüz övgüler yağdırıyordum. Aslında sadece bir denemeydi bu: Iche'i enerji dolu biri gibi tanıtmayı, onu her durumda yepyeni şeyler gören, ama bütünlüğü de hiç gözden kaçırmayan yeni tarz yöneticilerden biri gibi göstermeyi, onun, raporları büyük bir titizlikle okuduğunu, herkesi aynı dikkatle dinlediğini, odasından çok geç saatlerde, resmi kapanış saatinden çok sonra çıktığını söylemeyi beceremiyordum gerçekten. Bir kere doğru değildi bunlar: kabaydı, daha çok dalgın ve ihmalkârdı; onun kişiliğiyle ilgili belirgin birtakım şeyler söylemeye çalıştığımda, örnek bir memur gibi davranmadığını düşünüyordum (kaldı ki, açıkça eleştiriliyordu bu tutumu bizim aramızda). Ama her türlü niteliği verme eğilimindeyim ona, kusurlarının hiçbir önemi yoktu. Sadece ona uygun düşebilecek, ama aynı zamanda herkese de uyabilecek olan daha bulanık özelliklerin bulunması gerekmişti; sonuç olarak isabetli şeyler söylemiştim, önemi yoktu bunun, tanımlıyordu bunlar onu.

Bu konuşmadan sonra, onun tekrar karşımda olduğunu, divanda oturduğunu fark ettim. Ellerini dizine bağlamış, sallanıyordu. "Gidiyor muyuz?" diye sordu. Bana baktı. Yanına oturdum. "Ne zaman isterseniz." Elini giysisinin üstünde ters çevirmişti, avcu geniş ve kalın, parmakları ters ışıkta yassılaşmış gibiydi, üçüncü parmağı kırmızı bir yüzükle şişmişti. Bu yüzüğü çıkarmak istedim parmağından. Hafifçe arkaya doğru kaykıldı, başını divanın arkasına yaslamıştı ve bana bakmaya devam ediyordu bir yandan da. Eli yavaşça omzuna kadar kalktı, ensesinden geçti ve küçük bir gümüş ağırlığın takılı olduğu zincirini çözdü. "Bir arkadaşım var" dedi. Kaçamak bakışlarla kolyeyi süzer gibi yapıyordu ve soluğuyla titretti onu. "Sizde gördüğüm çocuk mu?" Başı hiç sallanmadı, hiçbir işaret yapmadı, sonra gözlerini yüzüme dikti, gözlerini yüzümün çevresinde dolaştırdı, dokundurdu, bir tür şaşkınlık, büyük bir şaşkınlık içine düştüm, sanki o ve ben aynı anda farkına varmıştık varlığımın. "Ben basit bir işçiyim, dedi. Ama elimden geldiği kadar çalışıyorum. Çalışma saatlerinde gelmemelisiniz buraya. –Evet." Gözlerini benden ayırmıyordu. Kalktı, ben de kalktım, ellerini tuttum. Sertçe sıktım onu. Sertti, çekiç gibi sertti. Birden giysisinin kumaşı vücut oldu parmaklarımın altında. Tuhaf bir şeydi, tahrik edici ve kaygan bir yüzey, bir tür kayan siyah et bazen yapışıyor, bazen yapışmıyor, kalkıyordu. İşte o sırada değişti: yemin ederim bir başkası oldu. Ben de başka biri oldum. Daha derin soluk alıp vermeye başladı. Bedeninin her tarafı değişti. Tuhaf bir şey, ama o ana kadar aynı bedene sahip olmuştuk biz, gerçekten ortak, dokunulmaz ve aydınlık bir beden. Bu beden baş döndürücü bir hızla ikiye ayrıldı, çekildi ve yerinde yakıcı bir genişlik, hiçbir şeyi göremeyen ve tanıyamayan nemli ve açgözlü bir tuhaflık oluştu. Evet, yemin ederim, yabancı biri oldum ve onu sıktıkça, onu da daha yabancı biri olarak hissediyordum, şimdi beni başka biri ve başka bir şey yapmak isteyen bir azgın. Kimse inanmayacak bana, ama o anda ayrıldık, bu ayrılığı hissettik ve soluduk, bir beden vermiştik bu ayrılığa. Kesindi bu, dokunamıyorduk birbirimize artık.

Şimdi daha sonra olanları anlamaya çalışmak gerekiyor. Tekrar kalktı ve düğmeyi çevirdi. Sonra kapıyı itti. Biraz sonra çıktık. Evde, kendimi yatağa attıktan sonra, iyice duvara sokuldum. Çok soğuktu. Saat sekizde ya da belki sekizden sonra yemeği getiren kapıcı kadın kapıya vurdu. Hava şimdi iyice kararmıştı. Az sonra tekrar vuruldu kapıya, kapıcı kadının ikinci girişimi sandım ben. Kapıyı açarken tepsiye çarptım ve koridorda bir ziyaretçinin gölgesini fark ettim. Önce komşumun arkadaşı sandım onu, ama daha ışığı yakmadan tanıdım Pierre Bouxx'u. Hiç hoş değildi bu ziyaret. Böyle bir zamanda gelmesi, onun açısından saçmalıktı.

– Rahatsız mısınız? diye sordu. Komşunuz olarak geliyorum; rahatsız ediyorsam söyleyin.

Oturmasına izin verdim, ben de tekrar yattım.

– Geçen gün gerçeği söylemedim size. Siyasetle uğraşmıyorum. Eskiden arkadaşlarımdan biri böyle hikâyelere bulaştı, ama kaybettim onu artık. Şimdi bir tıp merkezinde çalışıyorum, yardımcı bir görev, ama onurlu bir iş.

Çok alçak sesle konuşuyordu; başucu lambası neredeyse hiç aydınlatmıyordu onu.

– Bir klinikte çalışmama rağmen iyi bir doktor arıyorum. Yorgunum şu anda. Sanıyorum uykusuzluktan rahatsızım.

Böyle bir tanıdığım olmadığını belirttim bir işaretle. Sesini çıkarmadı. Lambanın etrafında küçük bir böcek dönüp duruyordu; ani bir hareketle gelip yanıma çöktü, öyle ağırdı ki, titreyerek sarsıldım: ne kadar üşüdüğümü anladım o zaman.

– Binada oturan insanlar konusunda hiçbir şey bilmiyorum. Büyük olasılıkla herkes gibi insanlar bunlar. Bu konuyla ilgili olarak geçen defa söyledikleriniz çok etkiledi beni. 'Herkesle memnuniyetle görüşüyorum. Bir tercih yapmıyorum.' Çok önemli bir şey söylediniz.

Karşılık vermeden baktım. Sonra öylesine büyük bir güç harcayarak bir düşünce oluşturdum ki, söylediğimi sandım bu düşüncemi. "Resmi öğreti, diyordum. Zaten insan birini tercih etse bile, herhangi birini tercih ediyor."

– Ah! dedi, özdeyişi kelimesi kelimesine alırsanız! Beni etkileyen, daha çok bağlılığınız sizin: yöneticileri gerçekten yüceltmeniz. Her hareketinizle belli ediyorsunuz bunu. Üstelik, bir kalıp söz haline getiriyorsunuz.

Afedersiniz, ilk bakışta uşaklık gibi gözüküyor bu: memur olduğunuzu, yükselme peşinde olduğunuzu düşünüyor insan. Ama bunu söylediğim için alınmayın, hemen vazgeçtim bu düşüncemden. Hatta sizin çok farklı düşünceleriniz olup olmadığını sorup duruyorum kendime, çok bahsediyorsunuz onlardan, çok fazla düşünüyorsunuz, normal değil bu.

Evet, dedim kendi kendime, duydum bu lafları.

– Size başka bir şey söylemek istiyorum: hastanede bir veznedar var, on beş yıllık memur; çok dürüst bir adam ve de çok çalışkan; ailesi kalabalık, ama çocukları da çalışıyor ve sonuçta durumları iyi. Bu veznedar birçok kez ödüllendirildi, nişanlar aldı, ama bazı yolsuzluklardan sonra zan altında bırakıldı ve nişanlarını geri vermek zorunda kaldı. Bu olaydan sonra çok sıkı biçimde göz altında tutuldu ve hırsızlık yaptığına inandılar. Üstlerinin verdiği raporu okudum: hırsızlıkla suçlanmıyor da komplo ve sabotajla suçlanıyor.

– Bunu bana niçin anlatıyorsunuz?

– Başka bir hikâye daha anlatacağım size. Yine klinikte neredeyse geri zekâlı bir çocuk var, saf bir oğlan. Ortalığı süpürüyor, birtakım işlere koşturuyor, ama yaptıklarının yarısı gözükmüyor. Cüzi bir ücret alıyor doğal olarak. İyi bir çocuk, hayalci demek daha doğru; her şeye rağmen onu her türlü işten uzak tutmak en doğrusu. Ama niçin çalıştırıyorlar biliyor musunuz? Bizzat müdür söyledi bunu bana: her şeye rağmen yararlı oluyor.

– Uydurma hikâyeler bunlar, dedim anında. Bu tür

konuşmalardan nefret ederim. Rahatsızım zaten, uyumam gerekiyor sanıyorum.

Kalktı ve tatlı tatlı baktı bana.

– Gerçekten hasta gibisiniz. Özür dilerim, gelmemem gerekirdi. Sizi bu katta oturan genç kızla birlikte merdivende gördüm. Bugün ziyaretimle sizi daha az rahatsız edeceğimi sanmıştım. Ayrıca sadece bu kızla ilgili bir soru sormak için gelmiştim.

– Nasıl!

– Tanımıyorum onu, küçük bir fotoğraf stüdyosunda çalıştığını biliyorum sadece. Ona yaptırmak istediğim birtakım özel işlerim olacaktı. Siz bir psikolog sayılırsınız: güvenebilir miyim ona?

– Ne diyorsunuz siz?

– Çok basit: sahte kimlik belgeleri düzenleme konusunda yardımcı olabilir mi bana?

Yüzüne baktım.

– Gayet iyi anlıyorum sizi, dedim. Şaşırtıcı hikâyelerle kafamı karıştırmak istiyorsunuz. Ama rahatsız etmiyor bunlar beni. Veznedarın durumu hakkında açıklama yapmamı istiyor musunuz? Bir komployla suçlandı, çünkü hiçbir şey yasaların üstünde değildir. Yasaya karşı bütün suçlar komplodur, yasaya karşı çıkmak isterler, ama bu mümkün olmadığından meşruiyetine karşı ayaklanmak gerekir. Eskiden hırsızlıkla uzlaşmak mümkündü şimdi hırsızlık, eylemin kendisinden çok daha büyük bir suç gibi kabul ediliyor, en korkunç olay bu, ayrıca gerçekleşmeyen, işlenemeyen, sadece belli belirsiz bir iz bırakan bir suç hırsızlık. Çocukça şeyler bunlar. Hem sonra özel ilişkilerim konusudaki sözlerimi niçin hatırlattınız bana? Sonra niçin komik bahane uydurarak bu genç kızdan söz ettiniz? Çok açık, bütün sözleriniz imalı, ama boş bir çaba: hiçbir şey öğretmiyorsunuz bana, düşündüklerimi söylemekten başka bir şey yaptığınız yok ve konuştuğunuzda, siz değilsiniz konuşan, benim. Sonuç olarak korkutmuyorsunuz beni siz.

– Özür dilerim, dedi, gerçekten yanlış anlıyorsunuz beni. Tersine büyük bir yakınlık duyuyorum size karşı.

– Bir yakınlık meselesi değil bu. Önemli de değil ayrıca. Sizin de söylediğiniz gibi köleyim belki, ama bu kölelik sözcüğü aşağılamıyor beni. Kimin karşısında köle olacakmışım? Tersine gururlu ve bağımsızım, bu nedenle köleyim. Siz de kölesiniz.

– Yalvarıyorum, sakin olun. İsterseniz hemen giderim. İzin verirseniz bir kelime daha söyleyeyim ama. Sizin bu dünyayı nasıl gördüğünüzü bilmiyorum, tuhaf bir konuşma üslubunuz var. Ama başka bir görüş açısı söz konusu. Mükemmel buluyorsunuz bu toplumu. Niçin? Bana göre adaletsiz bir sistem, kitlelerin karşısında bir avuç insan. Her gün aşağı tabakalarda, adı ve hakları olmayan bir sınıf binlerce insanla büyüyor ve devletin gözünde bu insanlar varoluşlarını kaybediyorlar ve bir küf gibi kayboluyorlar. Bunları yok eden, silen devlet de var olan her şeyin kendisini yücelttiğini ve kendisine hizmet ettiğini iddia edebiliyor. Devletin ikiyüzlülüğü bu. Son derece kurnaz ve ikiyüzlü. Söylenebilecek ve yapılabilecek her şeyi kendisine hizmet edecek biçimde düzenlemiş. İzini, damgasını taşımayan bir düşünce yoktur. Bütün hükümetler aynı.

– Şaşırtmıyorsunuz beni, dedim. Kızdırmıyorsunuz da. Eski ve tarihsiz bir kitapsınız siz sadece, başka bir şey değil. Rahat bırakın şimdi beni.

– Bir kelime daha. Söyledim size, yakın geliyorsunuz bana. Beni tanımıyorsunuz, ama ilişkilerimiz başka bir yöne doğru gidecek belki. Biraz önce, buraya geldiğimde, önceki konuşmalarımı ve siyasi etkinliğimi silmek istiyordum. Şimdi görüyorsunuz durumu: konuşmalarım başka türlü belirledi. Saklamıyorum kendimi.

– Evet, dedim. Ne olabilirsiniz siz? Bir yalancı, bir casus, mutsuz biri? Yanımda bir sinek gibi sallanıp durduğunuzu görüyorum. Ve söylediklerinizin tümü bayağı şeyler. Bu *Kendimi saklamıyorum* lafı nedir? Açıkça komplo düzenlemekte özgürsünüz, devlet endişe duymayacaktır bundan. *Kendimi saklamıyorum!* Sanki saklayabilirmişsiniz gibi! İyi geceler şimdi; sonunda gerçekten beni ziyaret ettiğinize inanacağım.

Koridora çıktı ve beş dakika, on dakika bekledim. Artık çok sakindim. Rüzgâr hafifçe sallıyordu camları. Gece de çok tatlıydı. Birçok kez duvara vurdum, ama tahmin ettiğim gibi gelmedi. Niçin onun gelmediğini, ama adamın geldiğini sormak zorunda kaldım kendime. Biraz sonra tam anlamıyla uyanınca, odada her zaman ışık olmuş olduğunu gördüm: gözlerimi yatağın öbür tarafındaki bir şeye, hafifçe hareket eden bir lekeye dikmiştim. Çok iyi tanıyordum bu lekeyi. İlk kez ailemin evinde görmüştüm, divan boyunca uzanan bölmede belli belirsiz duruyordu. Kliniğin duvarında, karşımda, kapının iyice açıldığında kapladığı alanda yayılıyordu. Burada bir su sızıntısı sonucu oluşmuştu. Bu lekenin özelliği sadece bir leke olmasıydı. Hiçbir şey göstermiyordu, hiçbir rengi yoktu ve tozlu bir nem dışında hiçbir şeyiyle belli olmuyordu. Belli miydi ki ayrıca? Kâğıdın altında yoktu; hiçbir biçimi yoktu, ama kirli, yıpranmış, aynı zamanda da temiz bir şeye benziyordu. Çok bakmıştım ona, bakmamam için hiçbir neden yoktu; sadece bir leke olarak meşgul ediyordu zihnimi; hiç bakmıyordu bana: görülmesini engelleyen de buydu. Kalktım ve koridora çıkıverdim öylesine.

– Siz misiniz? dedi. Giyinikti hâlâ, ama bir şezlonga uzanmıştı, istirahat etmeye niyetliydi. İçerisi genişti, benim oturduğum dairenin odalarından daha genişti; neredeyse boş gibi gözüktü gözüme, halı yoktu ve hemen hemen hiç mobilya yoktu. Yoksulluk demek değildi bu, ama yaşamın terk etmesinden, tozsuz ve yumaksız bir pislikten, yerlerde tek bir kâğıt parçasının bile görülmediği dispanserlerin ve kliniklerin iğrenç sefaletinden daha kötü ne olabilir, bilemiyorum doğrusu.

– Arkadaşlarımdan biri sanıyordum onu, dedi. Yer göstermeden yüzüme baktı. Apartmanda oturuyor, Dorte adında biri. Karşılaşmışsınızdır belki?

– Niçin yakınlık duyuyorsunuz bana?

– Geç oldu. Yataktan çıkmamanız gerekirdi bana sorarsınız. Yatağınıza götüreyim mi sizi?

– Cevap verin. Tutumum anormal geliyor size, ama işi geciktirmemek için nedenlerim var. 'Yakın geliyorsunuz bana' lafını sarf ettiniz mi etmediniz mi?

– Doğru.

– Niçin?

– Ama farkında mısınız durumun azizim? Bir sözcüğe çok fazla önem vermiyor musunuz?

– Bir nezaket ifadesi mi bu?

– Nezaket, olsun, öyle istiyorsanız.

– Sırtımı döndüm ve hole çıktım.

– Ama, diye bağırdı, gitmeyin hemen böyle. Bana bu soruyu sorma gereksinimini niçin duydunuz?

– Yakınlığınız bir şey ifade ediyor benim için, tehlikeli bir şey. Benim bir benzerimsiniz ve tasarılarınızı anlatıyorsunuz bana. Bunların bana ne kadar tiksinti verdiğini hiç hesaba katmıyorsunuz. Son derece yersiz ve uygunsuz konuşmalar yapıyorsunuz. Ve de özellikle benimle konuşuyorsunuz. Niçin benimle? Cevabınız: yakınlıktan. Bu konuyu açık kalplilikle anlatmanızı isterdim.

– Memnuniyetle. Önce, özür dilerim, o kadar yakın gelmiyorsunuz bana artık. Sizinle iyi ilişkiler içinde yaşama isteği duydum, ama öyle anlaşılıyor ki, zihninizde birçok sorun yarattı bu ve sonuçta hoş olmayan sonuçlara geliyoruz.

– Niçin çevremde dönüp duruyorsunuz sürekli?

– Dönüp durmuyorum. Sizin bundan ne anladığınızı bile bilmiyorum. Tuhaf bir tavır içinde olduğunuzun, belli ölçüde hayali durumlar yarattığınızın farkında bile değilsiniz belki. Kısaca söylemek gerekirse işleri karıştırıyorsunuz ve müthiş alıngansınız. Yaşama biçiminiz ilgimi çekti, hepsi bu.

– Yaşama biçimim... dedim gözlerinin içine bakarak.

– Hareketleriniz ve sözleriniz bazen çok şaşırtıcı. Saat gecenin ikisi. Ve siz benim evimdesiniz. Niçin peki? "Çünkü yakın geliyorsunuz bana." Çok tuhaf, delilik bu.

– Benim tavrımda hiçbir tuhaflık yok: niçin tasarılarınızı anlattınız bana?

– İzninizle, tasarılarımı size anlattığımı sanmıyorum: tasarıdan anladığınız nedir sizin?

– Beni üzen ve sıkan lafları yeniden ağzıma almamayı yeğlerim. Bunları hiç işitmemiş olmayı yeğlerdim.

– Görüyorsunuz ne biçim bir alınganlık! Normal mi bu? Ateşiniz var sizin; ağır bir hastalığa tutulacaksınız tekrar belki. Çok da soğuk burası. Alın şu örtüyü.

Oturdum ve örtüyü verdi.

– Hasta değilim. Son derece soğukkanlıyım.

Özenli bir şekilde örtüye sarınırken bana baktı, sonra ayağa kalkarak odanın içinde yavaş yavaş gezinmeye başladı.

– Niçin 'Hasta değilim' diyorsunuz? Hastalık korkutuyor sizi sanki. Hasta ya da ateşli olmakta insanın onurunu zedeleyen hiçbir şey yoktur. Devam etti: size sözünü ettiğim bu Dorte da ateşlenir sık sık. Bir zamanlar içinde çok modern tamir tesisleri olan büyük bir oto tamirhanesini yönetiyordu: teknisyen, çok çalıştı ve çok kitap okudu. Sonra bir şeyler yolunda gitmedi. Bıraktı bu işi. Bazen yüksek dozda kinin veriyorum ona, ateşi bazen çok şiddetli, bazen hafif oluyor. Siz hiç almıyor musunuz?

– Uykusuzluk çektiğinizi söylediniz bana, değil mi?

– Evet, uykusuzluk. Yani kan dolaşımımı denetlemem gerekiyor, çok hızlı kan dolaşımım; geceleri başını alıp gidiyor, tam bir çılgınlık içinde, sahip oluyor bana, sonra yavaşlıyor; ama uykusuz bir gece geçirdim yine.

– Arkadaşınız da aynı düşüncede mi?

– Bırakalım bunu... Bu uyku konuları çok ilginç. Yıllar önce hastanedeki işimi terk etmek zorunda kaldığımda defalarca aynı rüyayı gördüm. Rüyamda bir sabah, uygunsuz bir saatte bir yargıcın yanına gidiyordum. Görevliler doğal olarak içeri almak istemiyorlardı beni. Üstelik üstüm başım da dökülüyordu. Ama içeri giriyordum, tuvaletin kapısına kadar gidiyordum ve "Suçluyum ben." diye bağırıyordum. Sanıyorum bir sopa vardı elimde. Traş olan hâkim şaşırarak dönüyordu ve şaşkınlığın etkisiyle tuhaf sözler ediyordu: "Suçlu? Nedir bu? Hiç suçlu görmedim ben." Bu sözlerin durumumu son derece ağırlaştırdığının bilincindeydim. Ama bir izlenimden başka bir şey değildi bu. Hâkim iyi karşılıyordu beni, yiyecek, içecek bir şeyler veriyordu ve en güzel odasına oturuyordum; sonunda gönderiyordu. O andan itibaren rüya kâbus halinde sürüyordu, çünkü yolunu çizmiş oluyordu; ve neredeyse her gece yinelendiğinden rüyamda olup bitecek her şeyi önceden biliyordum, öyle ki artık düş görecek gücü bulamıyordum kendimde. Bir hâkimi her ziyaret edişimde nasıl karşılanacağımı ve bana niçin bu kadar iyi davranıldığını biliyordum. Her türlü özen, iyi yemekler, şölenler, bütün bunların tek bir amacı vardı: beni adalete başvurmaktan vazgeçirmek, bana suçlu sözcüğünü unutturmak: bu niyet her tarafta okunuyordu. Ama çözmeyi başaramadığım, bunların arkasında gizlenen şeydi. Bir tuzak mıydı bu? Bir kurtuluş şansı mı? Bu kötü olayın dışında kalmak için benim ortadan kaybolmamı istiyorlardı belki de. Ya da bir işaret bekliyorlardı veya bir darbe indirip beni ortadan kaldırmak için bir unutkanlık anımı mı kolluyorlardı benim? Bu kuşkular yıpratıcıydı ve üstelik hiçbir işe yarmıyordu, hiçbir karar veremiyordum. Sahneler mekanik bir biçimde birbirini izliyor, beni yanıltması mümkün olmayan belirtilerle belli olan çözüm yaklaşıyordu. Hâkimler gittikçe köleleşiyor, uşaklarım oluyorlardı benim, onurlandırılıyor, iğrenç bir saygı görüyordum. Işıklar pırıl pırıldı, müzik, balo vardı: o anda bunalımım doruktaydı ve birden her şeyi kavrıyordum. Benim günlerdir bu hâkimlerde aramış olduğum ve hiçbir yerde, olağanüstü bir kalabalığın yığıldığı bu baloda bile bulamadığım şey...

– Evet?

– Afedersiniz, sanıyorum bir kadındı. Bir kadına ihtiyacım vardı benim. Oysa bu baloda bile yoktu kadın. Adalet dünyası bu yüzden soluksuz. Aklanma, bir kadının varlığından başka bir şey olamazdı, ama ben onu kadının bulunmadığı hapishanelerden başka bir yerde arayamazdım. Ceza buydu işte.

– Rüyanız sağlıksız ve başıboş düşüncelerinizin kanıtıdır. Hem sonra çok konuşuyorsunuz. Bence siz de hastasınız, kendinizi iyi hissetmiyor olmalısınız.

– Bir rüya anlattım size, birçok kez gördüğüm rüyayı aynen anlattım. Yani: rüya kesinlikle böyle gelişti, ama çoğu zaman çözüm başka türlüydü. Daha başka biçimde gerçekleşen çözümleri de anlatayım mı?

– Hayır. Hayallerinizi anlıyorum. Ama bu üstü kapalı gevezelik çok uzuyor. Eğer bu bilmecelerinizin arkasında komşum ve akşamki gezintim yatıyorsa, ısrar etmeyin.

– Bakın, Henri Sorge, ben çok meşgul bir insanım, ağır sorumluluklarım var. Gece gündüz çalışıyorum. Kiminle istiyorsanız onunla görüşürsünüz, hiçbir şey düşünmem, inanın: hiç ilgilendirmez beni böyle bir konu.

– Yaptığım şeylerle ilgilendiğinizi biliyorum. Ayrıca yanılıyorsunuz, bu genç kız son derece aklı başında biri, küçük dükkânını son derece başarılı bir şekilde yönetiyor ve annesine de bakmak zorunda. İki ya da üç kez gördüm onu, o kadar.

– Bu rüyanın sonunu anlatsam daha iyi olmaz mı?

– Hangi rüya?

– Evet, izin verin bitireyim. Bir klinikte çalıştığımı söylemiştim size. Son yargıcım klinik yöneticisiydi. Ve daha ne söyleyeceğimi bilemeden –karşısında bütünüyle masum olduğuma inanırken ve masumiyetimi anlatmaya karar vermişken– o, beni önceki itiraflarımla değerlendiriyor, konuşmamı engelliyor, itiraz etmeme fırsat vermiyor, beni rüyalarımda bile hasta ederek, ikiyüzlü biri gibi görüyordu. Boğuluyordum, bunalıyordum: işte sakladıkları, beni inanılmaz bir kölelikle ağırlamalarının nedeni, farkında olmadan itiraflarda bulunmam, ihtiyatsızca konuşmam, içten ve gerçek sözler sarf etmem gerektiği en önemli anda kendimi konuşma hakkından yoksun bırakmış olmamdı. Ne bayağılık! Ne alçaklık!

– Sonunda kovdular mı sizi bu klinikten?

– Ne önemi var bunun?

– Sözgelimi bir kadına rastlayabilir, ona bakabilir, yanına yaklaşabilirsiniz ve onunla ortak olan her şeyinizin kaybolduğunu hissedersiniz yavaş yavaş, inanır mısınız böyle bir şeye? dedim usulca. Kimdir o? Başka bir şey. Bir tuzak olabilir bu ancak! Bir an dokunuyorsunuz yabancı bir şeye; anlayın beni; dokunuyorsunuz. Bir duygu değil bu, tartışılmaz bir şey, müthiş açık. Bir arzudan başka bir şey olamaz.

– Evet. Tekrar yorulmaya başlamıyor musunuz? İsterseniz bu koltukta geçirin geceyi. Işığı söndüreceğim.

Bir köşeden örtüler aldığını gördüm, bunlardan birini şezlonga serdi, sonra öteki örtüleri çenesine kadar çekti.

– Ama siz yatmıyor musunuz? Ben gitsem daha iyi olacak.

Işığı söndürmüştü. Biraz sonra perdesiz pencereden biraz bulanık bir ışık girdi içeri.

– Gerçekten bu kızdan böyle bir iş istemeye niyetli misiniz? Onu tanımıyorum ben, kim olduğunu bilmiyorum.

Alçak sesle konuşuyordum. Karşılık vermedi, ama karanlıkta bana doğru döndüğünü ve beni dikkatle dinlediğini hissettim.

– Devlete karşı el ilanları dağıtan örgütler bulunduğunu biliyorum. Toplantılar düzenleyip, olaylar çıkarıyorlar. Dikkat edin, hükümet her şeyin farkında ve olup biten her şey onun işbirliği ve kışkırtmasıyla gerçekleşebilir.

Israrla susuyordu. İki gözü hayvan gözleri gibi parlıyordu adeta ve bu parıltı sıkıntılı ve korku verici bir durumu yansıtıyordu sadece.

– Beni ihbar edeceğinizi sanmıyorum, dedim. Hatta size güven duyduğumu bile söyleyebilirim. Yani bir noktaya kadar, çünkü kişiliğinizden ciddi anlamda çekiniyorum aynı zamanda. Ayrıca hakkınızdaki düşüncelerim değişiyor. Genellikle canımı sıkıyorsunuz, sahte kaçışlarınızla gerçekten sıkıntı veriyorsunuz bana, ama yine de buradayım. Tuhaf, hatta bazen varlığınızdan bile kuşkulanıyorum. Sanıyorum hasta olduğunuz için.

– Bizim örgütlerimizden birinde rol almayı kabul eder miydiniz, belediyedeki dairelerden birinde küçük bir grup oluşturur muydunuz?

– Hayır.

– Niçin?

– Fikirlerime ters.

– Fikirleriniz sizi, özgürleştirme bahanesiyle ezen, ilmiklerinin arasından kayanları yokluğa adayan bir sistemin dışında tutabilir mi?

– El ilanlarında okudum bunları ben, budalalık: Devlet ezmez, insan kendi kendisini ezmez. Gerçek şu ki bütün bu eleştirileri kulağınıza fısıldayan yasanın kendisi: ihtiyacı var buna, bu yüzden müteşekkir size; aksi takdirde her şey dururdu.

– Ya yasanın dışında kalanlar, aşağı tabakalar?

– Ne? Bir an bekledim, bulanık da olsa yüzünü seçebiliyordum. Bunlardan söz edildiğini işittim gerçekten. Ama delisiniz siz, diye bağırdım birden. Eski bir hikâye bu, bulanık bir anı. Siz bir kitapsınız, yaşamıyorsunuz.

– Saçmalamayın. Çok iyi biliyorsunuz ki, ben de yasanın dışındayım. Siz şimdi sınıfınız için, zihninizde her şeyi içine alan o muazzam sınıfınız için mücadele ediyorsunuz. Kendi yönetiminiz için övgüler yağdırıyorsunuz, sizin dışınızda da bir şeyler bulunduğunun farkında bile değilsiniz, ama günün birinde kayacak ayağınız.

– Hiçbir zaman. Mümkün değil böyle bir şey. Işığı yakın.

Sinirlendim, yaktı ışığı.

– Niçin bana başvurdunuz? Niçin düşündünüz bunu?

Bana bakar gibi yaptı ve çabuk çabuk konuştu:

– Bilmiyorum, bir izlenim bu. Zaten üvey babanızı zor duruma düşürmek istiyordum ben. Şimdi gidip yatın.

Kalktım. Kapının yanında bir şeyler söylemek istedim, sonra unuttum söyleyeceklerimi ve karıştırdım. Dönüp yattım.

III

Tam yatağıma uzanmıştım ki, bir yorgunluk hissettim, uyku değildi bu, cansız bir bilinçti. Evet, ölüm diye düşündüm. Ertesi gün Louise eve götürdü beni. Eski odama kavuştum ve herkes bu hareketsizlikten kurtulup kurtulamayacağımı gözlemeye başladı. Ne saçmalık! Uyumadığıma göre ne zaman istersem o zaman kurtulacaktım bu durumdan. Bu arada hiç konuşmuyordum. Bir sabah henüz hiç kimse kalkmamışken Louise odama indi. Kırmızı bir giysi vardı üstünde, tuhaf bir kırmızıydı bu, koyu ve ciyak bir kırmızı. İki adım önümden yürüyerek salondan geçirdi beni, daha sonra daha büyük başka bir salondan geçtik ve hole girdik. Bu tuhaf kırmızı rengi seyrederek izliyordum onu. Holde merdivene doğru itti beni ve sessizce yukarı doğru çıktık. Birinci katta, iki yanındaki girişleriyle geniş bir sofa vardı: arka tarafta bir kapı daha vardı. Bu kapılardan birini gösterdi, oraya yaklaştı, kapkara gözleriyle kaçıcı ve ısrarcı bakışlar atarak bir kez gösterdi kapıyı, ah! Bana hep adeta bekleme, sitem ve buyurganlık havaları içinde bakmış olan o yıpranmış gözler. Eli kapının sapına doğru kaydı, tuttu. Bütün gücümle ona bakıyordum: hareketlerinde sıradışı bir niyet, inanılmaz bir hatıra vardı, hatırası, daha önce bir kez onunla birlikte buraya gelişimin, bir başka zaman bana yorgun ve ışıldayan gözlerle bakışının, eli kapıya uzandığında, öylesine titredim ki, yalnızca şimdide değil, ama geçmişte de ve belki de yalnızca geçmişte ve ter, tenimin üstünde aktığını hissettiğim, başka bir terdi, o ünlü, benden akmış ve akacak olan ölüm suyu, yeniden ve sonuna dek.

Sert bir hareketle sürükledi beni, başka bir merdivenden çıkardı. Bir odaya itti. İçeri henüz girmiştim ki, uyandım, müthiş bir soğukluk, ıslaklık, çöküntü hissettim, bunları öylesine güçlü bir biçimde hissettim ki, şaşkın ve sinirli bir halde kalakaldım. Bir aşırılık söz konusuydu burada, sanki bu çöküntü ve bu ıslaklık odadan daha görünür olmak için ayrılıp kopmuştu, duvarlardan, pencereden, döşemeden daha görünür.

"Annem kalkmadan aşağı ineceğiz tekrar, dedi Louise.

– Senin odan mı? Niçin böyle bir yerde kalıyorsun?

– Ama hep burada kaldım ben." Bir masada tek başına kurulmuş büyük bir portrenin yanındaydı. Arka tarafta silinmiş figürleri, yıpranmış renkleriyle eski bir duvar halısı vardı. Her şeye rağmen görkemlerini koruyan bu eski püskü şey odanın bütün sefaletini dile getiriyordu.

– Bu portreyi gösterir misin bana?

Onu kaldırıp yatağa kadar getirmesi zor oldu: gerçek bir anıttı bu. Çerçeve kalın ve her tarafı parlak granit bir masaya benziyordu; çevrelediği normal boyutlardaki bir fotoğrafa göre ağır, neredeyse gülünç derecede ağır bir çerçeveydi. Uzun ve kemikli, pek anlamlı olmayan yüze baktım. Gözler acımasızca dik dik bakıyor, havası olmayan bu yüzde dikkat çekiyordu. Bir görev adamıydı hiç kuşkusuz bu adam; kırk yaşında gösteriyordu. Louise çerçeveyi arkadan tutuyordu ve ben portreyle birlikte onun yüzünü de görüyordum; onun bakışları da soğuk ve canlıydı ve çerçevenin üstünden kıskanç bir acelecilikle resme doğru kayıyor ve onun maddi kimliğini doğrulamak istiyordu sanki. O zaman yine arkalarında aranması gereken bir şeyler olan bütün öteki fotoğrafları anımsadım, bugün bunların tümü beni sadece gözleri gözüken bu acımasız bakışlara sahip yüze gönderiyorlardı.

Üstüne yaslanan çerçeve o kadar ağırdı ki, oyluk kemiğim zaman zaman taşa dönüşüp yakıyordu beni. Ama ben bir hareket yapar yapmaz Louise bana bırakmadan, acele davranarak alıp götürdü onu. Uzaktan kaidesinin üstünde gerçek bir ikondu. Oda aydınlanmaya başlıyordu, oldukça uzun, dar ve basık bir odaydı; dip taraftaki yatağa kadar ulaşmıyor, ancak örtüsüne kadar gelebiliyordu; yarı gölge daha sonra bir tür yataklık oluşturuyordu. Sonuç olarak bir sandığa benziyordu.

– Küçük bir kızken de bu odada mı yatıyordun, diye bir gözlemde bulundum. Gel, dedim, onu hâlâ portrenin yanında hareketsiz görünce. Gel!

Elini tuttum, alnıma doğru götürdüm. Eli alnıma okşar gibi değil, sertçe temas etti; şakak bölgesinde bir yara izine dokununca, yavaşça gezindi bu el bu bölgede, titiz bir araştırmayla keşfetti izleri, sonra sertçe bastırmaya, neredeyse manyakça bir ısrarla yoklamaya başladı.

– Niçin yere bakıyorsun? dedim, yanından biraz uzaklaştıktan sonra. Yakışmıyor sana. Ben evi terk ettiğimde kaç yaşındaydın sen?

– On iki.

– On iki! Demek bu taşı bana on iki yaşındayken atmışsın, dedim şakağımı göstererek.

Başını kaldırdı.

– Nasıl hayır! Ben bir çukur kazıyordum. Sen kenarda duruyordun. Bir taş aldın yerden, bir tuğla parçası ve ben kalkarken attın.

Yine başını kaldırdı.

– Çok iyi biliyorsun ki, dedi, küçükken düştün sen: annem düşürdü.

– Annem? Evet annem. Doğru bu; küçüklüğümüzde günah keçindim senin ben, her istediğini yapıyordum. Tam burada bile, bu yatakta saatlerce yüzü koyun yatmaya zorladın beni: yerleri süpürüyor, toz, çöp atıyordun üstüme.

Sert bakışlarla, bu çılgınlıklara gülümsemeden süzüyordu beni. Elini sertçe tuttum, birazcık gülümsetebilmek umuduyla öptüm onu. Gerçekten de sanki yüzü yumuşamış, biraz gülümsüyor gibiydi, sonra ansızın surat astı, korkunç bir şekilde gerildi, gözyaşlarına boğulacağını sandım: bir saniye hareketsiz kaldı ve boynuma atılarak çılgın gibi öpmeye başladı. Bu davranışı alt üst etti beni. Bana sevgisini sadece sessizlik ve zorbalık olarak göstermişti. Şaşırmış kalmıştım, neredeyse korku içindeydim, bir şeyler kekeledim ve onu daha sonra, kollarını kavuşturmuş, tekrar o acımasız haliyle görünce müthiş nefret ettim ondan.

– Şimdi aşağı inmemiz gerekiyor, dedi.

Ayağımın uyuştuğunu unutmuştum. Bir ara koluna

yaslanmak zorunda kaldım ve duvar halısına bir göz attım. Eski püskü bir şeydi gerçekten: ilmiklerine kadar yıpranmıştı ve ilmikler de paramparçaydı. Halıya yaklaşıp yüne üflemek geldi içimden; her tarafım yumak kalıntılarıyla doldu, onlarca küçük güve, gözlerime doldular, tükürdüm onları.

– Pislik ama bu, diye bağırdım yüzümü kapatarak, tam bir böcek yuvası. Tiksinti duyarak binlerce solucanı, güveyi, içeride kaynayan çeşit çeşit hayvanı düşündüm. Böyle bir çöplüğü nasıl saklayabiliyorsun?

O da bulutların altında başını eğmişti.

– Çok eski, dedi alçak sesle.

"Çok eski! Çok eski!" Ben bu sözcükleri yineleyip dururken birden, gözlerimin önünde duvardan çıkan ve kendini odanın içine atan, sonra da çılgınca çırpınıp göğe doğru yükselen devasa bir at belirdi. Yukarı doğru kaldırdığı başının olağanüstü bir görünümü vardı, öfke, acı nefret duyan şaşkın bakışlı vahşi bir baştı bu, kendisi için anlaşılmaz olan bu coşku gitgide ata dönüşüyordu: yanıyor, ısırıyordu, bütün bunlar boşlukta oluyordu. İmaj gerçekten çılgın ve ölçüsüzdü: ön planı tümüyle işgal ediyordu, ondan başka bir şey görülmüyordu, hatta açık seçik biçimde sadece başını görebiliyordum. Bununla birlikte fonda doğal olarak birçok ayrıntı vardı, ama yıpranma, renkleri, çizgileri, hatta ve hatta örgü izlerini bile yenmişti orada. Gerilediğimde daha fazla hiçbir şey göremiyordum; yaklaştığımda her şeyi birbirine karıştırıyordum. Son derece hareketsiz kaldığımdan, bu lime lime kaosun arkasından bir yansımanın geçtiğini, onu sıyırdığını hissediyordum; kesinlikle bir şey kıpırdıyordu; imaj arkada duruyor, beni gözlüyordu, ben de onu gözlüyordum. Neydi bu peki? Yıkılmış bir merdiven mi? Sütunlar mı? Merdivenlere yatmış bir beden mi yoksa? Ah! sahte imaj, alçak, kaybolmuş, ebedi imaj; ah! Hiç kuşkusuz eski, suçlu olacak kadar eski bir şeyi sarsmak, yırtmak istiyordum ben ve kendimi nem ve topraktan bir buluta sarınmış hissederek bütün bu varlıkların belirgin körlükleri, onları, beni en ölü ve en korkunç geçmişe çekmek için korkunç ve ölü bir geçmişin etkenleri yapan çılgınca bilinçsiz girişimleriyle yakalandım. Gerçek bir nefret duygusu içinde Louise'e baktım, azgın bir halde koluma asılıyor, beni hiç bırakmak istemiyor, sonsuza kadar tutmak istiyordu. Ah! Kız, lanetli kız; ve birden, biraz önce, beni öptüğünde ağzımdan kaçırdığım laflar tekrar geldi ağzıma. "Sana hep itaat edeceğim." Söylediğim buydu, emindim. Bu hatıra anında rahatlattı beni. Şaşkın kaldım, yüzüne bakıyordum. Fısıldadığını duydum: "Gel." Kapıyı açtı. Merdivende görüyordum onu, kırmızı giysisini bana doğru çevirerek ve beni bekleyerek. "Gel, dedi, çabuk gel."

Öğleden sonra bahçeye çekildim. Genelde bahçeye gitmek istemezdim, odama kapanırdım.

Hava oldukça sıcaktı. Bir çardağın yanındaki banka oturdum. Bu son derece mütevazı bahçe olağanüstü yüksek, büyük gölge yapan muazzam duvarlarla çevriliydi. Ya ağaçlar? Bu kadar küçük bir çit için çok ağaç, çok yüksek, çok güçlü ağaçlar. Ya toprak? Yüzeyi bile kara bir toprak, çakılların gizleyemediği kurak, ama kara bir toprak. Havaya attım çakıl taşlarını: aslında renksizdi çakıl taşı ne gri, ne sarı, ne toprak rengiydi, ama o kadar siyah gözüküyordu ki, sanki maddelerin artık çürüyemeyecekleri, ama ebediyen kaybolmuş şeyler gibi korundukları toprağın dibinden tamamen fosilleşmiş ölmüş bir toprak görünümüyle yer hizasında bir tabaka fışkırmıştı. Büyük olasılıkla en büyük ağacın yanında kazmış olduğum o deliği düşündüm: neredeyse benim boyumda derin bir delikti bu; ben deliğin içindeydim, o deliğin kenarında duruyordu, ayaklarını, kolunu görüyordum; eminim bana bakmıştı. Niçin? Neler düşünüyordu?

– Dışarı çıkmakla iyi ettin, dedi annem. Eskiden bu bahçeyi çok severdin sen.

Basamakları birer birer, yavaşça indiğini gördüm: uzaktan son derece ihtişamlı, neredeyse yüce gözüküyordu; Louise'in ondan söz ederken kraliçeden başka bir kelime kullanmadığını anımsıyorum.

– Onu hep çok seviyorum, dedim.

Banka otururken hızla bir göz attı bana, bir yan bakıştı bu: işte buna tahammül edemiyordum. Kim olursa olsun, Louise bile baksa tahammül gösteriyordum, ama ona katlanamıyordum, sinirleniyor, soğukkanlılığımı kaybediyordum; ve o, benim çok belirgin sıkıntım yüzünden ancak kaçamak bakışlar atabiliyordu bana ve endişeli ve kuşkucu havası sıkıntımı daha da artırıyordu. Bana, ben gittikten sonra doldurulan bir su havuzundan söz ettiğini duydum. Ağaçlıklı bir yolun ortasındaki küçük bir tepeden anlaşılıyordu yeri bu havuzun: çiçeklerle çevriliydi. Bütün bahçede biraz neşeli olan tek yerdi burası.

– Kız kardeşinle anlaşabiliyor musun?

– Evet.

– Pekâlâ, iyi. İyi kızdır, ama zordur. İçine kapanıktır. Birlikteyken konuşuyor mu, çok konuşuyor musunuz?

– Evet, belli olmuyor.

– Değer veriyorum ona, hatta hayran olduğumu sanıyorum. Ama ne kadar ağzı sıkı olduğunu bilmiyorsundur sen belki. Eminim, sen hastalandığında doktorun gönderdiği mektupları kaybetmiştir. Senin hasta olduğunu bilen tek kişi olmak istiyordu, hiç kimseye bir şey söylemedi, olabildiğince geç bir dönemde söz etti bu hastalıktan. Kliniğe görmeye geldi mi seni?

– Hayır, sanmıyorum, hatırlamıyorum.

– Bana, seni görmeye geldiğini ve senin, kendisinden benim ziyaretimi engellemesini istediğini söyledi. Niçin? Bizim bir araya gelmemizi istemeyen daha ziyade o idi: aptalca bir kıskançlıkla beni bir kez daha safdışı bırakmak için. Ne korkunç bir kişilik! Beni hiç sevmedi, dedi birden öfke içinde. Küçükken, eminim... evet, böyle söylemek yanlış olmaz, sanıyorum nefret ediyordu benden. Üç yaşındaydı ve benden nefret ediyordu, tırmalıyordu beni, beni gözetlemek ve bana vurmak için masanın altına giriyordu. Şimdi, tekrar iyi duygulara sahip olduğu söylenebilir. Ama bazen, fark etmişsindir, somurtuyor, yüzünü buruşturuyor: konuşmuyor, duymuyor sanki. Aslında her şeyi işitiyor, hiçbir şeyi kaçırmıyor. Onu böyle, bozkırdan gelmiş biri gibi görünce, çekip gidiyorum, işkence ediyor bana.

Ağladığını işittim. Gözyaşları da beni benden alıyordu. Onu gözyaşlarından kurtarmak ya da daha çok ağladığını görmek isterdim; Louise asla bir damla gözyaşı akıtmamıştı: bu yüzden ikisine de kızıyordum. O sırada ansızın bir şey, bir sahne hatırladım: çok canlı bir biçimde aklıma geldi bu sahne ve ben öylesine unutmuştum ki bu sahneyi, sadece şimdi tanık oluyordum ona. Akşamüstü saat dört sularında geçiyordu sahne. Bir kapıyı açmıştım ve Louise'in odanın ortasında ayakta durduğunu fark etmiştim, elleri arkasındaydı, çok zayıflamıştı, beş yaşında bir hayalet gibi zayıftı ve birkaç adım ötesinde annem, öfke ve meydan okuma karışımı bir hareketle, yumruğunu kaldırmış tehdit ediyordu onu. Bir saniye, iki saniye bu sahneyi gördüm; Louise'i görüyordum, yüzü siyahtı, acınacak kadar siyah ve sakindi, ne kadar eski olduğu belli olmayan, zamanın dışında bir sükunetti bu ve karşımda annemin kalkmış yumruğu, annemin bu tehdide indirgenmiş büyüklüğü vardı ve o da acınasıydı ve bu kırmızı kumaş parçasının önünde kendi suçunun maskesinden daha güçsüzdü. Sonra beni fark etti, onun kalkmış yumruğunu fark etti; yüzünde bir korku ifadesi belirdi, hiçbir yüzde görmemiş olduğum ve bir daha hiç görmek istemediğim bir ifadeydi bu ve belki de o şimdi yüzünü nasıl benden çeviriyorsa o da öyle çeviriyordu o yüzü ve bize sadece kaçamak ve kuşkucu gözlerle bakma izni veriyordu.

– Benden niçin korkuyorsunuz? dedim.

Gözlerini gözlerime doğru çevirdiğini hissettim. Çok güzel gözüküyordu bu gözler bana, başka bir ülkeye ait gözlerdi bunlar, solgun, ışığı çağıran, mavi, uzak gözler. Şimdi sadece karmaşık ve pintice bir eylemini algılayabilirdim ancak.

– Niçin böyle söylüyorsun? Bazen korkuyorum senden. Doğru, korkutuyorsun bizi. Çok yalnızsın, sık sık hastalanıyorsun. Günün birinde haftalarca klinikte yattığını öğreniyorum.

– Ben yalnız değilim, insanlarla birlikte yaşıyorum.

– Gözetilmeye, bakılmaya ihtiyacın var. İyileştiğinde bir süre sayfiyede kalmaya razı olacak mısın?

– Bilmiyorum... Henüz düşünmedim bunu.

– Endişe ediyorum, kabul ediyorum bunu. Endişe etmenin ölçüsünü kaçırıyorum belki; ama kendine bir baksana: o kadar uzun süre uzak kaldın ki. Senin hakkında fazla bir şey bilmiyorum. Sadece kız kardeşinden koparabildiğim haber kırıntıları. Çoğu zaman yalnız bırakıyorum seni, çünkü öyle sanıyorum ki benim varlığım... Evet, ileri gitmekten korkuyorum, üzüntü verici bir durum değil mi bu?

Konuşurken yine ağlamaya başlamıştı, gözyaşları sesini utanç verici, eski bir şey yapıyordu, sulu gözlü birinin sesiydi bu ses.

– Niçin senden korkup korkmadığımı sordun bana? Kim aşıladı bu düşünceyi sana?

– Hiç kimse, ben yanıldım.

Yüzüne bakmadan elimi uzattım. Hafifçe tuttu elimi,

biraz sıkıntılı olduğu belli oluyordu.

– Güzel bir elin var, dedi, bir kız eli.

O bu sözleri söylerken hafif bir ses duydum: en iri ağacın yanında, ağacın gövdesinin neredeyse tam arkasında, giysisinin kırmızı lekesi gözüküyordu, kımıltısız, öyle durup duruyordu bu leke, ağaçtan düşmüştü sanki, hem belli belirsiz hem belirgin biçimde görülebiliyordu ve onu gördüğünüzde fazladan bir şey görmüş gibi oluyordunuz. Elimi çekmek istedim, hiçbir şey anlamayan annem elimi tutmak istiyor, okşuyor, seviyordu, ama o da kimin orada bulunduğunu anlayınca beni serbest bırakmanın da ötesinde, attı alelacele.

– Ah sen misin? dedi. Çalışman bittin mi?

Kırmızı kumaş biraz gerildi, hiçbir tehdidin geriletemeyeceği, belki de zaten sonsuza kadar dışarıda olduğundan dışlayamamayacağı soğuk, sakin bir görüntü içine gömüldü.

– Bugün cumartesi, dedi Louise. Bana bakmadan, ne yapacağımı bilemediğim elime de bakmadan küçük tepenin yanında durdu, sanki bütün bunlar acımasız yargıları altında silinmiş, ezilmişti.

– Bu sabah odana mı götürdün onu?

– Evet.

– Bakıyorum, tapınağına girme izni var. Niçin bu saati tercih ettiniz?

– O öyle istedi diye ve duyulmadığı takdirde bu olayla ilgili söylentilerden kaçınmak için.

– Ne tuhaf adamsın, dedi annem şaşkın, ama sakin bir tavırla. Başkalarının söylemekten utanacağı şeyler dışında hiçbir şey söylemiyorsun. Gurur mu, bana yüksekten bakmak mı bu? Zaten gerçeği de söylemiyorsun.

– Onun odaya girmesinden memnun olmayacağını biliyordum, dedi Louise.

– Niçin? Kesinlikle istediğinizi yapabilirsiniz. Uzun zamandır tavrımı belirlemiş bulunuyorum sizin davranış biçiminiz konusunda. Beni hep dışladınız. Evet, hakaretlerinize maruz kalacak kadar yakın davrandım size. Sadece yaralanmak, hakarete uğramak için annenizim ben sizin. Utandırdınız beni, işte gerçek: sayenizde utancın ne olduğunu öğrendim. Ama cezasını göreceksiniz bunun, hissediyorum bunu. Bu şeyin... kötülüğü yüzünden her birlikte cezalandırılacağız.

– Sus, dedi Louise usulca.

Kulaklarımı tıkadım. Annem ona örümcek muamelesi yapmıştı sanki. Gerçekten, biraz daha gençken küçük kırmızı bir örümceğe benziyordu. Bir zamanlar şimşirlerde ya da belki bir servi dalında görmüştüm. Bir düğme kadar küçücük bir örümcekti; uzun süre bakmıştım bu örümceğe ve incelemiştim onu: ıslak, küçük bir yaprağın üstünde kapanmıştı ve hiç hareket etmiyordu, hiç ağ örmüyordu sanki; olağanüstü tuhaf ve hatta güzel buluyordum onu. Sonunda dokunmak isteyince ezmiştim.

– Hep sır, dedi annem, hem de ne sır? Hiç.

– Sen de hayatını istediğin gibi düzenledin.

– Hayatım! Hayatım derken anladığınız nedir? Doğal olarak beni yargılamaya can atıyorsunuz; hiçbir şey bilmiyorsunuz ve cehaletinizle, kalpsizliğinizle yargılıyorsunuz. Ve sen, kendini ötekilerden üstün sanıyorsun, sadece sen dürüstsün, doğrusun, bütün erdemler sende.

– Sus, dedi Louise usulca.

– Söyleyecek bir şeyin yok: sus. Benim susmam ya da bazı şeylerin anısını yitirmem senin için yararlı olurdu belki. Hiçbir erdemin yok, uzaksın bunlardan: bunları sana söylüyorum, kötülükle değil, üzüntüyle, çünkü üzüntü verici bir durum bu, kötü bir karaktere sahipsin, kötü bir şeyler var sende ve yukarıda olup bitenler... aslında en doğrusu hiç söylememek bunları. Ama hiç değilse bugün kardeşini rahat bırak, ihtimama ihtiyacı var onun. Kafanda neler var? Ne arıyorsun? Hayal etmeye bile cesaret edemiyorum.

– Sus, dedi Louise usulca.

Yeniden görünen kırmızı kumaş ağaçtan ağaca hafif bir ses çıkararak geçti. Tuhaf bir gürültü şu kumaş sesi. Çekiyordu beni. Kalktım ve onu izledim.

– Gidiyorsun, dedi annem korkarak.

– Evet, sanıyorum döneceğim.

– Biraz daha kal: biraz. Bu son derece kötü sahneler üzüyor beni, ama önemini de fazla abartmamak gerek. Louise çılgınca gururlu, tutkulu bir insan. Kendisine kötü bir karaktere sahip olduğu söylendiğinde şöyle karşılık veriyor: "Soğuk ve ikiyüzlüyüm," çünkü bir gün onu soğukluğu ve ikiyüzlülüğü nedeniyle eleştirmiştim. Ama o daha çok ateşe benzer. Aslında anlamıyorum onu. Bir genç kız gibi düşünüyor, hepsi bu. Bazen benden söz ediyor mu sana?

– Bazen.

– Ya yukarısı, orası nasıl düzenlenmiş? On yıldır bir kez bile girmedim oraya. Ne ben ne başkası. Hiç kimse giremez oraya, kediler bile. Çocukluk, manyaklık.

– Kediler bile mi?

– Evet. Ne dersin? Sana bu konuyla ilgili bir şey anlatacağım, iki ya da üç yıl önce olmuş bir hikâye. O zaman şahane bir kedimiz vardı. Hatırlıyor musun, senin... Neyse, kediler her zaman sevilmiştir burada. Bu, özellikle –çünkü genellikle hayvanlar sevmez onu– tutkuyla bağlanmıştı Louise'e; Louise'e rağmen ayrılmıyordu peşinden; onu görür görmez tahtından iniyor ve koşuyordu. Louise, her zaman olduğu gibi hiç ilgilenmiyordu kediyle. Bir gün kayboldu hayvan, bir daha kimse göremedi onu. Ne geldi başına? Çalınmadı, çünkü hiç dışarı çıkmıyordu, evi terk etmiyordu, bahçeye iniyordu ancak. Bana sorarsanız, kanıtım yok, ama...

– Eee?

– Louise'in peşinde dolaşa dolaşa sonunda bu odaya daldı. Kapıcı bir gece korkunç miyavlamalar duyduğunu iddia ediyor.

– Öldürdü onu, dedim kesin bir ifadeyle.

– Nasıl? Sana bir şey söyledi mi? Bu kediden söz etti mi?

– İşte olup bitenler. Bir gece, odada, hemen yanında birinin bulunduğunu hissederek uyandı. Çok korkmasına rağmen kalkmadı, hiçbir hareket yapmadı. Bu hayvanı aklına getirmiyordu, ne de içerden birini: sürekli kapalı ve bomboş olan bir odaya içerden biri nasıl girebilirdi? Saatlerce, sadece yanında normal yollardan gelememiş olan, gölgeyle ve belki de çok uzun zamandan beri beklediği bir gölge gibi gelen birinin varlığını hissederek öyle hareketsiz kaldı. Kimdi o? O gece kiminle yattığını sandı? Bilmiyorum. Sabahleyin kediyi gördü ve bir baltayla öldürdü.

– O mu anlattı bunları sana?

– Olaylar böyle gelişti. O söyledi bana bunu.

Odama girdim. Akşama doğru yavaşça kapıyı açtım, o tuhaf sesi dinliyordum, bir fısıltı, ihtiyatla buruşan ve yırtılan kâğıttan bir söz. Karanlıkta çömeldim. Ses kesilmişti, ama bir şeyler sessizliği yalamaya devam ediyordu: bir kumaşın geçişi, hafif bir su sesi ya da daha çok yaklaşan bir ses, evet sözün yakınlarına ulaşmak için çekingen ve sabırlı bir deneme. Endişe verici bir şey değildi ve hafif bir korku hissetiysem de çok sakin, duyulmamış bir olaydı bu, son derece yatıştırıcı, tüm bilgeliklerden daha bilge bir şey: bitmeyen bir günün tüm olaylarının tam ve bitmiş hikayesi. Ansızın ses çatladı, sesin bütünüyle kesildiği, ses gibi sakin ve ciddi, uysal, çekingen ve içten görünümlü olan, ama daha fazla bir şey olmayan bana dikilmiş belirgin bir bakışa dönüştüğü ana kadar neredeyse açık bir ağız ve de ürkmüş ve göremeyen yarı açık gözler gördüm.

– Peki, dedi elini lambadan uzaklaştırmadan. Sonra doğruldu ve kalktı.

Neredeyse kısa olan boyu çok etkiledi beni. Son derece güçlü olmalıydı ve hatta geniş ve kalın kafası tehlikeli bir biçimde sağlam gözüktü bana. Bacağını sürüyerek yaklaştı.

– Afedersiniz, dedim, ses duymuştum ve dinliyordum.

Elini uzattı.

– Önemli değil, benim hatam.

Kalkmadım, son derece kaba olan kişiliğinin tümüyle karşılaştırıldığında bembeyaz, incecik ve çok seçkin olan eline bakıyordum.

– Akşamları çalışmak zorunda olduğumda, yemekten önce biraz uyumaya çalışırım.

Yine baktım ona.

– Ama belki...

– Evet, dedim kalkarken, sizi tanıyorum.

– Sizi görmekten mutluluk duyuyorum ben de. Sakin bir havayla baktı bana. Sizi görmemiştim, sağlıklı görünüyorsunuz.

– Evet, teşekkür ederim, daha iyi hissediyorum kendimi.

Öteki kapının açıldığını sandım. Düşününce şaşırdım: ne rastlantı! Her şey ne kadar ilginç! Ve sanki bu düşündüklerimi ağzımdan kaçırmışım gibi Louise hızla yaklaştı ve çok sert baktı.

– Evvelsi gün, dedi, Iche'le konuştum. Endişe etmeyin: tatiliniz konusunda her şey yolunda.

– Iche?

– Evet, daire başkanınız.

– Evet, teşekkür ederim.

– Seni yemeğe götürecektim, dedi Louise.

– Gidin yiyin, dedi sert bir sesle.

Yemeğimi yedim, Louise hiç konuşmadı, yanımdan ayrılmadı. Yemekten sonra sofrayı kaldırmadı, öyle ki annem içeri girince karmakarışık durumdaki tabakları ve örtüyü gördü. "Louise yok mu?" Odanın arka tarafında, yerde bir mindere oturmuş, küçük masaya, tepsiye, kirli tabaklara bakarken gördü onu. Masaya yaklaştı annem; Louise de kalktı ve yaklaştı masaya. Birbirlerinin yanından kayan, birbirlerini yalayan ve birbirlerine dokunmadan rastlaşan ellerine bakıyordum. Eline tepsiyi alan Louise tuhaf bir biçimde geriledi; kapıya bakıyordu; kapı açıldıkça Louise elinde tepsi, adeta taş kesmiş halde, hareket etmeden yer değiştiriyordu.

– Bitti mi yemeğiniz? diye sordu üvey babam. Biraz yanınızda kalabilir miyim izninizle?

Oturdu, evin karanlık dibinden çıkmış, arkasında duran ve madeni bir değişmezlikle kendisini seyreden tuhaf hayaletin farkında değildi sanki.

– Şunlara bakın! dedi, şaşkın ve ürkek durumda gidip gelen, çarpışan iki kedisini göstererek. Kendilerini henüz tam anlamıyla evlerinde hissetmiyorlardı. Küçüğünü kaldırdı, bandajlı ayağını inceledi ve burnunu iğrenç sarı tüylerine dayadı. Ama anında yüzünü ekşitti ve hayvanı ensesinden tutarak kendisinden uzakta bir yere bıraktı. Kedi dizlerinin üstünde dengesini beceriksizce korumaya çalıştı. Çok ilginç dedi bana doğru dönerek. Bunları yıkadık, her türlü mikrop öldürücü maddeyi kullandık temizlenmeleri için, hatta sterilizasyondan geçirdik, hiçbir etkisi olmuyor bunların, yanık kokusu yaymaya devam ediyorlar ve yine sarı tüyleri koklamak için kafasını eğdi. Anlatılacak gibi değil, çok tuhaf! Tam olarak ne koktuğunu bilmiyorum: pis bir yanık kokusu, çürük bir yanık. Tarif edilmez bir koku, çok tuhaf! Ben bunları yıkılmış bir binayı dolaşırken bulup getirdim. Böyle yıkılmış bir eve girdiniz mi hiç? Ne biçim kokar içi! Tahammül edemediğim iğrenç bir koku. Kül yığınları sanki... Ama değil galiba: ateşin fermantasyonu bu, dumanın emdiği her çeşit kalıntı. Nihayetinde bir enfeksiyon.

Böyle yerlerde dolaşmanın sağlığa zararlı olup olmadığını soran annemin sesini duydum. O gülmeye başladı, gizli gizli gülümsedi.

– Ama pek oyalanmıyoruz biz böyle yerlerde! Gittiğimiz yerlerde, girdiğimiz yerden birkaç saniye sonra çıkıyoruz, bazen sokaktaki binaların kararmış cephelerine bakıyoruz, veba salgını bile olsa bu kadar kısa süre içinde bulaşamaz bize.

– Salgın hastalıktan da söz ediliyor.

– Gerçekten gazeteler yazıyor: on kadar şüpheli vaka görülmüş. Ama satır aralarını okumak gerekir, bunlar daha çok yönetimle ilgili konular, eski semtleri kirden pastan arındırmak ve geri kalmış bir bölgeyi düzene sokmak. Zaten teknisyenler ilgilenir böyle konularla, hatta bu hayvancıklar laboratuvardan da geçmişlerdir.

– Nasıl çıkıyor bu yangınlar peki? diye sordum birden.

– Yangınlar... Ama gazeteleri okumuşsunuzdur. Bazıları şu nedenden, bazıları bu nedenden. Güvenlik güçleri zor bir dönem geçiriyor. Yangınlar toplumsal açıdan çok tuhaf, çok karmaşık olgular: eski ve kolektif bir şey. Yanan bir ev gören insanda her zaman eski bir hikâye izlenimi, eski duygular uyanır, eski bir hınç ya da daha doğrusu ansızın uyanan ve aydınlığını yaymak isteyen çok eski zamanlardan kalma, unutulmuş bir kalıntı ateşe vermiştir evi. Dikkat ederseniz yangınların saçtığı aydınlığın ne kadar tuhaf olduğunu görürsünüz: aydınlatır ve aydınlatmaz; kendi kendine söner; kendi kendisini gayri meşru, tehdit altında ve imkânsız hisseder. Dolayısıyla da acı ve nefret duyar. Düşünülürse çılgınca bir şeydir bu. Bizde yangınlara pek değer verilmiyor artık, ama eskiden başkentte birçok kez yangın çıktı. Ve bakın, bugün bile herhangi bir yerde ateş görüldüğünde anında bin kişi toplanıveriyor seyretmek için, coşturuyor bu manzara sanki onları, sarhoş ediyor. Ve sonuç, sabotajın işin içine katılması ve eski fikirlerin yeniden kül olması. Ama temelde güzel bir şey bu, uyanık tutuyor bizi, ayrıca işimize de yarıyor ve sonunda yanması gereken kesinlikle yanacaktır.

Divanda yarım doğrulmuştum: ona baktığımı, onu çok dinlediğimi biliyordum.

– Şimdi belki onu rahat bırakmamız gerekir, uyuması gerekir, dedi annem.

– Uyumak istiyor musunuz?

– Hayır.

– Konuşarak dinleniyorum, dedi özür dileyen bir ifadeyle. Çok yorgun olduğumda konuşmam gerekir. Toplantılarda şaka konusu oldu bu. Çok güzel bir konuşma yaparsam, yanımdaki, yüzüme, gözlerimin içine bakıyor: sen, diyor, çok güzel konuşuyorsun, dinleniyorsun. Aslında doğru. Konuşuyorum ya da uyuyorum. Konuşurken gün boyunca hafızama kaydettiğim çok güçlü izlenimler uçup gidiyor, sonra geri geliyor, sonra yine kayboluyor. Sonuç olarak bir başkasına geçmiştir onlar, bana ait değillerdir artık: iyi hissediyorum kendimi. Siz, siz az mı konuşursunuz?

Karşılık vermeden gözlerinin içine baktım.

– İncelemelerimiz sırasında, mahallenizi gördüm ve hatta sanıyorum sokağınızı da.

– Çok sağlıksız, dedi annem. Çok kötü koşullarda yaşıyor orada.

– Gerçekten de pis bir mahalle, çekici bir yanı yok gibi. Orada evler yanmaktan zevk duyuyorlar. Başka bir yerde oturmak istemez miydiniz?

– Oturduğum binanın önünden geçtiniz mi?

– Evet, sanıyorum. Resmi kortejlerin nasıl geçtiklerini bilirsiniz: salınmazlar. Niçin gülüyorsunuz?

– Önemli değil.

– Bu törenler gülünç geliyordur size belki de, öyle mi? Ama bunlardan uzak kalamayız kesinlikle. Bakın, gazeteler oradadır, fotoğrafçılar, kameramanlar. Hepsi gelir ve herkes bizim orada hazır bulunduğumuzu gördüğü andan itibaren harabeler artık tam anlamıyla harabe olmaktan çıkar, yeni bir evin başlangıcına dönüşürler.

– Ne diyorsunuz?

– Aslında haksız değilsiniz: böyle durumlarda gülünç ayrıntılar eksik olmaz. Bugün özellikle gülünç bir olay geçti. Yolumuzun üstünde, sokağın başında... ziyaret etmemiz gereken bir binanın yakınlarında caddeye taşan ve trafiği aksatan büyük bir kalabalık görüyoruz. Neydi acaba bu? Hiç kuşkusuz geleceğimizi haber alan mahalleli tören seyretme zevkini tatmin etmek için ya da bambaşka nedenlerle merakla bizi bekliyordu; kısacası anormal ve tatsız bir durumdu. Düzeni sağlayan görevliler önden devriye geziyor; arabalarımız hiç acele etmeden yaklaşıyorlar; ayakta duran ve dışarısını seyreden arkadaşlarımızdan biri bağırıyor: "Panayır bu." Ve gerçekten kalabalık küçük bir sokak orkestrasının çevresinde toplanmıştı: güreşçiler ve sanıyorum dansözler vardı. Bu arada kalabalık içindeki birkaç kişi yeni bir şeyler olduğunu hissediyor: arabalarımızı fark ediyorlar, çığlıklar, alkışlar yükseliyor, zafer şarkıları başlıyor. Bizin insanlarımızı bilirsiniz, hayatı, gösteriyi severler, ne muhteşem kalabalık! Ne yazık ki yasalar katı. Düzeni sağlayan görevliler kendi yöntemleriyle müdahale ediyorlar, alanı boşaltmak istiyorlar, ama sayıları azdır ve direniyor kalabalık, sabırsızlanıyorlar, ıslıklar yankılanıyor. Sanıyorum dövüş başlıyor, bağırtılar, hakaretler. Nihayet, bir saatlik bir bekleyişten sonra arabalarımıza geçiyoruz, sükunet sağlanıyor ve tören kurallara uygun biçimde devam ediyor.

– Neresi komik bunun? Bu olayın nesine gülmek gerekiyor?

– Aslında komik değil belki, dedi ciddi ciddi bakarak. Bu ciddi tavır bana bulaştı. Bu çok önemli adamın beni kesinlikle anladığına inandım, dahası: ciddiye alıyordu beni.

– Sanıyorum sizin topalladığınızı gördüm ben, dedim.

– Eski bir hikâye! Biraz rahatsızlık veren bir romatizma, hepsi bu.

– Söylememe izin verin, bugünkü maceranızı olağanüstü buluyorum. Evet, bunu niçin gülünç bir şey gibi yansıttığınızı anlıyorum. Kalabalığı dağıtmak, insanları kovmak, alanı boşaltmak zorunda kaldınız:hiç kimsenin törenlerinizde bulunma hakkı yoktur, oysa bu törenler herkese açıktır. Tuhaf ama yasaların derinliği tam da burada yatıyor: bireyin silinmesi gerekiyor, orada kişi olarak değil, genel olarak, görünmez biçimde, sözgelimi sinemadaki gibi bulunmak gerekiyor. Ve siz, geliyorsunuz siz, ama ne amaçla? Resmi bir eylem bu, basit, onursal bir alegori. Sizden önce, yıkıntılara bakmaya gelen herhangi bir insan yeni bir binaya başlamış, bu yıkıntılardan yeniden inşa malzemeleri yapmıştır bile. Ve hatta yangın çıkaranlar sadece binanın yanışını seyretmiş olmak için ateşi söndürmüş ve evi restore etmişlerdir. Bu nedenle gazetelerde makaleler çıkabilir kesinlikle, ama temelde yangından söz edilemez, hiçbir zaman gerçek felaket, hele hele yıkıntı hiç olmamıştır. İşte gerçek.

– Böylesine gönüllü konuştuğunuzu tahmin etmiyordum. Gözlemleriniz meslektaşlarımdan birinin çok hoşuna gidebilir ve o size sürekli dudaklarının ucunda bulunan favori sorusunu sorabilirdi: “Ya bugün, nasıl bir sinektir söz konusu olan?” Sinek çok güçlü ve çok ince düşüncedir, atılım yaptığında ve eylemden ayrılmak istediğinde gerçek ve derinlik esprisidir: vızıldar, titrediğini hisseder. Görüyorsunuz yine bir alegori.

Gülünesi bir sıcaklıkla konuşmuş olduğumu biliyordum, yanmaya devam ediyordum: olsun. Beni gülünç bulsa da onayladığını hissediyordum. Konuşma biçiminde o kadar mükemmel bir iyilik vardı ki, ses tonu öylesine sakin, öylesine soyluydu ki, söylediği her şey güçlendiriyordu beni.

– Kimden söz ettiniz az önce?

– Etienne Agrove diye birinden söz edildiğini işitmiş olmalısınız zaman zaman, değil mi? Büyük hizmetler görmüş, çok seçkin bir insandır; arşiv bürosunu yönetiyor ve bütün önemli raporlar onun elinden geçer. Ne yazık ki artık yaşlı bir beyefendi, neredeyse kör; her zaman her şeyi bilir, ama her zaman her şeyi de unutmuştur ve aslında hizmetleri de sert eleştirilere konu olur.

– Niçin sinekten söz ediyor?

– Karşıtları, onun dairesine Sinekler dairesi diyor, kaba bir şakadan oluşan bir ima. Ama ufak tefek, zayıf, oldukça kötü giyinen bu adamı tanırsanız, ileri derecede miyop olduğundan, eğri büğrü, iskemlelere çarparak ve incecik sesiyle

"Ya bugün, buldunuz mu o sineği?" sorusunu sorabileceği birinin peşinde yürüyüşünü gözünüzde canlandırdığınızda, bu takma adı güldürüyor, çünkü kendisi bir... sinek.

Bunları tuhaf, neredeyse küstahça bir saflıkla anlatıyordu. Tümüyle dikkate alındığında kişiliğindeki sertlik, otoriterlik, hatta acımasızlıkla çelişen bu sınırsız iyiliği sonunda sıkıcı olmaya başlıyordu; ürperti içinde algılıyordum bu tavrını. İki kediyi de koltuğunun altına alarak kalktı; ev kıyafetiyle olduğunu gördüm. Ayakta bir saniye, iki saniye anlamsız, neredeyse ölü gözlerle baktı bana, bakışları hem son derece davetkâr hem de öylesine tuhaftı ki, utanç verici bir biçimde sıkıldım. Elini bana uzatmamış olmasına rağmen ben tuttum ve şöyle bir şeyler kekeledim:

– Size sadece yakınlık ve güven duyuyorum. Bunlar böyle uluorta konuşulacak şeyler değil, ama düşüncelerimi anladığınızdan eminim.

– Teşekkür ederim, çok iyi anlıyorum sizi.

O belirsiz, sönük tavrıyla bakmaya devam ediyordu bana.

– Büroda, işinizden memnun musunuz? diye sordu. Şikâyetçi olduğunuz bir şey var mı?

Elini bıraktım.

– Hayır, hiçbir şikâyetim yok.

– Şimdi, dinlenin. Sonra beklenmedik bir tavırla eğilerek ve sarı tüyleri burnuma dayayarak, koklayın bu kokuyu, dedi.

Önce sadece pis bir ıslak hayvan kokusu duydum ve keyifli bir tavırla, başımla, 'anladım' anlamında bir işaret yaptım ona. Ama o gidince, herkes beni terk edince, ışığı daha yeni söndürmüştüm ki, koklanması gereken bir şey olduğundan kuşkulanmaya başladım. Hafifçe geliyordu koku, divanda, kolumdan geliyordu, sonra kayboluyordu. Bir an karanlık içinde, yüzümden birkaç adım ötede hareketsiz, bir heykel gibi, beklemede kaldı: orada olduğunu fark ediyordum, boşuna derin soluk alıyordum, yaklaşmıyordu bana, bütün dikkatini bir noktaya yönelterek beni adeta inceliyor ve sinsi ve kirli bir kokunun yapabileceği şekilde gözetliyordu. Geceleyin, belli bir süre önümde, belli bir uzaklıkta durdu; ve son derece sıkıldığımdan, onunla ilgilenmemeye karar veriyordum, daha fazla yaklaşmıyordu, ama koklanmaya izin vermemiş bir koku, aşağılık, mütevazı ve gururlu bir koku gibi, ötelerde, her zaman ötelerde olan, hafif ilaç kokusuyla, ölümcül pis bir kokuyla sinsice hissettiriyordu kendini.

Sabahleyin keyifsiz bir halde önceki geceyi düşündüm. Gece, ayağını sürümesinin nedeninin, ona gençliğimde indirdiğim bir balta darbesinin sonucu olduğunu düşündüğümü fark ettim. Basit bir gece düşüncesi, çünkü topallıyordu, gazeteler söz etmişti bundan, bir saldırı sırasında kalçasından ağır yaralanmıştı, bu nedenle topallıyordu. Bununla birlikte benim kendi açıklamam doğru gözükmüştü bana ve keyif vermişti. Başka bir düşünce eline geçirmişti beni: Louise niçin onunla çalışmaya razı oluyor, ona evde sekreterlik yapmayı kabul ediyordu? Niçin çekip gitmiyordu da çakılıp kalmıştı bu eve? Öyle ki şu ya da bu nedenle safdışı edilse, kesinlikle bir delik açmayı başarıp, alt taraftan, bir yerlerden girecek ve karanlık mahzende yorulmak bilmeyen bir sıçan gibi kemirme etkinliğini sürdürecekti sanki. Niçin? Ondan nefret ediyordu, açıktı bu, belli oluyordu – ama hiç unutamadığım o eski sahne duruyordu, oysa annemle olan öteki sahneyi unutmuştum: Bir gün, onu kucağına almış, yüzünü okşamış, elini öpmüştü ve ne tırmalamış ne de vurmuştu ona: henüz on iki yaşında olmasına rağmen, tehlikesizce kucağa alınabilecek bir kız olmamasına ve bu yaşta belki hiç kucağa alınamayacak olmasına rağmen tuhaf, derin bir tavır içinde ve sessizce bakıyordu ona; ve belki de sevecenlik göstermeden, ama öfke de göstermeden ciddi ve derinliği olan bir tavır içinde bakıyordu. Beni görünce hiç hareket etmemişti, hafifçe saçlarını okşayarak hızlı bir şekilde yere bırakmıştı onu. Ben sırtımı dönmüştüm onlara, heyecanlanmış, şaşırmıştım: o anda, hiç kuşkusuz balta darbesi keyiflendirdi beni ve büyük bir zevkle boğabilirdim onu. Ama bu olaydan sonra bile üstümdeki egemenliğini sürdürmüştü Louise. Rahatsız olmuş gözükmedi, kendini bağışlatmak için sevimli gözükmeye de hazır değildi. Tersine beni daha fazla küçümsüyormuş gibi gözüktü, hatta nefret ediyor gibiydi benden, sanki suçlu olan yalnızca bendim. Ve işte bir süre sonra beni cezalandırmak için o tuğlayı attı bana, o ki öpülmeyi ve okşanmayı kabul etmişti.

Bir akşamüstü sokakta biraz yürümem kararlaştırıldı. "On beş dakikadan fazla değil," dedi annem. Sokak neredeyse boştu, hava çok sıcaktı. Parka doğru gideceğimize büyük bulvara çıkan bir yola girdik. Louise sertçe kolumu sıktı, hemen sonra bıraktı ve koşmaya başladı. Bir mağazanın vitrininin önünde gördüm onu. Vitrin camının önünde su akıyor, sel gibi boşanıyor, bulanık tabakalar halinde her yandan sızıyor, dışarıya doğru da akıyormuş gibi bir izlenim uyandırıyor, camın sağlam saydamlığının yerini suyun hareketli ve endişe verici saydamlığı alıyordu. Açık kapıdan soğuk bir koku soluyordum, soluk kesen bir taşkınlığa karışmış nemden ve topraktan oluşan pis bir kokuydu bu.

Taksi bizi alıp götürdü, hepsi birbirinin aynı olan evler geçmeye başladı yanımızdan ve bazen araba durduğunda önümüzden dalgalı ve parlak giysiler, yüzler, uzun ve parlak saçlar geçiyor, geri dönüp tekrar geçiyorlardı ve bunlar kaybolur kaybolmaz tekrar ortaya çıkıyorlardı. "Acelemiz var," dedi Louise cama vurarak. Aynı soğuk yayılıyordu şimdi ondan, aynı toprak ve hava deliği kokusuydu bu; giysisi yine donuk renkliydi ve kendisi de yaşlanmış, toprağın altından çıkmış bir duygunun altına gizlenmiş gibiydi. Arabadan indik ve ana kapıyı geçince uçsuz bucaksız sessizliği seyretmek üzere durdum, bir çöl değildi burası, tersine yapılardan, sıra sıra taşlardan oluşan sınırsız bir uzamdı. Hiçbir boşluk yoktu. Mermer bulunmayan bir köşe yoktu, kapatılmamış ve inşa edilmemiş bir metrelik bir alan bile yoktu, sanki buraya girmiş olan herkes için tek bir slogan olmuştu: inşa etmek, inşa etmek, yükseltmek, kaide üstüne kaide yığmak, öyle ki bunlardan yapılardan oluşan ucube bir ağ ortaya çıkmıştı oysa çöldü burası, ama kendinden korkan, kendine musallat olan ve gözüktüğü sırada, iğrenç bir biçimde topraktan, bu yapı hayaletlerinin çirkin biçimiyle, sonsuza kadar sürme özlemi içinde deliklerden, mağaralardan ve çukurlardan oluşan bir şehir fışkırtmaya çalışıyordu. Geniş bir ağaçlıklı yolu izledik. Yolun iki tarafında çiçekler açmıştı; solabilmiş ve kuruyabilmiş çiçek enderdi; ve her tarafta aynı koku duyuluyordu: mum, alt üst edilmiş toprak ve durgun su kokusu. Biraz oyalanmak istedim, ama sayısız zigzagla, sonsuz bir çember içinde yürüyerek amacına çok yaklaşmış olan Louise'in artık doğrudan doğruya amacına koşmasından başka yapacak bir şeyi olmayabilirdi, amacı neredeyse duyulur bir biçimde çekiyor, çevresine bakmadan, yoldaki küçük dolambaçlara sapmadan ilerlemeye zorluyordu onu. Kupaların, vazoların üstünden atlayarak, sütunların arkasında kaybolarak, küçük tepelerden geçtik. Eli elimde öylesine uyuşmuştu ki, sanki toprağa doğru çekiyordu beni, terini, çimenlere doğru kaçan yaşamını, çatlakların önünde el yordamıyla yolunu bulmaya çalışarak ve dörtte üçlük bölümü toprakta olduğu halde kolumdan ve bedenimden geçirmek istiyor gibiydi.

Surların ve açık kapının yanına geldiğimizde iki büyük servili yolu ve birkaç metre ötede, biri işlemeli taşları, yapmacık ve zarif küçük sütunları, çok parlak karolarıyla kibirli küçük bir sarayı andıran, öbürü ağır ve kaba, pek yüksek olmayan bir kaleyi andıran, tepesi devasa bir alegoriyle ezilmiş iki mezarı gördüm, hiç şaşırmadım. Buraya daha önce onunla birlikte, yine böyle bir güneş altında gelmiş olduğumu, ona üstünde aynı giysi varken ve saçlarını gizlemiş, çirkinliği dolayısıyla güneşi aşağılarken rastladığımı biliyordum. Ve biz iki anıta doğru yürürken, şimşirler boyunca ilerlerken, biri, parlak, ölümcül hafif bir hoppalık içinde, genç, sevimli, sanki ölüm burada sadece dişil olmuş gibi neredeyse mutlu, güzellikleri, düşleri, hatta ihanetleri ve cinayetleri hoş düşünce ve onları taşımış olan son derece neşeli yürek görünümü altında ölümsüzleştirmek istemişti; ve öbürü, kara ve sıkıntılı bir boşluğun dibinden, eril bir gururun çıplaklığı içinde, aşağısının çılgınlık ve sabrıyla durmaksızın bir pişmanlık, büyük bir itham, sağır ve dilsiz taş gibi bir hınç oluştururken, biliyordum ki Louise bu iki geçmiş arasındaki her türlü uzlaşmayı reddederek kindar bir tavırla, sevimli bir şekilde yerin altından ona doğru uzanan ve sadece karanlık tarafa acıyan, iğrençliklerle dolu ve ölümün lanetlediği hoş ve yüzüklerle dolu elin üstünde yürüyecekti.

Bir anahtar aldı ve kapıyı açtı. Üç basamak vardı, bunları indi, ben de peşinden gittim. Karanlıkta az daha düşüyordum. Hiçbir şey göremedim. Gerçekten çok karanlık değildi, ama hiçbir şey seçemiyordum. Onu da görmüyordum. Hafifçe elimi uzatarak yavaş yavaş ilerliyordum, onu boş gömütün yanında, boş gömütü de mahzenin dibinde bulacağımı sanıyordum. Birkaç adım daha attım, yarı aydınlık ortamda görmeye çalıştım onu, ama önümde hiçbir şey yoktu; yanımda da bir şey yoktu. Seslendim ona; adını fısıldadım ve bu adın ağzımda eridiğini, anonimleştiğini, kaybolduğunu hissettim ve bir şey demedim. O zaman tuhaf şeyler hissederek şöyle düşündüm: kendini öldürdü, kendini öldürmekte, başka türlü sonuçlanamaz bu iş; ve tuhaftır, titredim ama sadece korku ya da tiksintiden değil, arzu da titretti beni. O sırada geri döndüm, onu gördüm ve dondum kaldım. Aramızda üç adım vardı, duvara gömülmüş, yuva gibi bir yerde hareketsiz, dimdik, kollarını bedenine yapıştırmış, ayaklarında ağır bir yük vardı. Çoğu zaman kara olan yüzü beyazdı; gözlerini bana dikmişti; bu yüzde hiçbir titreme, hiçbir yaşam belirtisi yoktu; bununla birlikte gözleri bana bakıyordu, ama öylesine kayıtsız, öylesine donuktu ki, bu gözler, bana bunlar bakmıyordu sanki, bu gözlerin arkasındaki biri bakıyordu bana, biri ve belki de, – hiç.

Yaklaşmadım, gerilemedim, ayakta duruyordum, o kadar. Birden ağzının hafifçe ve zorlukla kımıldadığını gördüm. "Diz çök," dedi. Sanki sesin, arkada duran bir başkasına ait olduğu izlenimine kapılarak döndüm. Dönerken tüm mahzeni gördüm; alçak, uzun ve geniş bir oda, anıtsız, taşsız, boş bir oda, basit bir mezar, temiz ve soğuk, ve – boş. Diz çöktüm, soluk alamıyordum, yüzüm taşa dönüktü. Bu boşlukta soluğuma bir tür nefret duyuyordum, onu dışarı atıyor, itiyordum, tekrar çekmiyordum içime ve boşluğun kendisi soluk aldırıyordu bana; boğuluyordum ve boğulurken boşluk beni daha ağır, daha dolu, kendimden daha ezici bir tözle dolduruyordu. "Uzan," dedi. Uzandım. Ayak seslerini, ilerleyen ve dalgalanan giysisinden gelen sesi işittim. Sonra yere düşen kâğıdı buruşturdu. Şimdi yanımdaydı, neredeyse üstümde ve benim yüzüm de beyazlaştı ve gözlerim ona dikilmişti ve ona bakıyordu, ama benimkiler değil, onların ardındaki biri, biri ve belki de, – hiç. Canlı bir sesle fısıldadığını duydum: "Ben yaşadıkça siz yaşayacaksınız ve ölüm yaşayacak. Benim bir soluğum oldukça, siz soluk alacaksınız ve adalet soluk alacak. Benim bir düşüncem oldukça, akıl hınç ve intikam olacak. Ve şimdi yemin ettim: haksız bir ölümün olduğu yerde, haklı bir ölüm olacak; kanın adaletsizlik içinde bir suç olduğu yerde, kan ceza içinde bir suç olacaktır; ve en iyi, gündüzün en kötüden yoksun olması için karanlık olur."

Bu karmakarışık ve alçak sesi işittim, çünkü daha önce de işitmiştim; ve sözcükler ağzında köpüklendiğinden ve köpük dudaklarının ucunu ıslattığından, aktığından, ter ve su olduğundan işitmiştim onları. Birden soluğuma tekrar kavuştum, doğruldum. Açık seçik biçimde gördüm onu: yürüyor, eğiliyordu. Bir saniye içinde, üstüme eğilmiş durumda kaldı ve büyük bir demeti çözerken gördüm onu, koku, gece burnuma gelmiş olan koku, toprak ve durgun su kokusu yayıldı; çiçekleri saçtı, biraz daha eğildi ve başı eğildiği sırada, eşarbını çözerek akan, dökülen, beni okşayan, bana dokunan, beni bahçenin toprağından daha kara ve daha ölü bir kütlenin içine gömen saçlarını koyuverdi. Ne ad vereceğimi bilemediğim bir duygu hissettim. Bu saçları kokluyordum. Ellerinin yaklaştığını, beyaz bir bıçağın ucu gibi kaydığını görüyordum: makaslarının açıldığını ve ısırdığını gördüm. Ve ne oldu?

Onun da koştuğunu fark ettim. Enlemesine giden bir yola girdim, sonra başka bir yola; yaklaştığını hissederek ağaçlı yolu terk ettim ve taşların ve sütunların arasına döndüm, ama bir saniye içinde üstümdeydi. Zorlukla nefes alabildik. Gözlerimi kaldırdığımda, saçlarının el değmemiş güzel örtüler gibi omuzlarına döküldüğünü gördüm. Gözlerimden neler okuduğunu bilmiyorum. Gözleri kül oldu, bir şey boşandı ve tokat attı bana: ağzımı ezen bir tokat. Mendilini almak zorunda kaldı ve çıkışa doğru koşarken kanayan dudağımı sildi.

"Nereden geliyorsunuz? dedi annem. Nereye gittiniz?" Louise odama sürükledi beni. "Ne yaptınız? Hemen hemen iki saattir yoksunuz ortalıkta. Ne oldu?" Ona baktı ve bana baktı. "Kardeşine bak, bitkin durumda. – Astım krizi geçirdi. Epey uzun bir süre uzanmak zorunda kaldı." Annem kuşku içinde bana yaklaştı, parmaklarım dudağıma gitti. "Ne var ağzında senin öyle? Düştün mü? Şişmiş ve ödem yapmış. Vurmuş biri. " Louise'e doğru döndü, Louise hareketsiz, sessiz ona bakıyordu, gözleri parlaktı ve kötü bakıyordu, çok parlaktı gözleri. "Yalan söylüyorsun, diye bağırdı, yalan söylediğinden eminim." Louise kenara çekildi, eşarbını çıkardı ve başını eğerek aynaya doğru gitti. "Evet, yalan söylüyorum," dedi. Saçları dağıldı, taradı saçlarını: bozulmamıştı saçları. "ne yırtık kız, ne küstahlık!" ve bir iskemleyi sertçe yere vurdu. Louise aynanın karşısından ayrıldı, eşarbı elindeydi: yanımdan geçerken bir suç ortağı gibi derin bakışlar attı bana. "Burada kal, burada kalmanı emrediyorum!"

Akşam biraz ateşim yükseldi, tuhaf ve huzursuz bir gece geçirdim. Sabahleyin Louise'in yanına çıktım ve ona artık evde kalamayacağımı söyledim.

– Giyiniyorum, dedi. Bir araba alıp geleceğim.

IV

Sis dağılıyordu. Oturduğum daireyi tanımakta niçin güçlük çektiğimi soruyordum kendime. Hiçbir şey kişisel değildi de onun için mi? Evime dönmüyor muydum? Pencereden sisler arasında yükselen ağaçları görüyordum, fark yoktu aralarında, çok fazla gözüküyorlardı, bağırsalar bu kadar yorabilirlerdi beni ancak. Biraz uzakta, sisin biraz daha gizlediği yerde evlerin bulunduğunu biliyordum; pek iyi seçemiyordum, ama oradaydılar, benim evime benziyorlardı, belki biraz farklıydılar, ne önemi vardı bunun, evler işte...

Hemen perdeleri çektim ve bana umut veren hafif bir çalkalanma oldu: bir şey silinmek istiyordu, sanki arkamı görme olanağını yitiriyordum, sanki kör olan ensem, omuzlarım dinlenmeyi kabul ediyorlardı. Biraz bekledim. Ne aptallık! Her taraf yeniden aydınlanıyordu, imalı, kuşkulu bir aydınlık ve üstelik yayıldığını görüyordum bu aydınlığın. Bir avantajdı belki bu: öbürü tatlı bir saydamlık, görünmez bir beyazlık içinde akıyordu, her şeyi gösteriyordu; bu, kendini gösteriyordu, onu etkinlik içinde görüyordum, onun şeylere saldıracağını, onları boğacağını düşünüyordum, sonunda biraz düzensizlik olacaktı. Biraz bekledim. Ne aptallık! Ne karanlık, ne düzensizlik, her şey yerli yerinde, gündüz gibi aydınlıktı. Dönüp yattım. Louise yarı karanlık olmasına rağmen okuyordu. Sinirlenerek kitabı aldım elinden, yırttım; bütün sayfaları ve sayfaları, ciltleri. Bir köşeye attım.

– Özür dilerim, dedim duvara dönerek.

Biraz sonra dışarıdan, belki de komşu binadan gelen boğuk bir müzik sesi duyulmaya başladı. Hafifçe ulaşıyordu bana, hiçbir şey ifade etmiyordu; yavaş yavaş çevreye doğru kaçıyordu, bir yerden ötekine, bir dünyadan ötekine geçiyordu müzik sesi, yakalanmaz ve hüzünlü bir sesti. Sonra ansızın patladı ve genel bir müzik oldu. Nasıl tanımamıştım bu sesi? Ulusal bir yas olmalıydı ve cenaze marşı her birimizi evlerde, sokaklarda buluyordu ve acının herkes için bir anlam ifade ettiği ve bir şenlik, ölüm şenliği, ama yine de bir şenlik haline geldiği genel hüznü birleştiriyordu. Bu müzik yavaştı, görkemliydi; her zaman alıp götürmüştü beni. Topluluğun üstünde yükselen muazzam katafalkı görüyordum; burada da kalkmıştı sis; askerler geçiyordu, temsilciler geçiyordu; yan caddelerde, yan yana, sıkışmış binlerce insan uzaktan bir marşın ritmini dinliyorlardı. Evet, hiç kuşkusuz, oradaydım ben, onlardan ayrılamazdım; onlarınki gibi anıta doğru kalkmış yüzüm binlerce yüzden biriydi: önem taşımıyordu, ama önemliydi; korkunç olan buydu; kayıp olsa da önem taşıyordu; kafilenin içinde yer alıyordum, boğucu bir kitlenin içinde kalmıştım, hareket edemiyordum, bir destek de bulamıyordum kendime. Tek bir notanın, uzaklardan gelen ve bitmek bilmeyen ve gökyüzünde yükselen bir notanın sesini duydum. Duymuyor muydum onu? Yanımdakilerin yüzünde kendi hüznümü görmüyor muydum? Ve onlar, benim solgunluğum, benim yorgunluğumla üzülmüyorlar mıydı? Kısa, özlü çağrılar çınladı. Titriyordum; hareketsizdim ve dalgalanıyordum: göğsümden bir şey çıktı. Yüzlerin silindiğini, beyazladığını, kirlendiğini gördüm açık seçik biçimde; ağzıma bir dalga hücum etti. Kusarken, kusmuğumun da onların hüznünü açıkladığını düşünüyordum, bayılmamı boşa çıkaracak olan ortak duygular içinde herkesin, benimle birlikte kustuklarını hissettiklerini düşünüyordum.

Louise, yüzümü sildikten sonra, bir süre ayakta kaldı, alnı ıslaktı. İyi hissediyordum kendimi, ama rahatsız olan oydu şimdi; o da katılıyordu benim yürek acıma, kaybedilmiş bir şey yoktu. Mutfağa gitti, su getirdi ve temizledi beni. Müzik durmuştu. Birisi tekdüze tümcelerle konuşuyordu. Louise'in bu olaydan hiçbir şey anlamamış olduğu kuşkuları içindeydim: benim sıkıntımı kendince açıklıyordu, beni büyük olasılıkla hasta ya da geceki kaçıştan allak bullak olmuş sanıyordu, ama pek bir önemi yoktu bunların. Her koşulda üzüntülü bir tavır içinde anlatıyordu bunları.

Birkaç hafta önce bazı yanlış anlamalar ürkütmüştü beni. Şimdi bir dinlenme anı veriyordu bunlar bana: bir an, çok kısa bir an. Louise'e bakarken ve kendimi onun Louise değil, sözgelimi bir hemşire olduğuna inandırmaya zorlarken bile bu ayrımın ne kadar önemsiz olduğunu çıkaramıyordum aklımdan: benim için bir hemşireydi o, bana bakıyordu, hepsi bu. (Kaldı ki, bu boş laflara da hiç inanmıyordum.) Gerekli olanın, beni görülmemiş bir hızla kat eden bu düşünce hücumunu yavaşlatmak olduğuna inanıyordum ben: her şey çok hızlı gidiyor, koşuyor, sanki her zaman daha hızlı yürümem gerekiyordu ve yalnız benim için değil ötekiler için, nesneler için, hatta toz için bile geçerliydi bu; her şey son derece açık; bunlar hiçbir zaman bozulmayan düşünceler, binlerce küçücük ve belirgin sarsıntıdır. Bütün gece camın titrediğini duymuştum; belirsiz, gittikçe hızlanan, her zaman kırılmaya daha yakın bir titremeydi bu: ve benim şimdi titreyen bu cam. Louise'e bakıyordum, onunla konuşmak istemiştim, ama çok tuhaftı: şu anda bile onunla konuşmuyor muyum acaba, diye düşünüyordum. Belli belirsiz odayı inceliyordu; ben de onun gördüklerini görüyordum; o da benim gibi duvarın dibindeydi, benim gibi duvardaki lekenin dibinde; düşündükleri de bu duvarla ya da kentte bir yerle, belki de ailemin oturduğu evle ilgiliydi. Evet kesinlikle annemi düşünüyordu, telefon bekliyordu, her neyse; sır değildi bu, söyleyip bilgilendirseydi ya beni bu konuda. Onunla önce belli bir biçimde konuşmasam nasıl anlaşacaktık? Onunla konuşuyordum, sadece aynı odada ve aynı düşünceler içinde, yanımda durma biçiminden belliydi bu. Bir uğultu, boğuk, belirsiz biçimde uzayan, onu çağıran ve birlikte olmamızı sağlayan bir sesti.

Bu sesi, sadece bu sesi duymak istedim. Bir çan tokmağı düzenliliğiyle hemen yanımda ve çok uzaklardaydı bu ses. Koridora koştum: oradaydı ve hatta kapının önünde bana bakan Louise'i bile sürüklemişti. Haklı mıydım o halde? Sesim kadar yakındı ve büyük olasılıkla sesim gibiydi, dünyada onu işitemeyeceğim bir yer yoktu. Yalnız, hiç susmuyordum ben. Omzumdan tutan

Louise yavaşça götürdü beni. Ne sanmıştı? Hâlâ hasta olduğumu, tüymek istediğimi mi? Böyle düşündüyse eğer beni kesinlikle işitmişti ve dinliyordu: benden tutamadığım, sahip olduğum ve bütünüyle sahip olamadığım bir şey akıyordu. Bu yüzden gerçekten konuştuğumu işitmeden konuştuğumdan kuşkulanıyordum: çoğu zaman farklılığı kolayca ayırt edebiliyordum, kimi zaman da sözcükler kendi başlarına gidiyorlarmış gibi geliyordu bana, dinlenmek için koyuveriyordum ben de onları. Aslında bütünüyle hakkım vardı buna. Yeni şeyler değildi bunlar. Hatta her şey öylesine düzenliydi ki, bunların oldukları, her zaman oldukları olgusuyla açıklanmıştı durum, öyle ki her şey sürekli açıklanmıştı.

Gece yine soluksuz kaldım. Louise telaşla yardım aramaya gitti. Birlikte geldiklerini gördüm ve camlı kapının arkasında, lambanın altında karşı karşıyaydılar. Sakin bir şekilde baktım ona, sıkıntılı ve şaşkındı.

– Sizi göreceğimi umut ediyordum, dedim, ama böyle bir zamanda değil. Louise sizi rahatsız etmekle doğru yapmamış.

– Louise?

– Evet, kız kardeşimdir.

Hafifçe ona doğru döndü.

– Kız kardeşiniz mi? Ama o doğru davrandı; ben geç yatarım, yeni dönmüştüm zaten eve.

Bir süre kaldı ve gitmeye hazırlandığını görünce bir işaret çaktım ona.

– Olaylar nasıl gelişiyor bakın. Birkaç gün önce sizi atlatmak için elimden ne gelirse yapıyorum. Hatta sizi bir daha görmemek için çekip gittim. Şimdi geri geliyorum, yine burada oturuyorsunuz ve gece rahatsız edilen kişi sizsiniz.

Tuhaf tuhaf baktı bana: şaşkın ve ilgiliydi.

– Beni görmemek için mi gittiniz?

Başımı yere eğdim.

– Niçin? O kadar antipatik mi geliyordum size?

– Antipatik değil ya da çok değil, her zaman değil. Sıkıyordunuz beni, söyledim size. Şimdi...

– Şimdi?

– Sanıyorum sıkmıyorsunuz artık. Hatta sizinle konuşmaktan zevk duyduğumu bile söyleyebilirim, hiç değilse şu an; yani şimdilik, burada olduğunuz şu andaki izlenimim bu. Fazla sürmeyecek bu belki. Belki sadece konuşabildiğim için mutluyum ve siz buraya gelmeden önce bunu başarabilecek kadar sakin değildim.

– Huzursuz mu hissediyorsunuz kendinizi?

– Huzursuz değilim. Beni sizden uzaklaştıran nedenlerden biri, sizin zihnimde hastalık fikri çağrıştırmanızdır, öyle hatırlıyorum. Bana hasta muamelesi yapıyordunuz, benim hasta halimden yararlanmaya çalışmanızdan korkuyordum. Ve benim için, tersine, tuhaf, anormal olan sizdiniz. Oysa şimdi...

– Şimdi?

– Bilmiyorum. Sanıyorum aptallık, budalalıktı. Hasta olayım, olmayayım, bir şeyi değiştirmez bu.

– Kesinlikle ciddi bir hastalığınız yok sizin. Yakında yine görmeye geleceğim. Kız kardeşiniz mi?

– Evet, Louise.

– Onu böyle hayal etmiyordum. Benzemiyorsunuz.

– Yo, dedim. Çok benzeriz biz.

Gelmedi bir daha. Seyredebileceğim tek kişi Louise'di. Evi temizliyor, odanın içinde dönüp duruyordu, bütün hareketlerinde bir kesinlik vardı. Hayatı boyunca kesinlikle bu mobilyalarla birlikte yaşamıştı sanki: eli bunları önceden tanıyor, doğal bir biçimde tutuveriyordu. Bu nedenle hiç kuşkusuz bütünüyle sessiz kaldığı oluyordu. Yaptığı işin içinde kayboluyor, görünmez oluyordu ve eşyalar da kayboluyorlardı.

Bununla birlikte epey bir zaman sonra tekrar yandığımı hissettim. Bir gün dışarı çıkacağımı söyledim ona. Sabırsızlığım çok büyüktü, öylesine büyüktü ki, çıkamayabilirdim de, bir tür sabır oluyordu sabırsızlığım. Sokakta yaklaşık yüz adım attım. Dışarıdaki havayı solumak, başka insanları, özellikle gelip geçenleri görmek istiyordum. Açgözlerle bakıyordum: hepsine, uzaktan, daha yakından, tekrar tekrar. Yaklaşmalarını seyrederken, o süre içinde onları görmediğimi biliyordum, ne giysilerini, ne hatlarını görebiliyordum ne de havalarını fark edebiliyordum, oysa tam anlamıyla gösteriyorlardı kendilerini, elimin altındaydılar, birisine bakıyordum. Kadınlar konusunda biraz farklıydı durum belki, en azından kendilerini bir şeyle, bir renkle, sözgelimi kırmızı renkle gösterenler için. Onları ötekilerden daha iyi göremiyordum, tersine daha az fark edebiliyordum: gözükmek istemiyorlardı, bu yüzden uzun uzun ve dikkatle bakıyordum yüzlerine.

Meydana geldiğimde öfkeyle hareket eden arabalara

yakalandım, karşı karşıya geliyorlar, kendilerini caddenin karanlığının dışına atıyorlar, ansızın yavaşlıyorlardı ve bu arada yayalar da geçebildikleri takdirde geçebiliyorlardı. Resmi bir geçit töreni kadar önemli çılgınca bir gidiş geliş: arabalar, bisikletler, yayalar, hep aynı ve sonu gelmeyen bir kortej. Bıkmıştım, ama nasıl sürmekte olan bir gösteriden uzaklaşabilmek mümkün değilse ben de öyle ayrılamıyordum oradan. Korteje baktıkça ben de bir parçası oluyordum onun ve geçişim ne kadar uzun sürerse sürsün bakmadan edemiyordum ona. Caddede biraz yorgunluk hissettim. Her zaman çok karanlıktı cadde, sokak lambaları yakılmamıştı. Çarşıya çıkan küçük sokaklardan birinin kapalı olduğunu gördüm. Onarılan yollardaki gibi bir setle kapatılmıştı yol, ama bu set daha sağlam ve kabaydı. Biraz ötede Batı Sokağının girişinde düzeni sağlamakla görevli olanlar da de aynı setten bir tane koymuşlardı. Oraya yaklaşmakta duraksadım. Kasklar ve tüfekler kaldırımı yasaklıyorlardı bana. Yasaklanmış sokak sakin gözüküyordu; tezgâhlar kaybolmuştu; birkaç pencere açık duruyordu: küçük bir balkona altı sardunya saksısı dizilmişti, bunlardan son ikisinde kırmızı çiçekler görülüyordu. Ayaklarımın ucunda yükselince büyük olasılıkla yıkılan bir evden dökülmüş olan alçı yığınlarının ardına baktığımda bütün caddenin bu yığınlarla dolu olduğunu fark ettim. Kötü bir şaka, diye düşündüm. Sıkıntı veren duygular içindeydim, kurnazlık ve ikiyüzlülük kokan bir düşünce ele geçirmişti beni sanki; sağlıksız bir durum vardı ortada; sokaktan geliyordu bu, ama aynı zamanda da kasklardan. Bu semt salgın tehdidiyle yıkılacak, mahkûm edilmiş semtlerden biri olmalıydı. Bütün sokak, kuşkulu hali, kötü durumdaki cepheleri, ansızın hastalıktan etkilenmiş durumuyla kendi mahkûmiyetini kendisi davet ediyordu sanki. Edilgen bir tavırla kabul ediyordu bunu ve ona bakan ben bu mahkûmiyetin duvarlara yayılmış ve resmedilmiş olduğunu görüyordum; ona bakarken onunla birleşiyordum ve benimle birlikte ona katılan herhangi biri benim gibi sorumluydu ondan. Oradan geçmek yeterliydi: geçen, bir ödevi yerine getirmiş oluyordu. Olağanüstü bir şey değil miydi bu? Birkaç dakikalığına Louise'le birlikte dışarı çıkmıştım, dolaşmak istiyordum; ve ne yapmaktaydım? Yasayı dolaştırıyordum, kamuyu ilgilendiren bir kararnamenin uygulanmasına yardımcı oluyordum. Bu beni coşturmalı, yaşamama yardım etmeliydi, diye düşündüm. Oysa büyük bir sıkıntı duyuyordum. Herkesin bakışım dolayısıyla bana minnettar olduğunu bilmek ve setin öbür tarafındakilerin bile bu bakışla yalnızlığa ve yıkıma mahkûm olmalarından dolayı da bana minnettar olmaları... elimden bir şey gelmezdi bu konuda, kabullenemiyordum; bu benim görüşlerimde bir boşluk oyuyordu. Yani aslında her şeye rağmen katlanıyordum, çünkü bu boşluk hiçbir şeyi değiştirmiyordu, ayrılmıyordum bile oradan: yasaya uygun olarak, başkalarının gördüklerini görerek bakmaya devam ediyordum ve kuralın eline geçmiş olan sıkıntının kendisi ortak felaketlerin seyriyle kışkırtılan onurlu bir hüzün duygusu oluyordu.

Bu gezintinin bir sonu oldu: oturduğum binanın

karşısında bir taksi gördüm. Taksiden beyaz bir hastabakıcı gömleğine yapışmış bir genç iniyor, ardına kadar açık kapıdan hızla sürüklenerek içeri giriyordu. Sokağı ve ilk koridoru geçtikten sonra, yukarı çıkan asansörün sesini duydum, asansör belki dördüncü kata belki de benim kata çıkıyordu. Merdivende peşlerine düşüp hiçbir şey görmeden yukarı doğru çıkarken kaba bir şiddetle durduruldum, hatta geriye doğru çekildim. Güçlükle nefes alıyordum. Eli, çıplak kolu, bir boksör kolunu görüyordum. Teslim oldum, birlikte çıktığımızı, beni odasına ittiğini, beklememi söylediğini anladım. Gittiğini belli belirsiz fark ettim. Kendime gelmeden önce böyle bir saygısızlık nedeniyle sinirlendiğimi, hatta gücendiğimi hissettim. Hiçbir şeye önem vermiyordu, beni buraya atmıştı, sonra da çekip gidiyordu: üstelik de koruyucu gibi davranıyordu. Öyle belirsiz bir çekingenlik hissediyordum ki, onun kapının arkasında gizlendiğini sandım ve koşup açtım kapıyı: Hiç kimse yoktu, hiç önemsemiyordu beni demek ki! Niçin ceketsizdi, niçin gömleğinin bir kolunu dirseğinin üstüne kadar sıvamıştı? Ama onun içeri girdiğini, portmantoya gittiğini, bir ceket aldığını ve onu dalgın bir hareketle sırtına geçirdiğini görünce, her zaman çok büyük olan, ilerleyen ve gerileyen ve sonunda masanın üstünde hareketsiz kalan ve bana doğru dönen bu yüzün son derece yorgun ve sönük olduğunu fark ettim, böylesine büyük bir yorgunluğun çok da tehlikeli olacağını bilmeme rağmen hafif bir sempati duydum ona.

– Kimdi o yaralı? Niçin buraya getirdiler onu?

– Yaralı?

– Biliyorsunuz, dedim, birçok şey tahmin ediyorum, seziyorum. Bir gün bana, 'çok fazla düşünüyorsunuz' demiştiniz. Size ait değildi bu sözler belki, ama buna benzer bir gözlemde bulundunuz. Çok fazla düşündüğümü sanmıyorum. Ama aslında bazen bir yerlerde bir "çok fazla" olduğu izlenimi var bende. Düşünmediğim zaman bile çok fazla düşünüyorum. Kim bilir bu çok fazla sözcüğü size yöneliktir belki de.

Bitkin, anlamsız anlamsız, at gibi baktı bana.

– Çok yorgun gözüküyorsunuz, dedim.

– Konuşalım ya da bana söyleyecek bir şeyiniz var mı? Bunu demek istiyorsunuz siz.

Divana oturmuştum; odayı daha önceki gelişime göre çok farklı görüyordum: her taraf belli bir lüks kaygısıyla boyanmış ve döşenmişti.

– Buraya geldiğimde bazı değişikliklerin farkına vardım. Önemsemedim bu değişiklikleri, benimle ilgileri yokmuş gibi davrandım. Ama dikkate alabilirdim bunları pekâlâ.

– Değişiklikler, ne tür değişiklikler?

– Önemi yok. Ama size şunu söylemek istiyordum ki, gözlerimi kapasam da, olaylarla ilgili olarak yanılıyor gözüksem, sözgelimi sizi bir başkasıyla karıştırsam, böyle bir yanlışlığı ciddiye almak bir hata olurdu. Ne yaparsam yapayım, her durumda sizin kim olduğunuzu biliyorum.

– Ne demek istiyorsunuz? Neden söz ediyorsunuz?

– Biraz önce, sokaklarda dolaştım: yeni yüzler görmek istiyordum. Çocukça şeyler gözükecek belki bunlar size, ama gelip geçenleri seyretmekten belli bir zevk alıyorum. Herkes de böyledir zaten, herkes seyretmeyi sever, birbirini seyreder, çarpıcı bir olaydır bu. Oysa, meydana vardığımda ve birini fark ettiğimde birden şöyle bir şey düşünüyorum: eğer siz o anda sokaktaysanız, rastladığım sizsiniz, çünkü siz de ötekiler gibi yoldan geçen birisiniz sadece. Birkaç saniye süreyle bu izlenim öylesine güçlü hissettirmiştir ki, kendini, direnememişimdir ona, gerçekten gördüm sizi, sizi görmekten de öte bir şey gerçekleşmiştir bende, çünkü başka hiç kimseyi görmüyordum. Niçin yüzünüzü buruşturuyorsunuz?

– Gerçekten gördünüz mü beni?

– Evet, gördüm sizi. Böyle bir durumda tam anlamıyla görmek denemez buna. İnsan geçen birini görür mü? Oysa siz her koşulda geçen biriydiniz sadece.

– Sık sık bu tür olaylar gelir mi başınıza?

– Bazen. Başka bir şey anlatacağım size. Bir yıl ya da iki yıl önce, odamı bir arkadaşımla paylaşıyordum, çok dikkatli, çalışkan, ama sessiz bir çocuk. Olağanüstü sessiz. Günlerce ve günlerce konuşmadı benimle, tek kelime etmedi, bir defa bile, selam vermek ya da elimi sıkmakla yetindi. Bu durum, biraz uzayınca çekilmez oldu. Görmek istemiyordum artık onu, döverim diye korkuyordum, odamı değiştirmek için girişimlerde bulundum ve nedenini soran amirimden de saklayamadım durumu: bu çocukla anlaşmam imkânsız. Onun da böyle bir değişiklik istemesi şaşırtmadı beni ve o da aynı nedenle odasını değiştirmeyi istediğini, kendisiyle hiç konuşmadığımı söylemişti. O zaman bir şimşek çaktı kafamda: yanlıştı, ama olay benim onunla aynı durumda olmamdan kaynaklanmamış mıydı ve benim suskunluğumun belki de onun suskunluğunun bir yankısı olduğu nasıl anlatılabilirdi?

– Masal mı bu?

– Hayır... Niçin masal olsun? Değil, gençliğimde olmuş bir olay. Yeni mobilyalar getirdiğinizi görüyordum. Tamamen yerleştiniz mi?

– Evet, kesinlikle.

– Ben önce, sizin burayı bir garsoniyer gibi tuttuğunuzu ve sık sık konut değiştirme ihtiyacı içinde olduğunuzu sanıyordum. Ama bu tür önlemlerden vazgeçmiş olmanız doğal. Tuhaf bir insansınız.

Yüzüne baktım.

– Fark etmelisiniz, dedim ona yüzeysel içtenliğimin tüm gücüyle. Sizin için bir tuzağım ben. Size her şeyi söylemeye çalışmam boş bir çaba olacak; ne kadar dürüst olursam o kadar çok aldatmış olacağım sizi: sizi tuzağa düşerecek olan açık yürekliliğimdir.

Gülmeye başladı. Sıkıntılı ve küstahça bir gülüştü sanki.

– Bana takmayın kafanızı, dedi. Nasıl olur da böyle şeyler kurarsınız?

– Bir şey kurduğum yok. Herkesin düşündüğünü düşünüyorum ben. Belki de siz, siz herkesin düşmanısınız, belki de siz paranoyak, entrikacı biri oldunuz ve farkında değilsiniz. Sizin hakkınızda yanılmam kesinlikle, anlayın bunu. Yaklaşmasına izin verdim. Böyle olmasanız bile, dedim ceketinden tutarak, yine de... evet sizden başka biri olamazdı.

– Sizi böyle güldüren nedir? dedi kötü kötü bakarak. Sonra ani bir hareketle bileklerimden yakaladı. Bitirelim bu tatsız meseleyi. Çok iyi biliyorsunuz ki, ben şu ya da bu kişi değilim, doktorunuzum sizin. Sizi tedavi ediyorum. Bana güvenmeniz gerekir.

Silkinmeye çalıştım, fırsat vermedi.

– Niçin beni başkasının yerine koyuyormuş gibi davranıyorsunuz? diye bağırdı. Niçin paranoyadan, entrikalardan söz ediyorsunuz?

Titrediğini hissediyordum, ben de titriyordum.

– Dikkat, diye bağırdım, bir adım daha atmayın.

Kesinlikle üstüme atılmak istedi. Sonunda kapıya doğru geriledi. Bağıracak, dedim içinden, bağ...

– Sizin doktor olmanız beni ne ilgilendirir? Doktorsunuz ya da değilsiniz. Tüm bunları biliyorum. Ve bu bina da bir klinik olabilir. Neyi değiştirir bu? Aptallık.

– Peki, dedi. Barış yapalım.

– Kişiliğinize böyle sarılmaya çalışmanız inanılır gibi değil. Hareketlerinize, sözlerinize yapışmak istiyorsunuz adeta. Kendinizi tanıtmak için ne buluyorsanız atıyorsunuz yüzüme. Bu duvara yaslanıyorsunuz, orada iz bırakmak istiyorsunuz sanki. Ya mesleğiniz? Meslekten dışlanmış olmanız, bedeninizin ve ruhunuzun ancak yarısının orada olması, sizin tamamen işin içinde olmak istemeniz, onunla bir bütün olmak istemeniz, boşluk bırakmak istememeniz, asla bir başkasının yerini tutmak istememeniz... katlanamıyorsunuz bunlara. Böyle değil mi? Saçma gibi. İşte ilk antipatim, adeta tüylerimin diken diken olması buradan kaynaklanıyor. Bakın, size kötülük yapmak şöyle dursun aydınlatmak istiyorum ben sizi. Gerçekten, bir başkasının yerine konmamak ihtiyacı, o azgın içgüdü, evet, çünkü birden azdınız, o karıştırılmayı istememekten kaynaklanan öfke... bunların sizi ele verdiğini anlamıyor musunuz? Başka bir kafanız bile olsaydı, kafanız bir masktan başka bir şey olmasaydı, yine herkes tanırdı sizi, siz ki herhangi biri olmak istemiyorsunuz, kendinizi göstermek, seçkin biri olarak, bir farklılık, kuralsız bir istisna, kuralı tanımayan ve yok eden bir istisna olarak gözükmek için umutsuzca kendi kendinize sarılıyorsunuz. Bütün eylemlerinizde bir entrika var: burada, şu anda, sizin yasadışı etkinliklerinizin birikintileri var, size sadece bakarak bin kat fazlasını öğrenebilirim bunların. İlk karşılaşmamızdan sonra inceledim, sürekli seyrettim sizi: yaşama biçiminiz, yürüyüşünüz, duruşunuz, sizi yasaya karşı işleyen bu... entrika, birtakım dolaplar çevirmek... umutsuz bir çaba sizinki, çaba bile değil, çünkü birden kendi kendinize anlıyorsunuz ki, mümkün olan bir entrika yoktur, her şey ortadadır zaten, herhangi birisiniz siz, bir doktorsunuz ve bağırmaya başlıyorsunuz: "ben sizin doktorunuzum, beni bir başkasıyla karıştırmamalısınız," öyle ki karşı çıkışınız, anında, yine ele veriyor sizi ve yine entrika, entrika umudu ve her şey yeniden başlıyor.

Korktum, çok uzakta kalmıştım: odanın ortasında

bütünüyle hareketsizdi, benimle hiç ilgili değildi sanki ve beni öldüreceğini sandım. Karşıma geçince de bir tarafıma felç indi sandım.

– Barış yapalım, dedi tekrar.

– Niçin... niçin beni böyle konuşmaya zorladınız? Sizi yaralamak istemiyorum. Tersine kimi zaman yardım etmek istiyorum size. Sizi aydınlatmak, sizinle dürüstçe konuşmak istiyorum: başkalarıyla olmuyor bu, ama sizinle böyle bir ilişki kurabilmenin beni rahatlatacağına inanıyorum. Dağıtacağım gerçek bir cehalet bulmadıkça beni rahatsız eden fazladan bir ışık var bende.

Birbirimizin gözlerinin içine baktık.

– Nasıl vardınız bu sonuca? dedim. Çekici mi geliyordu? Baş döndürücü mü? Meğer ki sadece beni ihbar etmekle görevli olmayasınız? Yine baktım yüzüne. İhbarlar eksik değil, sır değil bu. En iyi yurttaşlar kendilerini şüpheli insanlar gibi görmek ihtiyacını hissediyor. Onları endişelendirmek bir görev haline gelmiş: kafaları karıştırılıyor ve aynı zamanda da gözaltında tutuluyorlar.

– Ya bir muhbirsem ben?

– Ne yazık ki değilsiniz. Siz neyi hedefliyorsunuz? Devlete meydan okumak mı istiyorsunuz, devleti... sarsmak mı istiyorsunuz?

– Korkutuyor mu sizi bu? Suçtur bu değil mi?

– Hayır, suç değil, sahtekârlık. Yararsız, mümkün değil, hatta aptalca.

– Aptalca? Hiç fena değil bu!

– Sözlerimi ciddiye almıyorsunuz siz. Size göre hastayım ben ve söylediklerim sizi sadece bir hastalık belirtisi gibi ilgilendiriyor. Öyle değil mi?

– Belki. Ama ya siz, başka bir fikriniz var mı sizin?

– Hayır, bir hastayım, biliyorum bunu. Beni zorlayan düşüncelerim: yani hiçbir şey düşünmüyorum, ama düşüncelerimden kurtulamıyorum.

– Bu duygular içinde misiniz? Gerçekten hasta mı sanıyorsunuz kendinizi?

– Evet, hastayım. Fikirlerim hastalık kokuyor.

Birbirimize bakmaya devam ettik. Gelip yanıma oturdu divanda.

– Ne tür düşünceler bunlar? Nedir sizi rahatsız eden?

– Kişisel sorunlar.

– Sıkıntılarınız mı var? Yardımcı olabilirim belki size, bana güvenebilirsiniz.

– Teşekkür ederim... Ama niçin size?

– Bilmiyorum. İlgiyle dinliyorum sizi. Aslında etkiliyorsunuz beni.

– Size güven duymam için pohpohluyorsunuz beni. Aslında, niçin olmasın? Ailemi çok genç yaşta terk ettim. Babam beklenmedik bir zamanda öldü, ben yedi yaşıma basıyordum o sırada. Kısa süre sonra annem yeniden evlendi. Küçük yaşta iki çocuk büyütmesi gerekiyordu. Genç olduğundan –uzun süre olağanüstü bir gençlik havası taşıdı– ikinci kez evlenmesi kaçınılmazdı. Babamın bir arkadaşıyla evlendi, çok, seçkin, çok önemli bir insan.

– Ailenizi niçin terk ettiniz?

– Niçin mi? Kaçtım. Evet, bir gün kaçtım, meydan okuma amacıyla, kız kardeşimi şaşırtmak için. Tanıyorsunuz onu. Çok bağlıyım ona: müthiş bir kızdır, kafasına göre takılır, tutkuludur, isteklidir. Tuhaftır. Aslında tuhaf değil, başka bir devrin insanı. Bu arada siz bana bir gün üvey babamı zor duruma düşürmek istediğinizi söylemiştiniz, değil mi?

– Sizi birden böyle güldüren nedir?

– Hiç; sonuç olarak benim hikâyem bu. Kız kardeşim hakkında ne düşünüyorsunuz?

– Kız kardeşiniz... Size candan bağlı gözüküyor.

– Evet, hor görüyor beni; kötü ve kindar. Çocukluğunda dolaplara ya da çöp tenekelerine girer, saatlerce kalırdı orada, pis kokmak ve pasaklı birine benzemek isterdi, ideali buydu. Büyüdü, ama ideali değişmedi.

– Ne tuhaf! Abartmıyor musunuz biraz? Niçin böyle davranıyordu?

– Annemin canını sıkmak için, sanıyorum, cezalandırmak için onu. Ya da utangaçlığından, saflık tutkusuyla. Hikâyenin bir parçasıydı ayrıca bu.

– Hikâye?

– Şu yara izine bakın. Bir gün kafama tuğla attı. Niçin? Çünkü böyle olması gerekiyordu, bu izi taşımam gerekiyordu. Yalan söylemekten her zaman hoşlandı. Küçüklüğünden beri her yere girer çıkardı, gözetlemeyi çok severdi. Gördünüz onu, ufak tefek, kara kuru bir şey, çirkin. Annemin kendisini yalnız, tek başına ya da birisiyle birlikte hissettiği her yerde bu kara kuru yaratık bir köşede ya da masanın altında olurdu ve gözetlerdi onu. Onu yola getirmek için ne yapılabilirdi ki? Cezaların peşinden koşuyordu, her şeyden çok bu cezaları arzu ederdi.

– Sizi ailenizi terk etmeye zorladı mı?

– Zorlamadı. Bèni küçümser, hor görür, ama benim üstümde de bir şey görmez. Ona olağanüstü şeyler yapabileceğimi göstermek için uzaklaştım. Kaldı ki bu girişim belki de beni bu kötü etkiden kurtarmak isteyen ailemden gelmiştir. Kısacası gençliğimin bir bölümünü sayfiyede geçirdim. Hiçbir önemi yok bunların.

– Ama ailenizin yanında değil miydiniz siz? Barıştınız artık değil mi?

– Evet, barıştık; bütün bu hikâyelerden kurtuldum.

Üzüntü içinde baktı bana. Hava kararmıştı.

– Hikâyemi sıradan mı buluyorsunuz? Tam üstüne bastınız, sıradanlığın ta kendisi. Dinleyin, diye sürdürdüm konuşmamı, birçok durum tekrarlanır, kuşkulanamayız bundan. Tekrar tekrar meydana gelirler: dün, bugün, eskiden. Geri dönerler, çağların derinliklerinden geri gelirler, bir kez, on kez gerçekleşmiştir bir şey, bir olay ayrıntı düzeyindeki değişikliklere rağmen hep aynı olaydır. Tuhaf bulmuyor musunuz bunu siz?

– Niçin titriyorsunuz? Ne anlama geliyor bu?

– Şu anlama geliyor... Şimdi beni daha dikkatli bir şekilde dinliyorsunuz! Tetiktesiniz. Ailemi tanıyor musunuz?

– Tabii; üvey babanız hep gazetelerdedir.

– Onun yüksek, birinci sınıf biri olduğu kanaatinde misiniz? Sürekli çalışır, her şeyi yönetir, her yerdedir:

tek kişi değildir sanki, kalabalıktır, kalabalıktan da fazladır, ama öte yandan da iddiasız, silinmiştir neredeyse. Kız kardeşim nefret ediyor ondan.

– Ya siz?

– Ben nefret etmem.

– Hiç sevmediğiniz olmuyor mu? Babanızın yerini almadı mı sonuçta?

– Evet, babam. Biliyor musunuz, onu pek fazla tanıyamadım, neredeyse hiç hatırlamıyorum. Sizin gibiydi, iri yarı, güçlü, ama daha sert, daha kibirli: anlıyor musunuz?

– Anlıyorum. Büyük bir saygıyla söz ediyorsunuz ondan. Aslında gururlanıyorsunuz ailenizle.

– Hiç ilgisi yok, dedim, biraz öfkeyle. Benim için yapay kişiler, düşünemiyorum onları. Sanıyorum tam anlamıyla ne olduklarını bilmiyorlar: bekliyorlar. Ben de bekliyorum onlarla birlikte.

– Ne bekliyor olabilirler?

– Karar vermemi belki. Düşünün: tarihin bütün olayları, burada, çevremizde, bütünüyle ölüler gibi. Zamanın derinliklerinden bugüne yansıyorlar; hiç kuşkusuz var oldular, ama tam anlamıyla değil: ortaya çıktıklarında anlaşılmaz ve saçma taslaklardan, korkunç düşlerden, bir kehanetten başka bir şey değillerdi. Anlamadan yaşadık onları. Ama şimdi? Şimdi gerçekten varolacaklar, zamanıdır, her şey yeniden ortaya çıktı, her şey açıklık ve hakikat içinde kendini gösteriyor.

– Ama aileniz?

– İçi boş heykeller. Louise'i gördüğümde, onu görmüyorum aslında, arkasında gitgide uzaklaşan başka yüzler görüyorum, bazıları tanıdık, bazıları tanınmayan, peş peşe geçen gölgeleri andırıyor bunlar. Bu nedenle rahatsız ediyor beni, bir saniye soluk aldırmıyor, burgu gibi bir şey. Ve annem: yüzüme bile bakamıyor, koruyor, gözetiyor beni – ama asla karşımda değil, o kadar korkuyor ki, bakışları arkamdan korkunç bir yüz, görmemesi gereken bulanık bir anıyı çağırıyor sadece. Beni iyi dinleyin: çağların derinliklerinden kanın en karanlık iğrençlikleri, dünyanın en kötü titreyişleri bize doğru, bana doğru geliyor; kitaplar bunlardan söz ediyor, okumaya ihtiyaç duymadım, biliyorum onları. Bütün bu hikâyeler arka tarafta itici bir kımıltısızlık içinde duruyorlar ve bekliyorlar: yaşamım üstünde biçimlenmek için yapacağımı bekliyorlar. Hiç kimse, iyi dinleyin, henüz hiç kimse bilmiyor bunların ne olacağını, çünkü gerçekten hiç var olmadılar henüz, düşün, bugün diğerlerinin onları gerçek anlamda tamamlamalarından önce el yordamıyla yol alan, yüzyıldan yüzyıla yeniden başlayan bir ilk denemeden başka bir şey olmamışlardır. Korkunç şeylerin gerçekliği şimdi anlaşılacaktır, uzun süredir acı çeken, evlerimizde çürüyen ve zehir saçan bu eski varoluş şimdi olması gerektiği gibi ortaya çıkacak, yasaya göre kendini belirleyecek ve sonsuza kadar yargılayacaktır kendini.

Bir süre sonra ayağa kalktığını, yürüdüğünü gördüm. Odasının önünden sessizce geçiyor, koltukların yanından kayıveriyor ve işitilmeyen ayak sesleri ansızın taştan ve kurşundan oluşmuş bir çekiç gibi güçlü bir şekilde yere vuruyordu; sonra yeniden yumuşaklığını ve tatlılığını kazanarak kayıyor, kayboluyordu.

– Bu tür düşünceler mi kemirip duruyor sizi?

– Düşünce değil bunlar. Yeri döven, sonra ansızın bir uyku bölgesine, ölü bir bölgeye giren ayak seslerini dinliyordum. Yine uykusuzluk çekiyor musunuz?

– Evet, bazen. Bana karşı daha içten davranmanız gerekirdi: bir şey mi düşünüyorsunuz?

– Ne yani? Sabit fikirlerim olduğunu, takıntılı bir insan olduğumu mu düşünüyorsunuz? Bir şeyler yapmamı mı bekliyorsunuz? İnanmayın: ateşim yok, sayıklamıyorum, hasta da değilim. Üstelik hiç de içten olma gibi bir arzum yok.

– Biraz önce kendinizi hasta gibi gördüğünüzü söylemediniz mi?

– Kesinlikle, doğru. Beni dinlediğinizde hastayım. Sözlerim size doğru giderken hastalığa doğru gidiyor, hastalık aracılığıyla ulaşıyorlar size. Yoksa kulağınıza kadar gelemezlerdi, hiç dikkat etmezdiniz bunlara ya da daha fazla aldatırlardı sizi. Hâlâ doktorluk yapmıyor musunuz siz? O halde benim de hasta olmam gerekir. Şimdilik böyle anlıyoruz birbirimizi.

Birkaç adım attı, sonra gülmeye başladı.

– Yorucu bir insansınız, dedi yürümeye devam ederek.

Yine güldü, aşağılanmış, sıkıntılı bir insanın gülüşüydü bu. Uzaklaştığını duydum, binlerce küçük kabuğu, binlerce canlı, ürkmüş sesi eziyordu bütün ağırlığıyla, sonra geri döndü ve farkında olmadan yavaşça odanın ölü kısmına gömüldü; yine uzaklaştı ve tekrar bir kum ve toz bulutu yuvarlandı, dağıldı. Bu uykusuzluk durumları sırasında, kanının uyuşması içinde boşuna uykuyu çağırarak bir o yana bir bu yana yürüyordur diye düşündüm.

– Sanıyorum binanın dispansere çevrileceğini söylediğini işitmişsinizdir, dedi. İlk iki katı biz işgal etmiş durumdayız. Öteki katlar evlerini terk etmek zorunda kalan ve hasta olan mahalle sakinleri için kabul merkezi işlevi görecek. Yani burada kalamayacaksınız.

– Ciddi misiniz?

– Her koşulda buradan ayrılmanız gerekecek. Yeriniz burası değil. Genel sağlık durumu kötü. Her an çok tatsız olaylar olabilir.

– El mi koyacaklar binaya?

– Belki. Bu arada koşullar el koydu zaten binaya.

Kendimi sıkıntıya sokuncaya kadar dinledim onu, hatta kalçamda keskin bir acı hissettim.

– Dispanser mi? Ama bir dispanser söz konusuysa eğer niçin kalmayacakmışım burada? Hastayım ben. Tam yerinde tedavi olacağım.

Yine güldüğünü işittim.

– Başka hastalar kabul edeceğiz, özel hastalar. Bakın Henri Sorge, yönetici düzeyinde biri olarak, sandığınızın tersine her şey her yerde kesinlikle çok iyi yürümüyor. Sokaklarda dolaşıyorsunuz ve gördükleriniz hoşunuza gidiyor, rahatlatıyor sizi. Evlere giriyorsunuz ve rastladığınız tüm insanların memnun olduklarını, iyi, çalışkan, varlıklı, zaman zaman yoksul, ama yine de çok zengin yurttaşlar olduklarını sanıyorsunuz. Ama ben evlere girmiyorum, sokaklarda dolaşmıyorum. Yeraltına giriyorum ve orada çok başka türden insanlarla karşılaşıyorum: kuşatılmış insanlar, bir aşağılanma ve utanç yerine düşmüş ve bu utançlarını gururları haline getirmiş, resmi varoluşun dışına düşmüş ve oraya geri dönmemek için varoluşun dışında, adsız, güneşsiz, haksız yaşamayı tercih eden insanlar. Onlar için sizin ışık dediğiniz şey çukurun derinliğidir ve sizin özgürlüğünüz olan şey onların zindanıdır. Ve onlar ne sadık, ne çalışkan, ne iyidirler, uygar düşünceleri yoktur, hiç kimseye bir şey vermezler ve sizler gibi her an 'Ah! Size yardım etmek isterdim, sizi aydınlatmak isterdim...' lafları etmezler. Onların istedikleri zengin olmak değildir, sizin karşınızda yoksul olmak, sizin karşınızda suçlu olmaktır onların istedikleri. Ve kurnazlığınızla ve egemen olma anlayışınızla bunları da almak istiyorsunuz ellerinden. Sizin durumunuzla niçin ilgilendim, halinden hoşnut ve geveze biriyle niçin bu kadar çok zaman harcadım, öğrenmek ister misiniz? Adınız dolayısıyla mı? Belki. Ama özellikle bu dünyaya çok bağlı olmanızdan dolayı. O derece bağlısınız ki, çok tuhaf düşüncelerinizi bile bu dünya fısıldıyor size, bu düşünceleriniz o dünyayı yansıtıyor, koruyor. Hastalığınız bile bunu öğretmek istiyor bana sanki. Evet öğrettiniz bunları bana. İlginç. Zahmete değer bu.

Yürümeye devam ediyordu, öldürüyordu bu yürüyüş beni.

– Siz hoşnutsunuz, dedi, ama çok insan paylaşmıyor

hoşnutluğunuzu.

– Ama benden kaynaklanmıyor bu! Evrensel bir hoşnutluk bu! Her yerde rastlıyorum: soluk aldığımda, baktığımda. Bu odanın içinde, hissediyorum onu, kurtulamamam ondan, bütün gözeneklerimden giriyor. Bir şeyler yolunda gitmediğinde bile, kötülüğün çevresindeki bir hale gibi hissediyorum onu, terk etmiyor beni, benim sözlerimde olduğu gibi sizin de sözlerinizde. Aklınızı yitirmeseydiniz, burada olduğunu ve bizi gözetlediğini bilecektiniz.

– Yeter, diye bağırdı.

– Ve siz yoksul olduğunuzu, bir şey vermediğinizi söylüyorsunuz, öyle mi? Peki ama şu anda ne yapıyorsunuz? Karanlıkta görüyorum sizi, yürüyorsunuz, beni yönlendiriyorsunuz, sizinle ilgili her şeyi biliyorum; saydamsınız karşımda; her yandan duyuyorum sizi, yakalıyorum ve kendinizi siz anlatıyorsunuz. Sayenizde bu gece aydınlık, inanılmaz derecede aydınlık. Beni aydınlatıyorsunuz, iyi bir yurttaş olmama katkıda bulunuyorsunuz, beni hep doğru yola sokuyorsunuz. Ne dersiniz? Harikulade değil mi?

– Yeter, diye bağırdı.

– Evet, hoşnutum. Ve bu hoşnutluk önemsiz ve değersiz bir şey değil, soylu. Soylu ve gerçek hissediyorum kendimi, benim elimde değil bu. Hiç kuşkusuz bomboş biriyim, beceriksiz bir toyum. Madem ki yasa her şeydir her durumda sıfırdan başka bir şey değilim. Ve tamamen yasa sayesinde varım ve hoşnutluğumun ölçüsü yok ve sizin için de aynı şey söz konusu, tersini düşündüğünüz zaman bile ve de özellikle tersini düşündüğünüz için.

Birden ışığı yaktığını fark ettim. Bir süre daha kekelemeye devam ettim: daha konuşmak istiyordum, gerekliydi bu ya da yazmak. Bir kâğıt isteyecektim ondan, dışarı çıkacağını işaret etti. Peşinden giderek odanın, sınırları kalın bir kırmızı halıyla belirlenmiş karanlık bölümüne girdim. Koridorda dairesinin karşısındaki kapı aralıktı, itti kapıyı ve içeri daldı.

– Ama, dedim, genç kadın burada mı oturuyordu?

– Yapmayın canım.

Elektrik düğmesini çevirdi ve içeri soktu beni. Her taraf karmakarışıktı, odayı ikiye ayıran bölme yıkılmıştı ve oldukça geniş tek bir oda durumuna gelmişti şimdi içerisi.

– Sizin dairenizle olan ortak duvar yıkılınca, gerçek bir salonumuz olacak, dedi.

– Gitmek zorunda kaldı öyleyse? diye sordum çekinerek.

Bu düşünce zihnimi kapladı ve geleceği en koyu renklerle gösterdi bana.

V

Bir aksilik olmadan çıktım dışarı. Koku odayı kaplamaya başlıyordu, ilk katlarla sınırlı kalmıyor, merdivenlerden yükseliyor, koridorlara doluyordu. O zamana kadar odam korunaklıydı kokuya karşı, ama çoğu zaman üstüme siniyordu. Cadde, sabahın içine kapanık görünümündeydi, sanki güpegündüz, güneş ışığıyla aydınlanmış olduğuna inanmak zorundaydık, uzaktan uzağa sokak lambalarının zayıf ışıkları görülüyordu. Polisler sokak köşelerini tutmuşlardı. Metro iki istasyon arasında, sakin mekanik iyimserliğiyle yavaşça durduğunda yolcuiuların kımıltısızlığında, vagonda her zamankine göre dört misli bir kalabalığın olduğunu fark ettim. Hiç kimse kımıldamıyordu, ben de kımıldamıyordum; bazı parlak ve donmuş yüzler fark ediliyor, bunlar daha sonra müthiş, hareketsiz kitle içinde kayboluyorlardı. Işık söndü. Camın ardında tünel hâlâ parlıyordu, değişken, tehlikeli, yeraltının derinliklerinden geliyormuş gibi gözüken bir parıltıydı bu. Sonra bu ışık kayboldu. Kimse konuşmuyordu, konuşmuyordum. Tonozun karanlığı, ancak kara bir derinin sıcaklığının yapabileceği gibi parlamaya devam ediyordu. Bu yansıma yok oldu daha sonra. Vagon yavaşça sakin mekanik uyuşukluğuyla karanlığa gömüldü. Kimse soluk almıyordu sanki, soluk almıyordum.

İstasyonda kalabalık sürükledi beni: geçitlerde, merdivenlerde, dışarıda, ani titremeler içinde kalan, daha sonra tekrar kımıltısızlığına gömülen sonra tekrar titremelerle sarsılan, ilerlemeyen, ama bir yandan da sürekli ilerleyen aynı hareketsiz kalabalık... Öyle ki sokaklar adeta yakın ve uzak siperler gibi dikiliyorlar, bunları aşmak isteyenler tarafından sürekli daha da yükseltilip güçlendiriliyorlardı. Dükkâna vardığımda hiç şaşırmadım, çünkü yol boyunca bu kalabalığın, kendisini dar sokaklarda, saatlerce hareketsiz bırakan ve sonra ansızın bir çağlayan hızıyla birden kavradığı bir amaca doğru sürükleyen sessiz sabrıyla beni nereye götürdüğünü belli belirsiz anlamıştım ve bütün bunların sonunda sisin koştuğu parlak vitrine ulaşmıştım. İçeri girdim, benimle birlikte her tarafı kaplayan sis de girdi. Kapıya yaslandım. "Ne oldu böyle size? Düştünüz mü?" Bedensiz ve de kendisi beden olan, benimkinden çok farklı, doğurgan ve arzulu bu sesin dile getirdiği bu sözleri sisin arkasından dinledim, ah! Çok güzel bir ses. Sonra ansızın sis kalktı. İçerisi bütün ihtişamıyla parladı. Onu da ayakta gördüm, iri yarı ve güçlüydü, kanlı canlı bir köylü kadına benziyordu. Çevresinde, gözleri aynı, onlarca yüz parlıyordu ve bunların tümü sakin bir ihtişam bölgesinden bakıyorlardı. Tezgâhta solamayan çiçekler ışık saçıyorlardı çevreye, geçmeyen günler onlar için geçmişti sanki.

– Metro grevde, dedim. İtişip kakışan insanların arasında kaldım. Sokaklarda dövüşüyor insanlar galiba.

Kapının yanından ayrılmadım; o da yaklaşmıyordu bana, gözlerini ilgisiz bir tavırla büyük olasılıkla kirli ve buruşmuş giysilerime dikmişti.

– Yorgun musunuz? diye sordu.

İçten olmasına rağmen bu konuşma biçiminde sisin arkasından konuşan, bedensiz, kendisi bedensel olan sesi bulamadım; bu ses bütünüyle insani ve iyi bir sesti, ama herhangi bir yerden konuşuyordu, ona niçin yaklaşacağımı anlayamıyordum. Ona sükunet içinde ve sabırla bakacağım, diye düşündüm.

– Niçin geldiniz yine? Buraya gelmemeliydiniz artık.

Sırtını döndü. Dinginlik içindeki omuzlarına, gömlek yakasının çevresindeki kırmızı işlemeye baktım. Ensesindeki hafif lekeler küçük bir takımyıldız oluşturuyordu. "Rahatsız olmayın," diye mırıldandım. Yüzünü döndü, solgunluğum ürkütmüş olmalı onu.

– Yüzünüz bembeyaz, dedi beni bir koltuğa iterek. Kolonya ister misiniz?

Küçük bir şişeyle geri döndü ve yüzümü alkollü bezle sildi. O sırada müşteriler girdiler, bir iskemleye çıktı, duvardan bir çerçeve aldı ve iskemlenin tepesinden gösterdi müşterilere, hoş ve çok şefkatli sesiyle konuşuyordu onlarla. Kasanın yanına gelince, eğilerek, hiç acele etmeden, deftere, amaçlarından başka bir şey düşünmeyen kesin ve güvenli hareketlerle bir şeyler yazdı. İşini çok iyi yapan bir görevli de olması hoşuma gidiyordu.

– Binadan niçin ayrıldınız.

– Semt çok uzaktı.

– Çok mu uzaktı? Demek işiniz nedeniyle gittiniz, öyle mi?

– Evet, uzun zamandır bir daire arıyordum, gitmek istiyordum.

– Nerede oturuyorsunuz?

– Burada, dedi belli belirsiz bir yeri işaret ederek.

Giriş kapısına doğru döndü, yeni bir müşteriyi karşılayacaktı sanki. Ensesindeki küçük lekeler yıpranmış bir belirginlik içinde tekrar gözüktü: bunlar şişiyor, çekiliyor, onları görecek hiç kimse yokmuş gibi, gözükmüyorlarmış ve ben de orada değilmişim gibi eksiksiz biçimde gösteriyorlardı kendilerini. "Ne oluyor? dedi. Geçit töreni mi?" Kapıyı açtı. Bir motor sesiyle sarsıldım, koca koca arabalar bitmek bilmeyen bir kortej halinde peş peşe geçiyorlardı. O, kapının önünde durduğundan, ben koltuğumda sisten ve bir yığın insandan başka bir şey görmüyordum. Bütün dükkân sarsılmıştı bu gürültüyle, güçlü bir titreme, kendine yavaşça yol açarak en küçük nesnelere ulaşan ve bunları tartışılmaz bir güçle ele geçiren bir çekimdi. "Kapatın kapıyı, rica ederim!" diye bağırdım ona. Kaldırıma çıkmıştı, bu manzara çok ilgisini çekiyordu; kalabalığın arasına karışabilmek için her şeyi yüzüstü bırakabilirdi.

– Büyük askeri araçlar bunlar, dedi. Dalgın dalgın bana doğru bakıyordu. Büyük bir geçit töreni.

Camın arkasında durdu; zaman zaman haykırır gibi bir ses çıkarıyor, polislerin düdük çaldığını söylüyordu ve özellikle camları ve aynaları zangır zangır titreten çok görkemli bir araç geçtiğinde coşkusu havaya sıçratıyordu onu, el çırpıyor, alkışları kalabalığın alkışlarıyla karışıyordu. "Duyuyor musunuz, dedi aniden dönerek, atlar!" Ayağa kalktım, soluk almakta güçlük çekiyordum. "Savaş var kesinlikle," dedim kendi kendime yanına yaklaşmadan.

– Daha iyice misiniz?

Yüzünde daha önceki sevincini yansıtan hareketin görüldüğü bir ifadeyle bana doğru geliyordu. Yanakları parlıyordu, o kadar çok fotoğrafına benziyordu ki, kalbim sıkıştı. "Sizinle konuşmam lazım," dedim ona dokunarak. Biraz uzaktım; gözlerimi yüzüne dikmiştim; görmek istiyordum... neyini görmek istiyordum, bilmiyorum, belki yüzünü, oysa yalnızca gülümseyişi ve sevimli havasıyla karşı karşıyaydım. "Baksanıza bana!" Daha güçlü bir şekilde sıkmak zorunda kaldım onu, öfkeden kaynaklanan bir hareketti bu; onu sıkıştırarak herkeste bulunan o genel havadan çıkarmak istiyor, yeniden dönüştürmek istiyordum. "Neyiniz var? Deli misiniz? Bıraksanıza canım." Çırpınıyordu; giysisi bir saniye yapıştı üstüme, bileğimi büküyordu, ama ben neredeyse hiçbir hareket yapmıyordum: evet bu bir gerçekti, yine olacaktı belki. "Şart bu, dedim. Hemen, hemen." Yine vurdu. "Yalvarıyorum, burada olmaz. Düşünsenize bir polis... –Olur, dedim, dükkânda." Ama sanki bu sözler çok büyük bir güçle ulaşmış gibi ani bir hareketle kurtuldu benden.

Kalakaldım, soluk alıp veriyor, bekliyordum; yan odaya geçmişti. Az sonra aynaya bakarken gördüm onu.

– Af edersiniz, rica ediyorum. Deli gibi davrandım size karşı.

Aynanın önünde bileğini hafifçe kaldırdı, doğrudan doğruya beni muhatap almadan bileğindeki hafif şişliği göstermek istiyor gibiydi.

– Canınızı çok acıttım mı?

– Az daha kolumu kırıyordunuz, dedi sertçe, ama belli ölçüde bir barışma niyeti de yok değildi sesinde.

O sırada aynada, onun yüzünün arkasında kendi yüzümü fark ettim; bir saniye böyle birbirimize baktık. "Ah!" diye bir çığlık attı. Bu ses hâlâ kulaklarımdadır, çekerek götürüyordu beni; gözlerimi açarken hâlâ bu sesi duyuyordum, öyle ki beni kendime getiren bu ses oldu. Kırık dökük eşyaların konduğu yerdeki divandaydım, ama burası bütünüyle değişmiş, yenilenmişti ve yepyeni bir yatak odası haline gelmişti.

– Burada mı kalıyorsunuz?

– Korkuttunuz beni, diye karşılık verdi. Öyle ani oldu ki. Krizden korktum... Sara krizi geçiriyor olmayasınız?

– Yok, önemli değil. Sıkıntı, havasızlık. Pencereyi açamaz mıydınız? Sürekli sıkıntı veriyorum size, dedim, pencereye ulaşmak için bir masayı yerinden oynattığını görünce.

– Gerçekten, ziyaretlerinizin hiç hoş bir tarafı yok.

Çıktı, kapı çalınmıştı çünkü. O döndüğünde gitmek için ayağa kalktım, ayaklarımın üstünde güçlükle durabiliyordum hâlâ. "Biraz daha dinlemek isterseniz eğer..." "Madem buradasınız, kalın" anlamına gelen bir el işareti yaptı. "Ben dükkâna dönmek zorundayım, akıllı, uslu durun." diye de ekledi. Koridora çıktı, sonra geri döndü.

– Bir araba çağırayım mı, sizi eve götürmesi için? Sokağa çıkmamalıydınız. Bu son günlerde rahatsızlandınız mı hiç?

– Çok iyisiniz. Hayır, hasta değilim; biraz sarsıldım. Geçer şimdi.

– Gözleriniz ateş gibi parlıyor, dedi ilgili bir tavırla yanıma yaklaşarak ve beni inceleyerek. Biliyorsunuz şu sırada hastalık çok yaygın ve özellikle sizin semtte. Aşı yapıyor bunu belki de. Aşı oldunuz tabii, değil mi? Hayır anlamında başımı kaldırdım. Aşı yaptırmadınız mı? Ama herkes aşı olmak zorunda, salgın hastalık belirtileri var! Bir haftadan beri çok sıkı önlem alınıyor, halk uyarıldı. Doktor gelmedi mi büroya? Muayeneden geçmediniz mi?

– Son zamanlarda işe gitmedim.

– Niçin? Çok sıkıcı değil mi. Terlisiniz. Göz bebekleriniz büyümüş, dedi çok yakından bakarak. Gözlerinizde çukur oyulmuş sanki. Gazeteler bu belirtiden söz ettiler. Birisine haber vermek gerekiyor belki..., aileniz.

– Ailem?

Birbirimize baktık; boynuna kadar çıkan eli kolyeyle oynamaya başladı.

– Ee..evet, dedi, kolyeye bakıyormuş gibi yaparak. Ailenizden, kız kardeşinizden söz etmemiş miydiniz bana?

– Kız kardeşim benimle de ailemin öteki bireyleriyle de ilgilenmiyor. Kavgalıyım onunla, hiç görmüyorum. Bırakalım bu konuyu. Ciddi bir rahatsızlığım olsaydı, dispansere dönüştürülen bizim apartmanda tedavi ederlerdi beni. Haberiniz yok muydu bundan?

– Pislik, dedi bana da bulaştırdığı bir öfkeyle, salgın

hastalık bulaşmış oraya. Altıncı kattaki kızı ve hangi koşullarda öldüğünü unuttunuz mu? Salgının her yanı kapladığından eminim.

– Hayır, öldüğünü bilmiyordum.

Tekrar divana oturdum; o ayakta kaldı, benden uzakta durmuyordu.

– Nasıl öldü?

– Doktor ancak o öldükten sonra geldi. Hemen sonra, cesedi gece yarısı alıp götürdüler. Ertesi gün bütün kat boşaltılmıştı.

– Hangi hastalıktan öldü?

Cevap vermedi. Boşlukta sallanan ağır bedeninden ve hareketsiz elinden başka bir şey görmüyordum ben.

– Aileme haber vermek ister miydiniz gerçekten?

– Evet, isterdim, dedi alçak sesle. Böylesi daha doğru olur. Rahatlatır beni.

Ona baktım, gülmeye başladım.

– Çok iyisiniz!

– Güldürüyor mu sizi bu?

– Evet, niçin hâlâ benimle uğraşıyorsunuz? Benim kaderim niçin ilgilendiriyor sizi? Bana bakmak gibi bir yükümlülüğünüz yok sizin.

Omuz silkti.

– Ah! Sıkıyorsunuz beni, dedi giderken.

– Rica ederim...

Çığlığım yavaşça ulaştı ona, bir adım daha attı belki. Dinginlik içindeki omuzlarının durduğunu, şaşırtıcı bir kımıltısızlık içinde kaldığını, sonra bekleyişini sona erdirdiğini, genişlediğini, ağırlaştığını, havayla, benimle, her şeyle birleşen ölçüsüz bir edilgenlik haline geldiğini gördüm. Elim hafifçe dokundu ona, kolundan aşağı doğru indi; dikiş yerini izliyordu elim, arayarak, sürtünerek bileklerin çevresinde dönüyordu ve birden bire işlemenin kabartısı ortaya çıktı: yuvarlandı, düzeldi, benim tenim de kumaş kadar ağır ve kalın bir şey haline geldi. Bir şeyler mırıldandığını, sonra yüksek sesle konuştuğunu duydum, gözlerim açıldı, anında gördüm onu, o fotoğraftaki yüzü, o parlak kâğıttan yüzü tanıdım. "Ne?" dedi. Tuttum, sarstım, onun kendi kendisinden, benden ayrılmasını, başka, farklı bir şey olmasını istiyordum, bu istek alıp götürmüştü beni. Düştü. Yerde, koyuverdi kendini, çılgın gibiydi; avuçluyordu beni, geri itiyor ve hemen arkasından adeta demir gibi kollarıyla sıkıyor, boğuyordu beni. Parkenin ağacından daha kuru, daha sert bu temas, içinde soluğumu yitirdiğim benim soluğumla karışmış bu soluk, benden çıkıp, benimkiyle tıpatıp aynı olan bir bedeni bedenime yaslayan bu karmakarışık yakınlaşma, bütün bunlar, pencerenin bana her zaman daha canlı bir biçimde yansıttığı bir aydınlık içinde, güneş, sanki doğmak için bu anı beklemiş gibi, kendimden geçiriyordu beni. Her şeyi görüyor, her şeyi hissediyordum: hiç hareket etmeden o kudurganlığına katılıyordum; göz yaşı dökmeden kasılmaları ve hıçkırıkları olmuştum, kendi kendimin bu sahte nefretini, kışkırtıcı bir yakınlık çabası içindeki bu aldatıcı tuhaflığı tiksininceye kadar içiyordum. Ansızın korku içinde ayrıldı benden, gözlerini açtı. Ne vardı kollarımda? Başka bir varlık, başka bir yaşam, bir hiçe veda? Hep aynı saydam hava, hiçbir şey değişmemişti. Ben parkenin üstünde kaldım, o halkaların arasından geçer gibi havaya sızıyor ve divanın üstüne düşüyordu. Kısa bir an gözden kaybettim onu. Oysa gözlerimi açarken gördüğüm gibi hiç kımıldamamıştı yerinden; iki avucunu yavaşça yüzüne sürüyor, bazen hâlâ anlamsız gözlerle bana bakıyordu. İstemdışı bir hareketle telefonu yanına çekti ve bir numara çevirdi.

– Ne yapıyorsunuz? dedim telaşla. Kime haber veriyorsunuz?

– İçimi sızlatıyorsunuz. Böyle sokaklarda dolaşmanıza izin veremem.

Ama elinden bıraktı yine ahizeyi.

– Kiminle konuşmak istiyordunuz? Nereden biliyorsunuz bu numarayı?

– Deli olduğunuzun farkında mısınız siz? Başlamayın yine, dedi sesini yükselterek. Öyle, manyakça bakmayın bana.

Kalakaldım öylece.

– Ah! dedim, rahatsız oluyorsunuz değil mi, size bakınca? Siz, siz de bu duygular içindesiniz demek öyle mi? Korkunç bir şey bu, aşamıyorum.

Manyakça dediği bakışlarla bana bakmayı sürdürdü.

– Biraz önce farkına vardım, birbirimize benziyoruz biz. Görülmemiş, duyulmamış biçimde birbirimize benziyoruz, karıştırılacak derecede benziyoruz birbirimize. Tıpatıp aynıyız. Siz de hissediyorsunuz bunu. Bakışım rahatsız ediyor sizi, çünkü sizin bakışınız bu: sizsiniz size bakan.

– Susun, diye mırıldandı.

– Böyle işte, kızamazsınız bana bu yüzden. Karıştırılmamız gerekiyordu. Biz sadece birtakım kurnazlıklarla, çok zahmetli kurnazca oyunlarla ayırt edilebiliriz birbirimizden, ama bizim aramızdan her an benim varlığımı sahte, sizinkini boş kılan kaçıcı bir aynılık kayıp gidiyor. Bu nedenle dokunamıyorum size.

– Susun.

– Konuşmam gerekiyor, boğuluyorum. Muamma değil bu, çok iyi tanıyoruz birbirimizi sanki; binlerce yıl, sonsuzca, sakin bir suskunluk içinde, kazasız belasız, yavaş yavaş aramızdaki uzaklığı tümüyle kaldıran bir sonsuzluk içinde birlikte yaşamış gibiyiz. Çok yakınız birbirimize.

– Kesin artık, diye bağırdı. Çok farklıyız biz. Sizinle hiçbir ortak yanım yok.

– Evet, yüzlerimiz benziyor, düşüncelerimiz aynı. Sizinle birlikteyken ben yokum, iki kez varoluyorum.

– Yüzlerimiz...

– Evet, yüzlerimiz. Hepsinden kötü, katlanılamaz buna. Gelin.

Stüdyoya götürdüm onu, ittim ve birden aynada yüzü belirdi benimkinin yanında, başlar birbirine değiyordu, gözlerime dikilmiş olan gözleri bulandı. Karşımızdaki bu dünyada benzerlik yavaş yavaş ortaya çıktı, açıklık ve belirginliğini yaygınlaştırarak, küçümseyici bir tavır içinde hükmederek ve egemenlik kurarak, ulaşılmaz bir varlığın dinginliği içinde istila etti bu dünyayı ve ben o şaşkınlık içinde onun da bu benzerliğin farkında olduğunu, onu yakaladığını, ondan kopamadığını, artık yasanın kaçınılmaz yakınlığı gibi sürekli ona musallat olacağını gördüm.

İki eliyle yüzünü gizledi hafifçe ve kör gibi dükkâna kadar gitti bu halde. Hemen yanı başındaydım hâlâ. Doğruldu, sakin tavrıyla baktı; döktüğü göz yaşları gözlerini daha iyiliksever ve daha sakin bir hale getiriyordu: göz yaşları gözlerini kaplıyor, hafifçe boğuyordu; taşıyor, ama kaymıyordu bu gözyaşları. Süzülmeye başladıklarında ayrıldım oradan.

Meydanda kalabalığın içine dalmak istedim. Küçük - gruplar halinde toplanmış çok sayıda insan hâlâ bekliyordu orada. Sadece aralarından geçerek, dağıttığım, tesadüfen bir araya gelmiş gruplardı bunlar. Öğle güneşi göstermişti kendini, ama bu öğlenin uç kısmı karanlıkta kalmıştı. Arabalar yavaş yavaş iniyorlardı aşağı doğru. Bir otobüs ağaçların yanında park etti, bütün küçük - gruplar düzen içinde ilerleyen sıkışık bir kafile halinde birleştiler. Bir basamağa çıkan denetçi bağırmaya başladı: her çağrıda biri, adının söylendiğini, seçildiğini anlıyordu; geri kalanlar geçici olarak bu seçileni seçiyor ve yerlerine gidiyorlardı. Tekrar beklemeye başladılar. Kahverengi kasketli, düğmeleri boğazına kadar iliklenmiş kısa asker ceketi giymiş bir adam arada bir bana bakıyordu. Bu üniformalı adamı belediyede getir götür işlerine bakan bir çocuğa benzettim. "Yarım saattir bekliyorum, dedi, evime dönecek zamanı bulamayacağım kesinlikle. Yok olmuyor." Bir baş işaretiyle onayladım söylediklerini. "Son günlerde hiç görmedim sizi. Hasta mıydınız? – Tatildeyim. – Gelmeyen çok şu günlerde." Bir başka otobüs üstüpüyle tıkanmış demir sesi çıkararak durdu, bütün yolculardan inmeleri rica edildi ve yolcular bizimkine paralel ikinci bir kuyruk oluşturdular; protestolara neden oldu bu, polisler de şakalar yaparak karşılık verdiler onlara: onları ilgilendirmezdi bu durum. O anda alçak sesle dile getirilmiş zamanın derinliklerinden geldiğini sandığım ve beni donduran bir sözcük işittim: Sabotaj. Kafamı çevirmedim, kimseye bakmaya cesaret edemiyordum, özellikle her şeyi yeniden tartışma konusu haline getiren ve yasağa çok yakın olduğundan uluorta işitilmesi neredeyse olanaksız bu sözcük, bu itham edici homurtu, dile getirildiği anda bakışımın herhangi bir kimseye yönelmemesi gerekiyordu. Sabotaj, sabotaj. Sesim? Bu münasebetsizliği yankılayan kendi sesimi duyunca kalakaldım. Bir alçaklık, bir leke. Nasıl olmuştu bu? Kim adına, kime karşı konuşuyordu? Yasanın suç ortağı gibi? Muhbiri mi? İşkencecesi gibi? "Sessiz olun!" dedi polis, ama düzene daveti pek zayıf kalıyordu. Belki kendisinin bile yitirebileceği atılmamış bir çığlığa karşı bir şey yapamazdı. Çevremde bir boşluk oluşuyordu, insanlar kenara çekilmek zorunda kalmışlardı, bana bakmıyorlardı, hakları yoktu böyle bir şeye, korku içinde bekliyorlardı, hepsinin üstüne suçlu duruma düşme tehlikesi çökmüştü sanki. Ne yapmalıydı? Nereye gitmeliydi? "Hey söyleyin bakalım," diye bağırdı birisi bana. Bir dirsek darbesiyle püskürttüm onu, kaskatı kesildi, yanındakine sokuldu; bu aptalca engeli görüyordum, silinmek istemeyen bu ilkenin varolduğunu görüyordum. "Sükunet," dedi polis. "Uzun sürünce sinirleniyor insan," dedi meslektaşım bir tür suç ortaklığı havası içinde samimi bir tavırla dirsek atarak, ama aynı zamanda da yanındakine göz kırpıyordu. Ah bu iyi çocuk havası! Biliyorum bu tavrı: kapıcısından yüksek komiserine kadar hepimiz bağışlayıcı, anlayışlı, her şeyi aydınlatan, tersine bir çözümlemeyle kurala en uygunsuz durumları normal eylemlere dönüştüren insanlardık.

Ayrıldım oradan. Sokakları arşınladım, yorgunluktan ölüyordum. Mahalleme geldiğimde bir polis barajı çıktı karşıma. Küçük dört yol ağızları, kafelerin önü, meydanın çevresi, her taraf polis kaynıyordu. Yoldan geçenler üç sıra halinde denetim yapan polislerin önüne geliyorlardı ve açık havada masalara oturmuş polisler bakıyor, dinliyor ve bir karar alıyorlardı. İlke olarak sadece mahalle sakinlerinin geçiş hakları olduğunu anladım; dolayısıyla bu formalitenin bana bir zararı olmayacağını düşünüyordum. Müfettiş bana baktı, kimliğime baktı. "Bir memur," dedi, kimliğimi yardımcısına uzatarak. Her ikisi de içimizden biri gibi giyinmişlerdi, sakin ve heyecanlanmadan konuşuyorlardı ve söyledikleri de korkunç şeyler gibi gelmiyordu bana, ama soluğumun kesilmesi için yeterliydi. "Kimliğinizde niçin damga yok?" kimlik belgemi kıvırıp duruyordu, bu hareketiyle değersiz bir karton parçasına indirgemek istiyordu onu sanki. Birden suskunluğum dikkatini çekti. "Belediyede memur, Henri Sorge, 24 yaşında, oturduğu sokak... Kimliğinizde niçin damga yok?" Olay başka bir memurun bize doğru baktığı ve işini bıraktığı yan masaya sirayet etti, öyle ki sessizlik daha da arttı sanki. Sesini kibarca yükselten muhatabım bütün mahalle sakinlerinin dört gün içinde aşı olmaları emrini aldıklarını, bu sürenin bir gün önce sona erdiğini, benim belediyenin sağlık hizmetlerinden yararlanabileceğimi söyledi ve devam ediyordu konuşmasına: bu koşullarda... Soru soruyormuş gibi bir tavırla meslektaşına döndü. "Kesinlikle," dedi öteki. "Bu koşullarda, kimliğinizde onay damgası olması gerekirdi: şurada görüyor musunuz?" Parmağıyla damga bulunması gereken yeri gösteriyordu. *Hastalandım, bugünlerde işe gitmedim.* "Ne oluyor! dedi polis sesiyle, dilsiz misiniz?" *Hastalandım, bugünlerde işe gitmedim.* Öyle sert bir tavırla bakıyordu ki bana, ona akılcı bir sözle ulaşma dışındaki bütün umutlarımı söndürüyordu. Bir tozdu bakışı, yaz tozu. "Niçin cevap vermek istemiyorsunuz?" diye sordu öteki usulca. Ama yan masadan isteniyordu, yardımını yitirdim. "Kimliğinizi araştıracağız, bu sırada karakola götüreceğiz sizi."

Salonda kimseyi seçemedim, soğuk bir duman dolaşıyordu havada sanki. Sadece bir polisin tam karşımdaki birine bir paket uzattığını gördüm: ekmek ve peynir. Adam çaktırmadan koca bir dilim ekmek uzattı bana. "Tüccar? Mühendis? Öğretmen?" Bana bakmadan fısıldıyor, bir yandan da acele acele ekmeğini parçalıyordu ve bu aceleciliğindeki endişe, başımı döndüren bir şekilde iştaha karışıyordu. "Kapıcıyım," dedi. Polis, yanımızdan geçerken bir saniye bana baktı, sonra buruşuk elbiseli, zayıf, kesinlikle çok küçük yaşta olan ve tek başına bir bankta oturan bir çocuğu çağırdı; ikisi birlikte gittiler. Bu sırada salona dışarıdan gelen kasketsiz, ceketsiz yarım düzine adam doldurdular, cop darbeleri, iterek bir köşeye sıkıştırdı bunları ve burada yere düşüp, büzüşmüş ya da uzanmış halde kaldılar. "Kiracılık mevzuatıyla ilgili kuralları çiğnedim galiba, dedi yanımdaki adam hızla bana dönerek. Evde birkaç mobilya var. Kiracının biri gidiyor biri geliyor, ama her şey kurallar içinde cereyan ediyor. Dün yöneticiyi tutukladılar, deneyimli biriydi oysa, elli evi yönetiyor belki de. Yemiyor musunuz?" ve parmaklarımın ucunda duran ekmek parçasını bir çırpıda geri aldı. Başka birine döndü. Biraz sonra onu götürdüklerini fark ettim ve neredeyse hemen o anda komiserin yanına gitmem istendi.

– Eviniz tam bir Nuh'un gemisi, diyordu komiser kapıcıya neşe içinde. İşte kimliğiniz, Bay Sorge, diye devam etti, bana doğru dönüp bakarak, kişisel yararı için hatlarımı beynine kazımak istemişti sanki.

Kırmızı suratlı kapıcı büyük olasılıkla sorunun kendi lehine doğru çözümlenmekte olduğunu anlatmak, amacıyla göz kırpıyordu bana. Kapının yanında dispanserde ikinci derecede memur olarak görev yapan birini tanıdım. Dışarıda insanlar koşuşturuyorlardı.

Daha ince, ama sabah saatlerine göre daha nemli olan, sokakta tekrar karşılaştığımda, bizimle birlikte, bizimle aynı zamanda dışarı çıktığına inanacak gibi olduğum ve atmosferi uzatmış gibi gözüken sis tabakası karakolun pis havasından sonra dinlendirdi beni. Pazarın olduğu yerde sis alçalmış, kaynağı aşağı mahalleler olan bir bulut biçiminde gözüktü ve kıvamı o kadar koyuydu ki, altına dalmak özellikle parlak ve gerçek bir yere gitmek gibi bir şeydi. Pazar boştu. Satıcıların tezgâhlarının arkasında ayakta bekleyerek müşterilerini genellikle keskin bir sesle ve bazen de tehdit edici bir üslupla davet etme alışkanlığında oldukları dar sokak sise doğru sessizce alçalıyordu. Küçük dükkânlar kapalıydı. Dar bir sokaktan bir çocuk fırladı ve kaldırım boyunca bir takunya sesiyle birlikte koşuşturdu. Biraz daha aşağıda hareketsiz bir kadın gördüm, sırtını bir dükkânın panjurlarına dayamış, elleri kocaman bir önlüğün ceplerindeydi. Önümüzden geçiveren iki başka kadın birden bir kapıyı itiverdi ve gözden kayboldu. Sokak canlanıyor gibiydi. Arkadaşım aynalarında resmi nitelikli bir afiş bulunan bir kafenin önünde ıslık çalarak durdu, kapıyı boşuna sarstı, beş adım ötede, aralandığı sırada bir koridorun girişinin görüldüğü başka bir kapıya gitti; bu koridorun ucunda bir gaz lambasının aydınlattığı iki kadın gördüm. "Tütün?" diye sordu onlara. Ellerini büyük bir torbaya daldırdılar ve koca koca et parçalarını göz hizasında kaldırdılar. Arkadaşım bağırdı. Biz aşağı doğru indikçe sokak kalabalıklaşıyordu. Kaldırımlara kadar çıkmış bazı eskiciler gelip geçenleri durduruyor ve sepetlerine bakmaya zorluyorlardı onları. İnsanlar birbirlerine çarpıyor, birbirlerini kokluyorlardı. Satan da, satın alan da bir an için sisten çıkıyor ve sonra çabucak tekrar dalıyordu sisin içine, yine öyle çabuk çıkıyordu ki sisten her adımda hiçbir yanıt beklemeden hep aynı şeyi isteyen, hep aynı şeyi sunan aynı, ele geçirilemeyen insan tarafından taciz edildiğini hissediyordu. Sokağın aşağısında beş altı polis, bir sokak lambasının dibinde sırtları karaborsaya dönük durumda karşı kaldırımdan geçen kadınları seyrediyorlardı; kadınlara bakıyorlardı, ama kuşkusuz sis nedeniyle görmüyorlardı onları, polisler de zayıf ışık altında belli mesafeden zar zor fark edilebiliyorlardı; hareketsiz, soğuktan donmuş gibiydiler ve sanki uzaklardaki kayalardaki fenerler gibi parlamak olan görevlerini inatla yerine getirmek istiyorlardı. Bir an önce dönmek için Çamaşırhane Sokağından geçtik. Burada bütün evler boş gibiydi, halk çamaşırhanesi terk edilmişti, su kanalları kokuyordu. Hava yerini bir buğuya bırakmıştı ve bu buğulu ortamda sağlıksız soğuğu ağızdan çok omuzlar hissediyordu. Arkadaşım koşuyordu adeta.

Eve döndüğümde rahatlamıştım: ne pahasına olursa olsun, bir an önce yatağıma çekilmekten başka bir şey istediğim yoktu. Ama girişte bir yığın insan görünce bütün keyfim bir anda kaçtı; eski kapıcı dairesinde, basamaklarda, katta onlarca insan vardı. Üstelik de dayanılmaz bir koku. Kapımı aşmıştı koku, duvarın arkasından geliyordu burnuma, iğrenç! Bir toplantı işareti, kör güçlerin bir şeyler tasarlaması gibi bir şeydi. Pencereyi açmak? Dışarıda sis kömür suyu gibi yükseliyordu. Gece boyunca bir süre sahanlıkta gidip gelen ayak sesleri, solukları tıkanmış insanların çıkardıkları sesleri duydum, bölmenin öbür tarafında birtakım insanlar geziniyor, mobilyaları sürüklüyorlardı. Yattım, çarşaf ve örtülerde kötü bir mikrop öldürücü, fenol kokusu vardı. Uzaklardan gelen ve sanki odanın içinde dolaşıp duran bir mide bulantısı hissediyordum, üşüyordum. Bu hastalığım belirtileri neler olabilirdi? Bir tür tifüs mü? Yazmak istedim, masadaki bloknotu aldım, ama ansızın ışık azaldı ve incecik kırmızı bir iplik halini aldı adeta. Yukarıda, aşağıda, hiçbir yerde kimse yürümüyordu artık. Bölmenin öbür tarafından en küçük bir hışırtı gelmiyordu. Zifiri karanlıktı ortalık. Birden müthiş bir çığlık! Mahalleden, cadde tarafından geliyordu çığlık. Örtüleri attım üstümden. Aynı taraftan gelen farklı bir yığın boğuk ses sonuçsuz kalan küçük patlamalar gibi yinelenip duruyordu. Hava daha yakıcı hale geliyordu sanki. Ansızın muazzam bir ışık belirdi önümde. İki adım ötede, yavan, soğuk, ateşten daha müthiş bir ışık, evet bir ateş resmi. Ona baktım, yavaşça ona doğru gittim, direniyordu, sonunda cama yapıştı. Uzaklarda, ağaçların arkasında müthiş bir leke yükseliyordu; gece, en karanlık bölümlerinde bile bu lekeyle istila edilmişti. Pencere açıktı, kor yığını çıtırdamaya başladı, ama sakin bir şekilde, sanki birisi bu korları beslemek için sürekli çalı çırpı kırmıştı. Bizim pencerelerde hiç kimse yoktu, hiç ses duyulmuyordu. Rüzgâr yoktu. Daha ziyade kendi kendine sönüp giden ağır bir kımıltısızlık, bunaltıcı bir yaz. Boşuna bekledim sirenlerin uğultusunu. Duyduğumu sandım, ama uzak bir hatıra ve yankının yankısı gibi duydum. Koruma görevlileri başka bir yerde meşguldüler hiç kuşkusuz. Ama burada birisi ateşe bile bağırmış mıydı? Felaketi seyreden yalnız bendim belki, belki de bu kadarı fazlaydı, bakmak yasaktı. Pencere demirine yaslandım. Ağaçların üstünde geniş, beyazımtırak yapraklar yayılıyor, kırıntı, döküntü, çer çöp eve doğru yükseliyordu. Zaman zaman çıtırtı, taşların çatlaması gibi daha güçlü bir biçimde hissediliyordu. Her şey bir anda alev alacaktı sanki, ortalığı alevlerin sarması şiddet, saldırı, herkese meydan okuma oluyordu. Ama yavaş yavaş sakin vızıltı tekrar başlıyordu; ateş hiç acele etmeden ve sürekli dönen bir bobinden başka bir şey değildi, sabır ve baygınlıktı. Nasıl katlanılacaktı ona? Yalnız yanıyordu.

Yatağıma oturdum, saatlerce hiç kımıldamadan durdum. Aradan epey bir süre geçtikten sonra içerisi öyle yoğun bir biçimde aydınlandı ki, evin yandığını sandım. Kısa süre sonra gün ışığını gördüm, taciz edici, alev alev bir gün ışığı, çılgın bir güneş. Bu karışıklık müthiş bir sıkıntı içine attı beni, büyük bir eylem ihtiyacı içindeydim, her yere gitmek istiyordum. Sonunda bölmenin öbür tarafında oturmuş olan komşumu düşündüm, şimdi... Ölüm anısı. Hemen o daireye koşsam onu kesinlikle bulacağıma inandım, onu orada bulacaktım ve her şey düzelmiş olacaktı. Kapısını ittim, kendimden o kadar emindim ki, içeri girip, kendimi, içen ve içerken de kadehinin üstünden bana bakan birinin karşısında görünce, benim kendi odamla karıştırılmak için sadece gitmemi bekleyen bu yıkık dökük odada karşımda duranın, kesinlikle böyle bir adam olduğunu anlamam zor oldu. Dolayısıyla sıkıntım daha da arttı. Oda zar zor düzenlenmişti, yerler sıva, alçı döküntüleriyle doluydu; demir bir karyoladan kalan parçalar bir köşeye yığılmıştı. Duvarın hemen dibinde yatan adamın yüzünde bir hastalığın etkisiyle dönüşüm içinde olan birinin sevimsiz ifadesi vardı; sakal, karmakarışık saçlar ve derisi: ah! Çok hasta olmalıydı adam; buraya girdiğim için deli olmalıydım ben de.

– Bedenimin içmeye ihtiyacı var, dedi. Geceleri kalkabilirsem eğer yürüyorum ve içiyorum. Yürüdükten sonra yatağa gömülüyorum, terliyorum, sonra içiyorum. Daha sonra tekrar yürümeye başlıyorum.

Bir testiden, kabına kaynatılmış bir sıvı doldurdu.

– Ateşiniz var mı?

– Evet. Sinsi bir hastalık! Önce nöbetler şiddetli, ama kısa süreli; daha sonra daha hafif ve daha uzun süreli. Ve sonra hafif ateş hiç bırakmıyor yakanızı. Adım Dorte, diye ekledi.

– Dorte? Yüzüne baktım, yalnızca adının değil yüzünün de yabancı olmadığını anladım. O da heykele benziyordu, ama buruşuk bir heykele. Yüzünün şişme dolayısıyla ne kadar tahrip olduğunu görünce ürktüm.

– Beni niçin görmek istiyorsunuz? dedi. Bittim ben.

– Özür dilerim, gidiyorum. Gerçekten yanılarak girdim içeri.

– İdarede çalışan siz misiniz?

– Evet, yan tarafta oturuyorum.

Çıkmak için bir adım attım, sıkılmıştım, sabırsızlanıyordum. Binlerce iş yapmak, yüz ayrı yerde bulunmak istemiştim, sözgelimi yazmak, onu konuşturmak ve sözlerini uzun uzun yazıya geçirmek, kendi düşüncelerimi, şu anda olup biten şeyleri, odayı, her şeyi olağanüstü bir açıklıkla, müthiş bir aydınlık içinde, gölgesiz görüyordum, yazıyordum (ve aynı zamanda dışarıda olup biten her şeyi). Sanki bütün tarih her yöne doğru benden geçerek yayılmıştı. Boğuluyordum. Pencereyi açmak istedim. "Açmayın, diye bağırdı, terliyim." Titriyordu, bir krizin eşiğindeydi sanki. "Kötü mü hissediyorsunuz kendinizi? Haber vermemi ister misiniz?" Birkaç saniye çok hırıltılı bir şekilde soluk alıp verdi.

– Niçin bu odanın çevresinde dönüp duruyorsunuz? Giriyorsunuz, çıkıyorsunuz.

– Sakin olun. Gerçekten biraz ani bir giriş yaptım. Ama burada daha birkaç hafta öncesine kadar bir arkadaşım oturuyordu. Dikkat etmeden daldım içeri.

– O gece niçin geldiniz?

– O gece?

– Evet içeri giriyorsunuz, beni gözetliyorsunuz, bana bakıyorsunuz.

– Kimseyi gözetlemiyorum, sizi tanımıyorum. Bir kez Bouxx andı adınızı, o kadar.

– Ben bir taşın altındayım, ezildim; kalkmaya çalışıyorum. Bu sırada siz gelip taşın üstüne oturuyorsunuz ve bana öğüt veriyorsunuz.

– Sanıyorum aniden girmem ateşinizi yükseltti, çok üzgünüm bu nedenle. Ama bütünüyle dalgınlık, dikkatsizlik bu. Size zarar vermek istemem kesinlikle. O geceye gelince...

– O gece, aynı şekilde rüzgâr gibi girdiniz, sonra

çıktınız. Eğer hastalığım kafanıza takılıyorsa, rahatlatabilirim sizi, sadece beni ilgilendiriyor.

– Niçin hastalığınız... Gerçekten, bu tür düşüncelerden çok uzağım ben. Aslında söylemek istediğiniz nedir bana?

– Eğitimli bir insansınız, dedi daha sakin bir ifadeyle. Ateş nöbetlerinden korkmayacağınızı, etkilenmeyeceğinizi düşünüyorum. Ama buraya düzinelerle hasta girdiği de doğru. Son zamanlarda kafaları kurcalayan bir konu olabilir bu.

– Salgın hastalık başlangıcından mı söz etmek istiyorsunuz?

– Salgın! Sanıyorum, dedi doğrularak, bu sözcüğü belli bir tonlamayla söylediniz. İnanmıyor musunuz böyle bir şeye? Bu felaketi ciddiye almıyor musunuz?

– Bilmiyorum.

– Niçin gülüyorsunuz? Bir şeylerin farkında mısınız? Bu Tanrının belası ateş yüzünden bir köşede kaldım. Hiç kalkamıyorum. Evet, yürüdüğümü ve dolaştığımı söyledim size. Doğru, oldu bunlar, ama eskiden. Şimdi yatağımda oturabiliyorum ancak; bakın: böyle.

Beni dehşete düşürerek örtülerden kurtulmaya ve çevresinde dönmeye girişti, daha sonra ayaklarını yatağın dışına sarkıttı. Yarısı felç olmuş biri gibi hareket ediyordu. Ama bu arada, kilosu ve boyu dikkate alındığında dönüşünü de olağanüstü bir çeviklikle gerçekleştirdiğini söylemek gerekir ki, bu durum enerji ve çeviklik kaynaklarının henüz çok güçlü olduğunu gösteriyordu kendisinde.

– Zayıfladım, dedi, ayaklarını avuçlayarak. Oysa ayakları bana tersine çok büyük ve şişkinlik nedeniyle deforme olmuş gözüküyordu. Durumumu kötü görüyorsunuz değil mi? Açıkça söyleyin düşüncenizi, diye ekledi kaçamak bir bakış atarak.

– Yatsanız iyi edersiniz. Biraz önce ter içindeydiniz. Ve ben, neredeyse üşüyorum. Hadi yatağa girin tekrar.

– Üşüyor musunuz? Bu güneş yeteri kadar ısıtıyor. Ama belki çok iyi değilsiniz. Sahi, siz... siz niçin buradasınız?

– Büyük olasılıkla yakında gidiyorum. Ayağını yere koyuşunu, sonra kaldırışını, sonra tekrar biraz daha uzağa koyuşunu ve parkede nemli izler bırakmasını tiksinti içinde seyrediyordum; bu alıştırma büyük bir zevk veriyordu ona anlaşılan, gerçek bir gezintiye eşdeğerdi sanki. Aşı oldunuz mu? diye sordum birden.

– Aşı? Hayır, niçin sordunuz?

– Ama herkesin aşı olması gerekiyor! Ne iş! Ve dispanser diyorlar buraya! Üstelik bekliyordum da böyle bir şeyi. Bu sefil tımarhanede ne yapacağımı çok iyi biliyorum.

– Nasıl yani? Niçin sinirleniyorsunuz?

– Bouxx'un dostu musunuz?

– Evet, arkadaşım. Ama sanıyorum bayağı öfkelisiniz.

– Abartıyorlar her şeyi burada. Bölge Halk Sağlığı Enstitüsü'nün halkı korumak için genel bir plan yapmış olduğunu bilmiyorsunuz belki. Herkes çalışıyor, polis sokağın her köşesinde durduruyor sizi, gecikmeye ve ihmale tahammülleri yok. Ve felaketin merkezinde bulunduğundan, mahsus özel bir kuruma dönüştürülen bu kümes gibi yerde alınan önlemlerle alay ediliyor, sürelere uyulmuyor. İnsanları yığıyorlar, bütün yaptıkları bu.

– Aslında bu aşı meselesinden söz edildiğini işittim. Burada da başka yerlerde de düşünmek lazım bu işi. Ama ev dolup taşıyor ve örgütlenme yetersiz. Şu odaya bakın. Ama nasıl bağırmaya başladınız! Bir şeyden korkuyor gibisiniz. Durdu ve örtüyü dizlerine çekmeye çalıştı, yatağı altüst etmekten baska bir sonucu olmadı bu çabanın. Evet, üşümeye başlıyorum, dedi boğuk bir sesle. Kısacası bu hastalık dedikodularını siz de çok ciddiye alıyorsunuz. İşler gerçekten kötü mü gidiyor sizce?

– Bilemiyorum. Teknisyen değilim ben. Bütün bildiğim, genel önlemlerin saptanmış olduğu ve herkesin çıkarı için bunların uygulanması gerektiğidir.

– Evet, gidişat gerçekten kötü gözüküyor. Bana aşı yapmaları gerekir miydi sizce?

– Kesinlikle.

– Yardım edin de yatayım. Ona yaklaştım, ama hareketsiz kaldı, gözleri korkunç ayaklarındaydı, tam bir Rodos heykeli. Ateş nöbetlerim belki operasyonu olanaksız ya da çok tehlikeli mi kılıyor acaba? diye sordu çekinerek. Bana gösterdikleri ilgiye bakılırsa burada ellerinden geldiğince iyi bakıyorlar bana. Böyle bir ihmali izah edemezler, ne dersiniz? Belki bu kolektif önlemlerin çok fazla önemi yok, gösteriştir belki de bunlar, sağlıkları yerinde olan insanları ilgilendiriyor. Ama hastalar için yapılması gereken başka şeyler vardır kesinlikle.

– Dostlarınızı büyük bir beceriyle koruyorsunuz, dedim. Çok yavaş, hatta sıkıntılı konuşması bana aynı zamanda oldukça acemice gelmesine rağmen böyle söyledim ben. Sizin açınızdan doğal, olaylara geniş açıdan bakmak. Ama özellikle sizin durumunuzla ilgili olarak tek akılcı çözüm acilen tahliyedir ve eğer sizi öteki hastaların yanında bırakırlarsa, bu zayıf halinizle sizi çok tehlikeli bir şekilde bir hastalıktan başka bir hastalığa atlama tehlikesiyle karşı karşıya bırakmış olurlar.

– Ne demek istiyorsunuz? Bir şeyler ima ediyor gibisiniz. Bir an durdu. Bana şunu anlatmak istiyorsunuz siz: beni burada bıraktıklarına göre, ben zaten... Birisinin böyle bir şeyden söz ettiğini duydunuz mu? Hastalık bana bulaşmış olabilir mi sizce?

– Hayır, kesinlikle böyle bir şey söylemedim. Olsa olsa bir fikir verdim size ben.

– Evet, biliyorum, gönüllü olarak öğüt veriyorsunuz. Ayrıca soru sormayı seviyorsunuz ve gözetliyorsunuz beni. O halde rahat olun, hastalığım şüpheli vaka. Bakın.

Gömleğini çıkardı, göğsü kıl doluydu, çalılık gibiydi, iri kıl tutamları sadece bir aşırı bolluk izlenimi değil, bir zayıflık ve sefalet izlenimi de veriyordu. Bundan başka hiçbir anormallik görmüyordum.

– Yatın. Bouxx ateş nöbetlerinizden söz etti bana, başka bir şey söylemedi. Çocukça şeyler bunlar.

Gömleğinin içine kıskanç neredeyse obur bakışlar atıyordu.

– Gördünüz, dedi, farklı ve tanınmaz bir sesle. Parmağıyla kaburgalarını, ne bileyim belki de bazı kırmızı izleri gösteriyordu bana.

– Nedir? diye sordum biraz fazla telaş göstererek.

Bir anda büyük ve iğrenç bir çeviklik örneği vererek tekrar yattı, sonra, kendisine rağmen soyunmaktan korkuyormuş gibi örtüyü çenesine kadar çekerek meydan okuyan bir havayla baktı bana.

– Korkutuyor sizi bu, şüpheli biraz, değil mi?

Ona bir tokat atmak geldi içimden. Ne yapmacık hareketler! Ve şimdi de mahsus hiç konuşmuyordu. Sabırsızlığım korkunç bir duruma geliyordu, daha fazla sabır gösterememekten korkuyordum.

– Bütün bunlar beyninizde doğdu sizin, bu geceki ziyaretim gibi. Kendiniz de inanmıyorsunuz buna.

– O gece bir çığlık attınız, kapıyı çarparak bir deli gibi daldınız içeri. Neyse ki çakmağım elimin altındaydı. Eğer beni korkutmak istediyseniz, başardınız bunu. Gecenin geri kalan bölümünü titreyerek geçirdim.

– Ne hayal! O gece yangın nedeniyle zamanın dörtte üçünü uyanık geçirdim. Ateşli haliniz oynuyor bu oyunları size. Hem niçin ben peki?

– Sizi inceleme fırsatı buldum, inanılmaz bir dikkatle çakmağımın alevine bakıyordunuz, içmek, yok etmek istiyordunuz onu sanki, uzun süre yanmayacağını anlatmak istiyor gibiydiniz bana. Biraz önce içeri girdiğinizde hemen tanıdım sizi.

– Evet yüzünüz de bir şeyler ifade ediyor benim için. Ama size kesinlikle merdivende rastladığıma inanıyorum. Her durumda bir hayalet değilim ben, sizi korkutmak istemem, sizi soruşturuyor falan da değilim. Bence salgından ve bulaşıcı hastalıktan söz ederek kendi kendinizi korkutuyorsunuz siz.

– Bulaşıcı hastalığın vahametine inanmıyor musunuz?

Hayır anlamına gelen bir işaret yaptım.

– Benim ciddi biçimde hastalığa yakalandığıma inanmıyor musunuz?

– Hayır, hayır.

Yüzünü ekşitir gibi yaptı, aniden örtüyü çekerek bütün göğsünü gösterdi. Göğsünde kırmızı, mora çalan lekeler gördüm.

– Yeter bu komedi artık, diye bağırdım kapıya doğru koşarken.

– Durun, dedi mütevazı bir ses tonuyla. Bir dakika daha.

– Ne anlama geliyor bunlar böyle? Niçin gece geldiğimi anlatıp duruyorsunuz? Şımarıkça numaralar bunlar.

– Hasta şakaları, son derece aptalca şakalar. Düşünün ki, neredeyse hiç uyumuyorum ben, gündüzleri hiç dinlenmeden geçiriyorum: kendimde değilim, ateş.

– Bazen bir şeyin sizi ittiği, öne attığı, her şeyin yandığı, her şeyin hep daha hızlı bir yandan da yeteri kadar hızlı gitmediği duygusuna kapıldığınız oluyor mu? Hayır yeteri kadar hızlı değil!

– Oturun; dönüp duruyorsunuz ve başımı döndürüyorsunuz. Hayır böyle şeyler hissetmiyorum. Daha çok bir çukurda, ne bileyim ben bir taşın altında falan hissediyorum kendimi. Sizin idari çevrelerle ilişkileriniz olduğu söyleniyor. Belki bunlar veba salgını çıktığını ve bu salgının ülkenin bir bölümünü tehdit ettiğini kabul etmeyi yararlı bulmuyorlardır. Şu rakamlara dikkat edin lütfen: dün sadece evde elli vaka tespit edildi, kesin teşhis ve kontrol altına alındı bunlar. Aşağı mahallelerde yüzlerce, hatta belki bin vaka.

– Veba mı?

– Tam anlamıyla veba değil belki, ama halk için vebadır bu.

– Dedikodu bunlar. Zaten günümüzde bütün enfeksiyonlara karşı etkili önlemler alınıyor, yeni tedavi yöntemleri bulan büyük bilim adamlarımız var. Hem sonra hakikat bambaşkadır belki: numara bu, konuşurlarken duydum, idareyle ilgili bazı önlemlerin doğrulanması için bir plan. Siz niçin hükümetin salgın hastalık konusunda suskun kaldığını iddia ediyorsunuz? Kesinlikle kapatmak istediği falan yok bu meseleyi; tersine gazeteler uzun uzun anlatıyorlar bu konuyu.

– Hükümeti suçlamam canınızı mı sıktı?

– Bu semtte sürekli gevelenen şeyleri yineleyip duruyorsunuz. Bunlar özellikle sizin için zararlı, kötü fikirler.

– Vebayı her bireyi iğrenç bir paçavraya, bir mikrop yuvasına dönüştüren bir şey gibi görmek devlet için zararlı bir şey belki, dedi acımasız hasta bakışlarıyla; her evin bir mikrop yuvası ve ülkenin bir bataklık haline gelişini görmek çok sıkıntılı bir durum olsa gerek devlet için. Ne diyorsunuz? İyi bir yurttaş mısınız siz?

– Evet, iyi bir yurttaşım, bütün gücümle devlete hizmet ediyorum.

– Ama ben kendim için aynı şeyi söyleyemiyorum: iyi bir yurttaş değilim, şüpheli biriyim.

– Niçin? Hiç ilgisi yok.

– Hastalığım şüpheli.

– Kelimelerle oynuyorsunuz, dedim güçlükle.

– Yaklaşın, bir sır vereceğim size – ve kumaş aracılığıyla temas ettiğim kocaman, terli eliyle bileğimi tuttu. Gerçekten hasta mıyım ben? diye sordu alçak sesle. İnkâr etmiyorum, kabul de etmiyorum, hiçbir şey söylemiyorum, gizlidir bu. Ama şüpheli kişiyim. İyi düşünün bunu. Şüpheli olmayı başardım. Ve şimdi burada binlerce şüpheli var, devlet kaçırıyor elinden bunları, tanıyamıyor ve herkes gibi tedavi edemiyor, kendini onlardan setlerle, güç gösterileriyle koruyor. Bizler yasadışıyız.

– Bu kadar aceleye getirmeyin yargılarınızı. Nasıl vardınız böyle düşüncelere, özellikle bu düşüncelere? Yanlış anlama bunlar, gerçekle hiç ilgisi yok. Yasadışı değilsiniz, hastasınız. Ve tam tersine, hasta olduğunuzdan devlet özel ilgi gösteriyor size: en iyi doktorlarını gönderecek size, en modern kurumlarından yararlandıracak sizi. Devlet sağlığın korunması için sert tedbirler almak zorunda kaldı belki, ama herkesin iyiliği için gerekliydi bu, en iyisini yapmaya çalışıyor.

– Evet sinsi, ama biz de sinsiyiz. Umutsuzluğa sürüklendim, şimdi bu umutsuzluk bir silah, korkunç bir silah oldu, taş kalkıyor üstümden. Beni ne kadar ezerse o kadar güçlü oluyorum. Evet haklısınız, üstüne oturun, gerekli bu, yapın bunu.

– Susun, diye bağırdım. Kim soktu bu düşünceleri kafanıza? Mümkün değil: bunları yerde, duvarlarda yazılı buldunuz, çaldınız onları benden, deforme ediyorsunuz, size göre değil bunlar, biçimsiz, okunaksız hasta yazıları gibi şeyler. Bırakın de kendime geleyim biraz, dedim. Sanırım Bouxx'a da benzer şeyler söyledim: neydi? Hastalıkla ilgili; önemi yok. Sizler işte böyle kargaşa çıkarmak ve yasaları başarısız göstermek için bu felaketi bahane etmek istiyorsunuz, değil mi? Kendi örgütlerinizi mi geliştirmek istiyorsunuz? Dispanser bir hayal mi olacak yani? Bunlar ilkel ve komik düşünceler. Dispanser yakında kapanacak, örgütleriniz ortadan kalkacak. Bouxx sizi mezbahaya götüren bir kaos.

– Ama hastalar var! diye bağırdı. Hastayım ben!

– Ne? Güçlükle dinliyordum onu: ne biçim bir görünümü vardı; tozlu, soluk bir görünüm; ne iğrenç. Sizi umutsuzluğa sürükleyen nedir? Umutsuzluğunuzun, hastalığınızın ne önemi olabilir? İlk hasta değilsiniz siz. Tedavi olacaksınız, iyileşeceksiniz, tekrar çalışmaya başlayacaksınız. Ya da...

– Ya da?

– Bırakalım bunları. Bu yapmacık tavırlarınızla beni benden aldınız. Her şey bir yana, ben de hastayım.

– Belki de ölmeyeceğiz, dedi. Hesabınızı birkaç saatte görebilecek bir hastalıktır bu, ama bazen de çok yavaş seyreder. Görüyorsunuz ayrışıyorum, toprak gibi olacağız, özgür olacağız.

– Yeter, diye bağırdım, yeter. Gizemcilik bu.

Merdivende birine çarptım ve kendimi dışarı attım. Sokakta koşmaya devam ettim tabii ki. Ama duman kokusu bir anda boğazımı yaktı. Evet, yangın. Sokak sakin, evler boştu. Küçük meydanı geçtim. Caddede daha rahat nefes alınabiliyordu, nem, ağaçların serinliği hissettiriyordu kendini. Sadece güneş olmaması boğuyordu beni. Sokak lambaları sönmüştü, bu büyük cadde, ışığın iki uçtan çıktığı bir tünel gibiydi. Yol ortasında büyük taşlardan, yanmış ve bir kenara atılmış odunlardan oluşan bir yığına çarptım. Karşıdan karşıya tamamen sökülmüş kaldırım taşları, üstünde küçük bir fenerin yandığı terk edilmiş bir taş ocağı görünümü veriyordu. Birinin bana baktığını hissettim: yanda, molozların arkasında, kararmış makine yağı ya da çamurla sıvanmış bir yüz, biri bir gece kuşu gibi bakıyordu bana. Ben yaklaştıkça dikiliyordu, ağzı neredeyse çocuksu bir emme çabasıyla yutulmuş, ellerini ceketine daldırmıştı. Birden gevşedi, bana taş attığını sandım ve gerçekten de bir şokla sendeledim. Attığı şey yuvarlandı, sıçradı, bu arada o da kaçıyordu. Topunu atmış olmalıydı bana. O sırada, bir koşuşturma, bir hücum oldu; genel sessizlik içinde ayak sesleri duyuldu, sanki barikatın arkasında gizlenmiş bir düzine çocuk dört bir yandan dar sokaklara daldılar. Arkalarından koştum. Kısa bir süre tabii ki: sokağın hemen hemen yarısına geldiğimde duman sarmıştı her yanımı ve öylesine hızlı bir biçimde sarılmıştım ki, bütün çevremde duman soluyordum, geri gitsem sıkışmış olduğum yerden daha yoğun daha boğucu bir dumanın içine düşmüş olacaktım. Gözlerimi kapadım, rastgele dönüp duruyordum, hiç soluk alamaz duruma düştüm. Ama oldukça yavaş düştüm yere, gerçekten bilincimi yitirmeden düştüm, çünkü çok sayıda insan bana doğru yaklaşıyordu, çevremde toplandıklarını anlayarak o yöne doğru gittim. Biri sırtıma vurdu. Silkindim. Fark ettim onları: küçük bir grup beni inceliyor ve sükunet içinde öksürüğümün geçmesini ve tükürmelerimin bitmesini bekliyordu. Gözyaşlarına boğulmuştum. "Duman," dedim yanımda diz çökmüş çocuğa gülümseyerek. Bir mendil verdi elime. Kalkmak için davrandığımda, sanki bu hareketi benim yerime kendisi yapmak istiyormuş gibi doğruldu ve öne doğru atıldı; ötekiler koşmaya başlamışlardı bile. Aynı anda ıslıklar, çığlıklar duyuldu. Kaldırımın kenarına oturmuştum, elimde kumaş parçası vardı, polisler etrafımda toplanıyor, beni inceliyorlardı, ben onlara bakıyordum. Bir hareket yapmaya çalıştım mı acaba? Ayağa kalkmaya? Tekrar yüzüstü yere kapaklandım, dönmek istedikçe tekmeler daha güçlü inmeye başlıyordu, baş döndürücü bir hızla peş peşe iniyordu tekmeler. Polislerden biri sırtıma bindi. Sonra korktuğum başıma geldi: ensemde bir yanma, çekiç gibi inen bir taş beni soluk almama fırsat vermeden kaldırıma çaktı. Yavaş yavaş soluk aldım. Omuzlarımdan tutan, içlerinden biri olmalıydı, bir başkası alnımı ovuşturuyordu. "İyi misiniz? diye sordu. Şimdi daha iyi hissedeceksiniz kendinizi." Ona baktım, gülümsemek istedim yüzüne karşı. O anda kimliğimi gördüm elinde, memur olduğumu anlamıştı kimlik belgemden. Bu kâğıt parçasını görür görmez yüreğim kabardı: evet bir delik açıldı, bütün öfkem sınırsız bir çağrı yaptı ve onlara bir iadede bulunmak için acıyla açtım ağzımı. Ben kusmaya başlar başlamaz bıraktılar beni, geri kaçıyorlardı; başımı kaldırıma eğmiş, durmadan, kendime hakim olamadan kusuyordum ve onlar kaçıyorlardı, uzaktan duyuyordum seslerini, kaçıyorlardı. Elimdeki kumaş parçasını yüzüme sürdüm. "Hayvanlar, alçaklar, hayvanlar!" diye bağırdım kısık sesimle. Ama doğrulurken önümde iğrenç bir sıvı birikintisi gördüm. Telaşla titreyerek sırtımı döndüm ben de; bu birikintinin bana kolera bulaştırabileceği düşüncesiyle kaçtım.

VI

– Gelin çabuk, diye bağırdı, görevli kadın. Ne işiniz var dışarıda!

Hareketsiz kaldım, parkedeki bir çıtırtı, bir tür kaygan bir boşluk geriye doğru kaykıldığımı hissettirdi bana. Sırtımı bölmeye dayayıp ikisini de seyrettim, onlar da yüzüme, soluk alıp verişime, lekelenmiş giysilerime bakıyorlardı. Bir şeyler mırıldandım. Ama yorgunluk baskın çıktı: aldığım darbelerin anısı, bulantı, her şey yere doğru sürükledi beni. "Durun, yaklaşmayın bana." Yatağa uzandığımda uzakta durduklarını fark ettim. Üvey babam dahili telefonu kaldırınca, hiçbir teşebbüste bulunmaması anlamına gelen bir işaret yaptım.

– Yürüyebilecek misiniz? diye sordu. Louise valizinizi hazırlayacak.

Neredeyse çekingen bir tavırla çevresine bakıyordu. Oda, ihmalkârlık, koku, evet, özellikle koku belli bir rahatsızlık veriyor gibiydi ona.

– Olduğun yerde kal, dedim, gardıroba doğru yönelen Louise'e. Onu götürseniz iyi olur. Hastalar bütün binayı işgal ediyorlar.

– Evet, her şey yolunda değil gibi. Telefon çalışmıyor mu? dedi alete dokunarak. Gitme vaktiniz geldi. Joblin yakınlarında bir dinlenme evi var, köy evi gibi; çok rahat edeceğiniz bir yer, çok güzel günler geçirirsiniz orada.

– Sayfiyede mi?

– Göreceksiniz, mükemmeldir. Büyük bir ev, bir bahçe, daha iyisi can sağlığı.

– Üzgünüm, dedim alçak sesle; artık çok geç.

Gözlerim yanıyordu. Bir bardak su aldım elime, titriyordum, içmeye cesaret edemedim.

– Neyin var senin böyle? dedi Louise yanıma yaklaşarak.

– Hareket etmeyin, dokunma bana. Buradaki her şey hastalık bulaştırıyor, her şey kirli.

– Bir yudum iç. İnatla ağzıma dayıyordu bardağı.

– Su... kaynatılmamış bile su. Sen iç o zaman, dedim bardağın içindeki suyu ona doğru atarak. Rahat bırakın beni, defolun.

Biraz sonra bardağı bıraktım elimden.

– Geç kalmasanız iyi olur. Sanıyorum ben de hastayım.

– Ne! dedi Louise. Neredeydin biraz önce?

– Neler hissediyorsunuz?

– Hissettiklerim... ateş, bulantı, dedim ayakkabılarıma bakarak.

– Şiddetli ateş mi?

– Bilmiyorum. Üşüyorum, terliyorum. Gördünüz, bacaklarımın üstünde duramıyorum.

– Peki ama tahlil yaptılar mı?

Ah! Ciddi bir tavırla, gerçekçi duygularla bakıyordu bana. Yeleğimi, gömleğimi çıkardım

– Kanıt mı istiyorsunuz? İşte! diye bağırdım darp izlerini, akan siyah ve kirli kanın oluşturduğu mermer damarlarını andıran lekeleri göstererek; ben de tiksintiyle bakıyordum bu izlere.

– Gidin artık. Öldüreceksiniz beni.

– Biraz bekleyin beni, dedi Louise'e. İdareyle görüşeceğim.

– Valizi hazırlayayım mı?

– Burada bir şeye elini sürersen, ben... pencereden atarım kendimi.

Tabureyi çekti, uzun uzun yüzüme baktı. "Ne kadar kirlenmişsin!" dedi usulca. Evet, üstüm başım berbattı; giysilerim buruşuk, yırtık pırtıktı; ve yüzümdeki iğrenç izler. "Bırakma beni," dedim. Solgun, bitkin yüzü yeniden ortaya çıkıyordu sanki ve de giysisi, her zamanki gibi, dizlerinin üstünde duran başka birinin giysisi. Nereden geliyordu bu? Niçin bu hüzün vardı, üstündeki ışığı silen bu ceza vardı giyiminde? Bütün genç kızlar içinde biri vardı ki, görmüyordum onu ben ve beni allak bullak eden de oydu; kız kardeşimdi bu kız! Her şey ne kadar yorucuydu!

– Ne olacak şimdi? Ateşim olduğuna inanıyor musun? Elime dokunmak istiyor musun? Yanıyorum değil mi? Kurulan, hayır o bezle değil, mikropludur o. Ter bulaşıcıdır sanıyorum. Parmaklarını tek tek siliyordu. Korkuyorsan uzaklaşabilirsin yanımdan. Dinle, dedim koluma koyduğu ve yavaşça ittiğim eline bakarken, tuhaf bir şeyler hissettim, elin başka bir dünyaya ait olduğu, tanımadığım, bambaşka bir şey olduğu izlenimine kapıldım. Evet tuhaf. Bir saniye yine koyar mısın? Hayır, yapma, yaklaşma bana. Soruyorum kendime... şimdi beni nasıl görüyorsun? Hangi varlığım senin için ben? Gençken baskı yapardın bana hep; dilenci olmamı isterdin benim. Hatırlıyor musun? Kaç kez ekmeğimi kaptın ve yere attın ya da yatağın altına iterdin, üstüme çer çöp, pislikler atarak. Her koşulda tuhaftı bunlar. Şimdi arzun gerçekleşti, pasaklı biri oldum. Biliyor musun bu sabah gelişinizden biraz önce polisler beni sokakta yakaladılar ve dövdüler. Dün karakola hapsettiler. Ve de koku, duyuyor musun? Bütün eve yayıldı, ne olabilir acaba? Bir çukurdan geliyor sanki, gitsen iyi olur. Louise!

– Buradayım.

– Ben senin sandığın kadar... zayıf değilim. Değersizliğim, önemsizliğim yüzünden düş kırıklığına uğrattım seni. Ama sen bekliyordun benden..., bekliyordun, evet, ne bekliyordun? Birbirimize baktık. Çok şey anladım, çok şey biliyorum; bir anlamda her şeyi biliyorum. Sen de, tam olarak ne olduğunu anlayamazsın, ne istediğini de bilemezsin. Çok fazla geçmişe gömülmüşsün; bir tür hayaletsin. Kolundan yakaladım onu. Sana bir aile hikâyesi anlatayım mı? Yaklaş, avazım çıktığı kadar bağıracak halim yok. Korkma. Sana hep hayrandım ben, Louise. Benim üstümde her zaman çok büyük etkin olmuştur, son derece kapalı, doymak bilmez bir insansın; ve de sadık. Seni hiç gülerken gördüğümü sanmıyorum. Neden? Nedeni... boş ver, yerinden kımıldama. Bölmeye doğru iyice yanaştı, kesip aldığım kumaş parçasına baktım. Haklısın diye mırıldandım; dikkat etmek gerekir.

Bir süre sonra geri geldi ve diz çöktü. Titremeye başladım.

– Sen... sen birinci sınıf bir insansın. Her şeyi de anlıyorsun. Bir şey söylemek istiyorum sana. Büroda bir arkadaşım var, adı... Kayıt salonunda bulabilirsin onu, uzun boylu ve zayıf, sol kolu yarı felçli. Sanıyorum krizler geçirdi. Belediye binasına girdin mi hiç? Gayet tabii, özür dilerim. Küçük bir görevim vardı orada, komik denebilir; yeteneksiz ve pek zeki olmayan biriyim ben, önemi yok bunun. Devlete hizmet etmek, yasalara sıcaklık, ışık, yaşam vermek, yasalarla birlikte sonsuzca insandan insana geçmek, insan bunun mümkün olduğunu anlayınca başka bir şey istemez. Mümkün olan en yüce şeydir bu; bunun dışında hiçbir şeyin önemi yoktur ve bir şey de yoktur zaten, anlıyor musun, hiçbir şey. Benim küçük kız kardeşim, bazen sokakta gezeceğine dair söz ver bana, aylak aylak. Rica ediyorum, yap bunu, bir caddeyi izle, gelip geçenlere, evlere bak, bir asfalt parçası kopar, bak ona: zaman zaman yap bunu, istiyorum senden, çok önemli, benim için yap.

– Niçin böyle konuşuyorsun? diye fısıldadı. Gerçekten hasta mı hissediyorsun kendini?

– Bilmiyorum. Burayı sıkıcı bulmuyor musun? Ve bütün mahalle...

– Ama burada kalmayacaksın ki. Bir saat içinde gitmiş olacağız. İzin ver valizini hazırlayayım.

– Öyle mi? Nereye gidecekmişim? Söyle Louise, bu salgınla ilgili olarak ne biliyorsun?

Kalktı, tekrar oturdu tabureye.

– Bu salgını konuştuklarını biliyorum, dedi duraksayarak. Bazı vakalar görüldü, ama önemli değil.

– Konuşuyorlar mı? Nedir bu, bir tür tifüs mü?

– Özellikle koruyucu önlemler alınıyor, dedi, odanın içinde çevresine bakarak. Doktor sana bir şey söyledi mi?

– Doktor! Hepsi bu mu, başka bir şey söylemiyorlar mı? Binlerce insan hastalandı, binlercesi de tehdit altında; bütün bölge ölümle cezalandırıldı. Ve sizin çevrelerinizde, vakadan, koruyucu önlemlerden söz ediliyor! Namussuzluk, alçaklık bu; kaldı ki rastlantı da değil, bilinçli bir tezgâh.

– Gerçekten binlerce mi?

– Evet, binlerce: kör müsün? Mahalleye girdiğinde her şey normal mi geldi sana? Bir kentin yarısına, girişin yasaklanması, hapishaneye kapatılır gibi kapatılmak; mağazaların açılmaması; polisin üstünüze çullanıp yıkması, evlerin kundaklanması, bütün semtler yanarken tek bir itfaiyecinin rahatsız edilmemesi normal mi? Sokaklarda yürürken soluk aldın mı? Gerçek bir kara su, pislik, sefalet gölü. Buraya kadar gelmenize nasıl izin verdiler?

– Bilmiyorum, o...

– Evet, tabii. Ne yapıyor? Ne numaralar çeviriyor? Git getir. Buradan ayrılmamaya kararlıyım.

Tuttum onu; sürekli ona bakıyordum, giysisinin, bazı yerleri parlamış, bazı yerleri solmuş bir tür siyah ipek olan kumaşına bakıyordum; bir giysi değildi üstündeki, daha ziyade bir leke, içine daldırıldığı, kendisinden çıkan, ne biçimi ne rengi olan, duvardaki o kocaman küf lekesine benzeyen bir şeydi. Ve bunların bile gideceklerini düşünerek bir tür suçluluk duyuyor, kötülük yaptığımı sanıyordum. İhanet ediyordum: neye? Bir giysiye. Gülünebilirdi buna, ama beni yıkmaya yetiyordu bu, artık konuşmak istemiyordum. Ve o dönünce zar zor farkına vardım döndüğünün; kızmıyordum ona. Benim yerimi tuttuğunu, benim yaşayan, çalışan parçam olduğunu biliyordum, benim sağlığımdı o. Öyle olmalıydı. Louise'le bu fısıldaşma bile rahatsız etmiyordu beni.

– Yatsa iyi olur, dedi ansızın. Yardım eder misiniz ona? Birisini bulmaya çalışacağım ben.

– Gitmiyor muyum?

– Ah! dedi geri dönerek ve adeta ayaklarının ucunda yürüyerek. Her şey ayarlandı.

– Nasıl?

– Müdür bir an önce gitmenizden yana. Bu bölgenin dışına çıkarılmanız için bazı evraklar gerekiyor. Ama her şeyden önce salgın hastalık konusunda rahat olun siz, kesinlikle bir hasar yok sizde.

– Gidecek miyim? Ne zaman?

– Bugün, kesinlikle. Öğleden sonra.

– Hiçbir hasarım olmadığını nereden biliyor? Hiç muayene etmedi beni, doktor bile değil. Sadece kendi çıkarını düşünüyor.

– Mantıklı olun. Hastalıklarla ilgili bu dedikodular, bilmeniz gerekir ki ciddi değildir: salgın yok, hiçbir zaman da olmadı.

– Doğru mu söylüyorsunuz siz böyle? Bu konuda tanıklık etmeye... bunu yazıya geçirmeye hazır mısınız?

– Ama... niye? Evet, çok önemliyse sizin için bu; niçin olmasın?

– Yazar mısınız, bakın şu kâğıda, önemi yok.

– Bu bildirileri siz mi kaleme alıyorsunuz?: "İyi bir yurttaşım, hizmet ediyorum..." gibi.

– Ben. Şimdi şöyle yazar mısınız lütfen?: "Uzmanların raporlarını ve incelemelerini gördükten sonra Batı Yakasında ve de kentin hiçbir mahallesinde, ülkenin hiçbir başka bölümünde salgın hastalık olmadığı konusunda garanti veririm."

– Bu kadar mı? İmzalamamı ister misiniz? Hayır mı? Ne yapacaksınız bu belgeyi?

Elimde tuttum belgeyi, okumuyordum, ama ilginç değişikler görüyordum! Harfler aydınlanıyor, parlıyordu: harflerin üstünde binlerce başka işaret, çeşit çeşit tümce, utanç verici, despotik biçimler, sarhoş süslemeleri, vahşi hayvan çığlıkları ve yasalar bu taslaktan hatasız, kesin bir özdeyiş, herkes için inkâr edilmez bir gökyüzü oluşturuyordu.

– Neyiniz var? dedi. Ne var?

– Evet, dedim, bu yazı elimi yaktı. Şimdi rengi siliniyor. Ama ben ayrılmayacağım ondan; bir tılsım gibi saklayacağım onu; bana karşı bir tılsım olacak bu, beni sürekli haksız çıkaracak bir kanıt.

– Şakanın bu kadarı fazla. Şimdi de bu kâğıt vesilesiyle canımı sıkmayın benim, verin onu bana.

– Ama! dedim, bir an için bu üsluptan vazgeçemez misiniz? Sizin kâğıtlarınızın benim için en küçük bir önemi olabileceğini mi sanıyorsunuz? Bunları yırtar, top yaparım. Yöneticiler niçin her zaman biraz ikiyüzlü oluyor. Memurlara hep bağımsız ve iyi olmaları tembihlenir. Cam gibi saydam olmaları gerekir; ama yalnızca buzlanmış gibidirler: hiçbir zaman amacına ulaşmayan anlayış melekesi durmaksızın protokoller, törenler, formaliteler arasında dolaşıp duruyor. Yoksa...

– Gerçekten, çok doğru, çok ince bir gözlem. Aramızda lafı dolandırma gibi bir şey olamaz, değil mi? İstediğiniz bu değil mi? İçten, açık kalpli konuşmalar! Ama başka zaman. Bugün sizin gidiş işini ayarlamamız gerekiyor.

– Hayır, dedim, birkaç dakika daha. Uzun zamandan beri bekliyorum sizi. Hem, siz polislerinizin beni dövdüğünü, dün saatlerce karakolda kaldığımı, bütün bölgenin sıkıyönetim altında, polisin egemenliğinde olduğunu, sakinlerin rahatsız edildiğini ya da daha beteri, yiyeceksiz, korumasız, yardımsız bırakıldıklarını biliyor musunuz? Polisler beni hasta edinceye kadar dövdükten sonra, kaldırımda bir vebalı gibi bırakarak kaçtılar. Kimlik belgem yok artık, el koydular, çaldılar. Ben neyim şimdi peki? Bu duruma ne ad vermek gerekiyor?

– Polis dövdü mü sizi? Hangi koşullarda? Niçin bu konuda hiçbir şey söylemediniz bana?

– Söylüyorum, sürekli söylüyorum. Ama yok değil mi: salgın yok! Dolayısıyla kargaşa, grev, yangın da yok. Sanıyorum çalkantı da yok değil mi?

Hareketsiz kaldı bir süre, sabırsızlığım çok sıkmış gibiydi onu.

– Hayır, dedi, yine sizi sinirlendirmekten korkuyorum, ama yok. Bütün bu sözcükler konumuzun dışında. Kim soktu kafanıza bunları?

– Hiç kimse, dedim biraz öfkeli bir tavırla. Ama bu yara bere ne anlama geliyor, ya oradaki duman, görüyor musunuz? Ya her taraftan hücum eden, binayı işgal eden, barınacak yerleri olmayan bu insanlar?

Birkaç saniye daha kuşkucu tavırlar içinde ayakta kaldı, sonra tabureye oturdu. Hiç konuşmadan merakla beni süzüyordu.

– İstifa niyetinizi arkadaşlarınıza söylediğiniz doğru mu? Onlarla yaptığınız konuşmalarda biraz önce sözünü ettiğiniz yakınmalara benzeyen şeyler dile getirdiniz mi? Bu düşünce düzeni içinde söyleyebildiğiniz ya da yapabildiğiniz şeyleri hatırlamaya çalışır mısınız lütfen?

– Beni böyle bir sınavdan geçirmek için tam bu anı seçmenizin nedeni nedir?

– Ama siz istediniz bunu? Hatırlayın: açık kalplilikle, açık kalplilikle! Hem sonra bir sınav değil bu. Evet ya da hayır deyin ve her şey söylenmiş olacaktır.

– Böyle söylentiler nasıl geldi kulağınıza?

– Yapmayın azizim! Büroda konuşursanız, asla boşluğa konuşmuş olmazsınız. Bu gevezeliklerle ilgili rapor verecek biri bulunur her zaman, hepsi bu. Dram değil.

– Bu konuşmaları büroda yapmadım, yemin ederim.

– İyi, çok iyi. Sizinle açık konuşmak rahatlatıyor beni. Sizin düşüncelerinize her zaman değer verdim, aldığınız kararlar, ciddiyetiniz, özellikle ciddiyetiniz. Ciddiyetsizlik, kararsızlık kötüdür. Benim size bu olayları şu anda, özellikle şu anda hatırlatmam sizi sıkıntıya sokmak için ya da aile merakından gelmiyor. Sadece şunu söyleyebilirim ki, birkaç gündür bizim dairenin çevresinde önemli kriz işaretleri görülüyor, sert tedbirler yolda. Olup bitenleri tahmin ediyorsunuzdur: dosyalar inceleniyor, gözden geçiriliyor, didik didik ediliyor; en küçük bir usulsüzlükte başınıza belalar açıyorlar ve özellikle şunu duymanızı isterim, çünkü bugünlerde herkesin dilinde: Herkes, en üst düzeydekilerden en alttakilere kadar bir tür inanç açıklamasını, kuramsal bir bildiriyi imzalamak zorunda.

– Bildiri mi? Nasıl bir bildiri?

Israrcı bir tatlılıkla, bende, onu yalnızca yanımda değil öbür tarafta, önde ve arkada da sahiplendiğim izlenimi uyandıran sarıp sarmalayan ve kurnazca bir iyilikle bakıyordu; ve hatta Louise'in ayak seslerini duyduğum öteki odada bile gidip gelen oydu.

– Basit bir kalıp söz. Yazabilirim size, çok kısa. Böyle işte: "Meşru otoriteyi desteklemeyi ve onunla uyum içinde olmayı taahhüt ediyorum. Örnek yaşamımla meşru otoriteye saygı duyulmasını sağlayacağım ve onu her an savunacağım. Onun sarsılmazlığına inanıyorum. Onun egemenliğine inanıyorum." Bürolardaki üslup budur, dedi alaycı bir tavırla.

– Bu önlemlerin nedeni ne? Neler oluyor?

– Özdeyişi bilirsiniz: sıkıntıların başlangıcı yoktur! Ne ilk ne son sarsıntıdır bu. Her şey bir yana, bazen yönetimin de denetlenmesi gerekir. Bunu açıklamak gerekir mi? Doğrudur, normaldir.

– Ama tesadüfen yalan söylemiş olamaz mısınız? Sadece beni etkilemek, beni korkutmak istemiş olamaz mısınız?

Dostça ve kurnaz bir gülümsemeyle baktı yine bana.

– Ne kadar kuşkucu ve uyanık bir insansınız! Boşuna memur olmamışsınız. Size bir sır vereyim mi? Evet, böyle bir kalıp söz fikri benden geldi, ben buldum. Ne diyorsunuz? Bazı ayrıntılara dikkat ettiniz mi, küçük çelişkiyi fark ettiniz mi?: "Onu savunacağım, onun sarsılmazlığına inanıyorum" Ha, ne düşünüyorsunuz?

Tuhaf, tahammül edilmez bir şekilde güldü, şöyle bir şey dile getirmek istemişti: ben, gülme hakkımı korudum; artık bunlara gülemeyenin vay haline.

– Benim dosyamı ele geçirdiniz mi?

– Dosyanızı? Tabii! Ama biliyorsunuz ne olduğunu, demetlerle rapor, kâğıttan bir yaşam, hiç önemi yok bunların. Kurumun şu iyi tarafı vardır ki, doğurttuğu kâğıt dağlarını hiç sayar. Herkese şunu söyler: kendi dosyanız sizsiniz, yargılayın ve karar verin. Otoritenin öğütleri, gizli notları ve başka birtakım belgeleri bir tarafa bırakıldığında bizim birbirimize aile bağlarıyla bağlı olduğumuz bir gerçektir hâlâ; sizin adınız anıldığında, benim adım da anılıyor ve... şeyinki... aslında görüyorsunuz ya bütün hikâye. Dolayısıyla her şeye rağmen her ikimiz de aynı gemideyiz ve küçük mesleki olayları birbirimize bildirmemiz ikimiz için de bir görevdir.

– Kendinizi benimle aynı kefeye koyarak niçin gülünç duruma düşürüyorsunuz? Boş bir sepetim ben, oysa siz zirvedesiniz. Acı alay bu.

– Pardon, yasa kesindir: aynı haklar, aynı ödevler, alt görev yoktur, exceptio capitis [temelin istisnası] yoktur. Girişte olan çatı katında demektir. Çocuklar bu şarkıları söylüyorlar.

Nereden buluyordu bu sözleri? Ben de anlamıştım bunu. En alttan en yukarı kadar her bireyin, kendisini her zaman bütün yönetimin temsilcisi gibi görmeye hakkı vardı, yönetim tek bir kişinin ellerine teslim edilmiş ya da terk edilmiş tüm gücünü, tüm prestijini böylelikle sürekli hissedebilirdi ancak. Ama bu hakikat sanki aydınlıkta dağılmıştı ve benim onu bir düşün güçsüz belleğiyle araştırmam gerekti.

– Çukurda olanın çıkmaya ihtiyacı yoktur artık, deyiverdim birden.

– Hele şükür, diye bağırdı. Eski metinler hâlâ işe yarıyor. Yok, ama görüyorsunuz, sağlık pürüzlerinin sizi yıkmasına izin verdiniz. İstirahat aldınız, küçüldüğünüzü sandınız. Boş zamanınız sayesinde istediğiniz insanlarla görüştünüz; endişeli bir insan oldunuz; bir şeylerin peşine düştünüz, sanki size her şey önceden verilmemiş gibi. Sonra ne oluyor? Sonunda, baş dönmeleri geliyor, tarih terk ediyor sizi sanki ve yoluna sizsiz devam ediyor ve sürekli kendi çizmelerinin peşinden koşan bir insanın uyuşukluğuyla, yargılama, konuşma ve hatta yazma etkinliği başlıyor.

Yazma sözcüğünü gizli bir bilinçsizlik ifadesiyle yineledi, sanki kendisinden habersiz çıkmıştı ağzından. Ansızın etkiledi beni bu ima, korkunç günde yazılmış o müsvedde mektubu hatırladım; bir anda soğukkanlılığımı yitirdim.

– Ama o mektup dikkate alınamaz. Göndermedim. Bir müsvedde, müsvedde bile değil, iki ya da üç cümle, başı yok, sonu yok, öylesine karalanmış şeyler.

– Susss! Kesinlikle öyle: bir öğrenci ödevi. Kâğıt önüme gelir gelmez anladım bunu, bir yazı lekesi. Biliyor musunuz, insan yeni bir kalem denediğinde, özel türde tümcelere baş vurur, bir yığın eğri büğrü sözcük, gramer örnekleri Yine de ileride, dikkat edin, karalamalarınızda daha az dikkat çekici formülleri tercih edin.

– Nereye gitti bu kâğıt? Odama gelip masamdan kim aldı onu?

– Tatil ödevinizle ilgili küçük bir soruşturma yaptım. Alelacele mi çırpıştırmıştınız, onu öğrenmek istiyordum. Görüyorsunuz değil mi, her şey her zaman basittir. Rastlantı! Rastlantı bile değil: böyledir bu. Suçlu arkadaşlarınızdan biri. Sanıyorum sizinle birlikte çalışmıştı: kâğıtlarını düzenlerken yanlışlıkla sizinkini alıp götürdü. Ertesi gün Iche'e bir dosyayı gösterirken, ansızın kâğıt, herkesin şaşkınlığı içinde ortaya çıktı, yazınızı tanıdılar; yavaş yavaş, devreye girdi.

– Hangi arkadaş?

– Adını bilmiyorum: zayıf, hastalıklı biri.

– Felçli olan, şüpheleniyordum ondan. Masamı karıştırdı, mahsus yaptı bunu.

– Eyvah! Zavallı çocuk: Hiç kuşkusuz olay onun için de sizin için de hoş olmamış. Sahneyi gözünüzde canlandırın bir: ciddi, dakik, yöntemli, sürekli verimi yükseltmeye çalışan ve işinin dışında gerçekten var olmayan ciddi insan Iche sayfa sayfa dosyayı karıştırıyor, tartışıyor, notlar alıyor, bilgisi ve kararlarıyla her zaman göz kamaştırdığından, bütün sekreterleri çevresinde toplanıyor, yeni daktilosu hayranlık içinde dimdiktir – ve birden rakamların ortasında sizin kaba şakanız, gökten inen inanılmaz şakanız! Cebinden kâğıdı çıkardı ve bir aktör oburluğuyla incelemeye başladı. Evet, gerçekten tuhaf: "Bayım, sizin dairenizde çalışmayı sürdüremem. Beni her türlü çalışmadan, her türlü yükümlülükten kurtarmanızı rica ediyorum. ...'den başlayarak özgürlüğüme kavuşuyorum..."

Kâğıdı elinden çekip almak istedim, sessizce konuştum onunla.

– Verin onu bana; benim o. Defol, diye bağırdım, yan tarafta koşup duran Louise'e, varlığı, anlaşılması zor bir metinle benim arama girerek durumu karmaşıklaştırma tehlikesine düşürmüştü sanki. Size belki tuhaf geliyor bu, dedim onu kışkırtarak, ama gülünç de olsa, bu sözcüklerin arkasında yangınlar, şiddet olayları, sayısız felaket, tabutlarla dolu bir cadde görünce o kadar gülmek gelmiyor içimden.

Evet, meydan okuyordum ona, ama o, aşağılanmış görünmek şöyle dursun, tersine sürekli saçılan, sessizce ışıldayan, hilesiz, kötülük taşımayan tatlı bakış gibi bir yakınlıkla bakıyordu bana. Kâğıdı özenle düzeltti ve küçük masaya koydu.

– Sizi bu istifa düşüncesine ne götürdü? Bir hareket yaptım. Görüyorsunuz, dedi son derece tatlı bir ses tonuyla, eylemlerinizin ve tasarılarınızın küçümsendiğini düşünüp yanılıyordunuz. Herkesin yaptığı herkese yararlıdır ve herkes kendinde büyük bir gelecek taşır. Ağzınız halkın ağzıdır. Belki mürekkep hokkası düşlerinizle kafamızı şişireceksiniz, ama önemi yok bunun, kaybolmalarına izin vermeyeceğiz onların, değerlerini anlatmak ve yararlanmak için ne kadar uzun süre izlemek gerekiyorsa o kadar uzun süre izleyeceğiz onları. Saçmalıklarınıza gülmemin nedeni saygısızlık değildir; bunların iyi tarafı, dinlendirebilmesi, güldürebilmesi. Bakın, dedi kâğıdı tekrar eline alarak, bu kâğıt burada, kesin sözcükler, açık seçik cümleler içeriyor, gökyüzünü bile titretebilecek, ama hiçbir şey ifade etmeyen önemli bir kararı belirgin biçimde açıklıyor, evet, bakın, hiçbir şey yok, yok. Gerçekten, Iche'i, granit metinler dizerken, sert bir kayanın üzerinde arkadaşlarıyla birlikte yürürken ve ansızın boşluğa düşerken gördüğümde, özür dilerim, ama eğleniyorum: sonsuz masalar, ilahi-kutsal şeyler, reformlar, kararnameler ve sonra: duman, leke, güve yeniği; ne istiyorsunuz? Gerçek bir sirk numarası, dinlendiriyor.

Yüzüme baktı –evet korkunçtu bu, terletiyordu– bir tür minnet duygusuyla.

– Bilinen biçimlerde yazılmamış, aptalca bir şey belki, dedim, ama... Çenesiyle onaylayarak yüreklendiriyordu beni. Niçin böyle iyi bir tavır içindesiniz? dedim kekeleyerek. Niçin numara yapıyorsunuz? Başından beri biliyorsunuz bunu...

– Ne? Ama...

Azgın bir fırtına gibi, bu iyiliği yok etme, dibinde

bilmem hangi vahşet, ikiyüzlülük, aşağılık küçümseme kalıntısını bulma amacıyla azgın bir fırtına gibi üstüme geldiğini hissediyordum. Oh! ne kadar alçakçaydı bütün bunlar! Bu paçavra mektubun en güzel hukuksal metin kadar değerli olduğunu bilmeyen var mıydı, bu mektubu göndermeyerek, yalnızca yok etmemiş, her türlü cevaptan ve amirlerimin olası hür türlü ret cevabından yoksun bırakarak kesinleştirmemiş ve böylelikle kendimi, bana bağlı olduğu ölçüde ve çalışma ben, yalnızca ben olduğum ölçüde, bütün bu hikâyelerden gerçekten kendimi kurtarmanın tek yolunu bulmamış mıydım?

– Çocukluktu bu belki, dedim, ama bana pahalıya mal olsa da ve bunun niçin kaçınılmaz olduğunu hâlâ bilmesem de söylemek zorundayım size: Ben hâlâ çocuğum ve sizin de söylediğiniz gibi bundan böyle bırakacağım kendi başlarına koşsunlar çizmelerim.

Gözlerimi ona diktiğim o kısacık an içinde, gözleri parladı, koca bir şişe içki devirmişti sanki.

– Anlaşıldı, dedi, karşı çıkışımı adeta küçük bir parantez gibi kabul ederek. Siz ciddi bir insansınız dolayısıyla kararınız da ciddi olabilirdi ancak. Bir zekâ ve incelik belirtisi kuşkusuz bu. Birden durdu. Lafı nereye getirmek istiyorsunuz? Sizin bu yaptığınız, tüzüklere de, geleneklere de aykırıdır, diye devam etti, daha hızlı konuşmaya başlayarak. Çalışmanın kesin kurallara bağlı olduğunu, tüm iş değiştirmelerin resmi onaya tâbi olduğunu ve sadece önemli gerekçelerle ya da denetim komisyonlarının inisiyatifiyle mümkün olduğunu biliyorsunuz. Genel kuraldır bu. Merkezi yönetim elemanlarına gelince, durumları ve nitelikleri ne olursa olsun, özel yükümlülük altındadırlar ve onlar hem daha özgürdürler hem değildirler, çünkü çoğu zaman dış görevlere giderler, ama tüm meslek hayatlarını bu tür dış görevlerde geçirseler de her zaman esas görevleri göz önünde bulundurularak ücret ve kıdem alırlar. Kaldı ki bu bir tüzük ya da sözleşme meselesi değildir. Uğrunda mücadele ettiğimiz yaşam her an çalışmayı düşünmek ya da çalışmadığımız zamanlarda hayata bağlanma, hayatımız aracılığıyla sorumluluğunu üstlendiğimiz amaca bağlanma gibi bir görev yüklüyor bize. Dolayısıyla çalışma ve çalışmayı tamamlayan şeyler arasında neredeyse hiç fark yoktur: var olmak, var olmaya devam etmek, kendini her an, hiç sakınmadan amacına adamak demektir. Bu tür kararlar bizim yaşam biçimimizin onurudur, çünkü bizim iğrenç bir yaşamdan kaçmamıza yardımcı olurlar; çünkü çalışmayı tuhaf bir şey gibi görürsek çalışma hayatımızı yaşamın en küçük eylemleriyle derinlemesine açıklayamadan yaşamaya mahkûm oluruz.

Okuyor gibiydi, ama beni okuyor gibiydi, bu mükemmel düşünceleri benden alıyordu sanki, öyle ki robot gibi, kayıtsız bir tavırla, sadece dudaklarıyla konuşan bir insanın rahatlığı ve hafif küçümsemeleriyle anlattığı şeyleri ben konuşma yeteneğini her an yitirebilecek ve kuşkulanmaya da inanmaya da vakit bulamayan ateş basmış biri gibi gitgide daha yorucu gelmeye başlayan bir çabayla içtenliğimin en derin yerlerinden çıkarmak zorunda kalıyordum.

– Bakın, dedi, ansızın yine eski ses tonuyla, bu konuda anlaştık sizinle: İstifanızın bir haylazlıkla ilgisi yok, son derece ciddi bir karar, ama kesinlikle hiçbir şeyi değiştirmeyecektir. O halde eski alışkanlıklarımıza dönmemizin hem sizin için hem benim için daha yararlı olabileceğine inanmıyor musunuz? Gerçeklikler nakaratıyla fazla vakit geçirmeyelim:

Ve iki kere iki dört
Sopanın iki ucu var
Damdaki kedi
Bizden daha it değildir!

– Anlıyorum ki bütün bunlar bıktırıcı geliyor size, dedim güçlükle. Benim için de yorucu.

– O halde anlaştık mı? Bütün bunları bir kenara atacak mıyız? Bunların üstünde durup, söylemek istediğiniz her şeyi söylemediğimiz için üzülmeyeceksiniz, tamam mı? Konuşmak iyidir ya da kötüdür, nasıl isterseniz öyledir. Ama yarım konuşmak... karanlık, kuşkulu bir şeydir, despotizmdir. Bu günlerde, bunalımdan sonra sık sık yaşadım bunu. Şunu bilin ki, bu mesele her koşulda çok önemli. Kesinlikle çerçeveleri kırmak, yönetenlerle yönettikleri şeyleri ayıran bölmeleri ortadan kaldırmak gerekiyor. Bu olaylara yabancı değilsiniz siz: Her işte idarenin bir temsilcisi vardır; her çalışanın arkasında, işinin gerekçesini ete kemiğe büründüren bir delege vardır. Temsilci ilke olarak teknik ve moral bir destek için vardır, ama bana göre aynı zamanda çalışmaları denetlemek ve bunlardan insanların en iyi biçimde yararlanmalarını sağlamak da onun görevidir. Bu işler düşe kalka gidiyor işte, sistemde zayıflıklar var; bu örgütlenmeyi temelden gözden geçirmeye verdim kendimi, bazı meslektaşların nitelikleri konusunda dışarıdan inceleme yapıyorum ve sabahtan akşama kadar konuşuyorum onlarla, muhataplarımın kulakları olup olmadığını ve aynı zamanda sözlerimin dinlemeye değer olup olmadığını ve artık safdışı edilmesi gereken paslanmış ve iyice olgunlaşmış biri olup olmadığımı anlamak için uzun konuşmalara dalıyorum. Ve her seferinde tuhaf saptamalar yapıyorum: Onlara yağmurdan ve güzel havadan söz ediyorum; niçin? Çünkü daha kolay bu, kafa patlatmak istemiyorum, beylik bir konu; ama hemen hemen hepsi kendileriyle oynadığımı sanıyorlar ve ürkerek, sıkılıyor, kendi kendilerini suçluyor, fantastik hikâyeler anlatıyorlar. Bu arada, dedi, kâğıtlar saçıyor musunuz çevreye? Bir tanesini şu masada bulmuştum ya. Ne yazmıştınız? "Ben iyi bir yurttaşım, bütün gücümle devlete hizmet ediyorum," öyle değil mi? Tabii, bunlara eklenebilecek bir şey yok bence. Vatanseverlik duyguları, çok iyi. Ama sizi şaşırtmıyor mu bu? Hayır mı? Neyse zevk meselesi. Ve bu size yararlı gözüküyor, öyle mi? Şöyle şeyler yazmak istemezdiniz herhalde: çok iyi bir yurttaş değilim, can sıkıcı olaylarda kamu çıkarını korumak için önlemler, grevlerde yöntemli ve kasıtlı iş bıraktırma eylemleri düzenliyorum, devlete bağlılığım konusunda çok hoş bildiriler yayınlıyorum, ama... Ah! Söylemeyi unutuyordum az daha, bu sonu gelmeyen toplantılar sırasında bir arkadaşınızla tanıştım. Uzun boylu ve güzel bir kız, sanıyorum ticari kısımdan birisiyle birlikte çalışıyordu. Temiz, iyi bir insan. Ve hatta... size bir sır verebilirim, her an ne kadar karışık bir duruma karşı göğüs germek zorunda olduğumuzu anlayacaksınız. Bu genç kız evli değil... evet, neyse bunlar biraz nazik meseleler, ama ürkütmesin sizi, sadece koşulların ona, kendisine ait olmayan bir rolü oynatmış olduğu dikkate alınırsa hiç gerek yok ürkmenize. Sözün kısası, olaylar öyle gelişti ki, kapılarınız yan yanaydı neredeyse. Birçok kez rastlaştınız, küçük dükkânını görmeye gittiniz onun, bayağı iyi anlaştınız. Hayır, dedi, temkinli bir şekilde bakarak, yemin ederim, sizinle ilgili olarak hiçbir görev üstlenmemişti: Önceden tasarlanmış hiçbir şey yoktu, sizi temin ederim. Ama doğal olarak küçük ilişkiler sizi bağladı ona, onun hikâyesinin bir parçası oldunuz, sizinle ilgilenmesi gerekti ve çok da uygun düşüyordu bu durum ayrıca: Sağlık durumunuzla herkesi, özellikle de her gün ne yaptığınızı öğrenmek ve sizi gözden kaçırmamak için dilediği gibi yönetmek isteyen annenizi endişelendiriyordunuz. Dolayısıyla dosyanız bana gösterildiğinde, her zaman yaptığım gibi, kendisiyle daha rahat ilişki kurmak ve ortak sözcük değerimizi doğrulamak için çağırttım onu, iddialı ve cafcaflı konuşmalar yaptım, herhangi bir şey, bir gençlik hatırası anlattım. Yirmi yaşındayken bir matbaada çalışıyordum, teknisyen değildim, makinelerin durumunu, çalışmalarını denetliyordum, büyük bir matbaaydı, okul kitapları, broşürler ve hatta okullar için afişler basılıyordu. Bu matbaadaki işçiler arasında çok sevdiğim biri vardı: yaşlıydı, deneyimliydi, birçok olaya şahit olmuştu ve genellikle çalışma örgütlenmesi konularıyla ilgileniyordu; söyledikleri doğru şeylerdi en azından eğiticiydi. Ne yazık ki araba çarpmıştı ve sinir iltihabı nedeniyle çok acı çekiyordu: Bazen çok zor çalışıyordu, el kol hareketleri yapıyor, söylemek istemediği ve kendisini neredeyse tam anlamıyla güçsüz kılan kramplardan, ani saplanmalardan şikâyet ediyordu; bu durumda artık olumlu hiçbir şey yapamıyor, bedenini tahrip ediyor, bağırıyor, çağırıyor, sövüp sayıyordu, ondan başka kimsenin sesi çıkmıyordu; bütün zamanımı biraz yardım edebilmek ya da materyali tamir edebilmek için arkasında dolaşmakla geçiriyordum; yazık ki işler gittikçe kötüledi; sonunda emekli etmek zorunda kaldılar onu ve ben çok üzüldüm. İşte benim hikâyem. Ne düşündüğünü soruyorum genç kıza; "bu hikâye hoşunuza gidiyor mu? Etkiledi mi sizi, araya kattığım süslemeleri fark ettiniz mi?" diye sormak istedim. Cevabı çok ilginçti azizim: "Makineyi siz sabote ediyordunuz, çünkü çalışması tatmin edici değildi ve çok konuşuyordu." İşte düşünce yapıları. Bir olayı ciddiye alamazlar, başka bir bağlama oturturlar, dağıtırlar, bir ders çıkarırlar ondan. Hiç kuşkusuz sabotajcı bendim, ama ne önemi var bunun! Böyle bir anekdot yok değildi, onun gibi bir varlık olduğumdan ve onu gördüğümde yeniden, benim şimdiki yaşımdan bile dahi ileri yaştaki insanların ayaklarını sürçtükleri ve kayboldukları gençliğime ve çıraklık yıllarıma döndüğümden hiçbir art düşünceye sahip olmadan ona armağan ettiğim bir şey. Ne söyleyeyim size? Kınamıyorum kendisini, haklı olan o ve o benim anlattıklarımın sadece öykü yanını, dekoratif özelliğini değerlendirmiş olsaydı, 'küçük aptal, duygusal küçük kaz' diyecektim kendi kendime. Ama bakın, dinleyin, en tuhaf olan nedir. Sizin de anladığınız gibi, benim niyetim onu size karşı konuşturmaktı, gerekliydi bu, sizinle ilgili olarak yayılmış bütün bu söylentilere onların en büyük gerçekliğiyle yaklaşmak görevimdi. Ama ne oluyor? Yavan ve sıkıcı konuşmalarım köpük saçmaya başlıyor ve sanki mayalanmaya başlıyor, bir şey buluyor bu konuşmalarda o, büyüleniyor. Ben bu fır dönme olayını çok uzaklardan tanımayı bildiğimi söyleyebilirim, evreleriyim onun, çözümünü de bildiğim bir bunalımdır bu: bin bir ihmal, suç ortaklığı itirafı, ansızın ortaya çıkan ve sonsuz kanıtla, sayısız kanıtla kendini ele veren bir bilinçsizlik. Sizin arkadaşınız için, birtakım kötü koşullar yüzünden özellikle uzakta kaldı bu, o kadar uzak ki, kendisini kesinlikle umutsuz bir durumda görünce ne yapıyor ansızın? Sizin adınızı ortaya atıyor. Ah, nihayet, diyorum ve ilginç ayrıntıları kaydetmeye hazırlanıyorum, bekliyorum bunları, önceden formüle ediyorum, bir tür zevk veriyor bunlar bana, aynı... Evet, sözün fantezisi burada işte. Zavallı kız, sizi sıkacağına, hüznünün derinliklerinden tersini yapıyor: Sizin adınızı benden bir himaye, bir destek, bir şans aracından başka bir şey gibi görmüyor. Siz artık kaybedeceği kuşkulu kişi değil, onu masum kılacak tek insansınız. Ne diyorsunuz? Bu tür yanlış hesaplardan sonra insan sabırlı olmayı öğrenir ve hikâyenin bitmiş olsa bile olduğunu, ne kadar yavaş ilerlediğini öğrenir. Bir düş gibi.

Bakamıyordum ona, ama biliyordum ki bakışım onun derinliklerine kadar ya şimdi girecekti ya da hiçbir zaman. Onun tüm ürkünçlüğünü sergilemek için, son derece güçlü bu açık yürekliliğin iğrenç bir gizleme olduğunu ve en doğru anlama biçiminin görünmeyen bir yüzün maskesi olduğunu göstermek için niçin bütün açık yürekliliğini gösteriyordu? Niçin bana evrensel güven ve dayanışma içinde sonsuz bir ihanetin dönüşünü, kendi iyiliği içinde ebedi bir kuşkuyu tanıtmaya çalışıyordu? Ve sözcüklerden oluşan sisi niçin yalnızca iğrenç sahnelere, ele veren hikâyelere, her yana atılmış, gözükmeyen, ama teneffüs edilen o toza açılıyordu?

– Ele veren mi? diye sordu.

– Evet, polis, diye kekeledim bereli yanımı göstererek.

– Polis, diye yineledi, gittikçe artan bir şaşkınlık, bir tür sıkıntı içinde, sanki bana bakarken ilk kez onun neyi temsil ettiğinin bilincine varmıştı, bana bakarken sanki iğrenç yüzü ve suçlu görünümüyle onu görmüştü. Ne söylemek istiyorsunuz? Kaybolmadı mı o? Onu bir yerde bulmak mümkün mü? Oraya girenlerin, kendilerinin dışına atılmış, bir bina gibi inşa edilmiş suçlarla birlikte kalmamaları, masum ilişkilerin suçlu yakınlığını bilmemeleri, oradan çıkabilmeleri, içeri girer girmez uzlaştıkları ve sadece özgür olduklarını keşfetmek için girdikleri duvarların dışına çıkabilmeleri, içeriden suç gibi gözüken bir şey olmadığı, oradan çıkmış oldukları için açılmadı mı hapishanelerin kapıları ardına kadar? Ve polis, diye ekledi, şaşkın bir halde çevresine bakarak, herhangi bir kimse ona çok yakın olabilir, kendini onunla çok fazla karışmış hissederek, olayların evrensel harekete katılmalarına izin vermek yerine, bu görünüm altında durdurabilir mi, belirsiz biçimde iğrenç ve şiddetli bir güç gibi tutabilir mi? Polis belki –ne kadar uzak bu sözcük, denizin derinliklerinden gelmiyor mu?– evet belki ona alttan bakanlar için alçak, ama hakikatle ilgili olarak daha fazla düşünceye sahipsek eğer, o zaman değişir bu izlenim ve her şeyi gören biri için artık polis yoktur, kaybolmuştur, asla fark edilmeyen ve her şeyin doğrulanmasını gerektiren devrik bir imajdır.

– Bu temellendirmeyi daha önce işittim ben; miras kaldı bana bu. Ama ben bu mirası almak istemiyorum. Büyük bir ikiyüzlülük var. Tozu abarttınız, nefes alamaz olduk.

Bir an düşündü.

– Niçin bu "siz" biçimini kullandınız? Siz, kim?

– Devlet, dedim: sizsiniz.

– İkiyüzlülüğe dikkat, dedi ciddi bir tavır içinde. Sonra eğildi ve masadan, istifa mektubunun yanındaki, üstünde sadakat ifadesini belirtmiş olduğu kâğıdı aldı. Bu sorunu bugün sizinle görüşmeyi düşünmüyordum, ama şimdi çok ilerledik ve her gün bir tartışma açmamak daha doğru olur. Şurayı imzalar mısınız? Kâğıdı uzattı bana.

– Hayır, dedim ve geri çevirdim.

– Niçin? Bu söyleyiş hoşunuza gitmiyor mu?

Bir baş işaretiyle hoşuma gittiğini belirttim.

– Biçim önemli değil, dedim.

– Yönetime karşı eleştirileriniz mi var? Görüş ayrılığınız olduğu düşüncesinde misiniz?

– Bilmiyorum, sanmıyorum.

– Eğer reform istiyorsanız, dedi, vaatler veren birinin tavrıyla, hiç duraksamayın, önerin, korkutmaz bizi bunlar. Eski rejimler yeni önlemlerden korkabilirlerdi, çünkü geleceğe yönelik eylemler tehdit oluşturuyordu onlar için. Ama biz, bizim böyle şeylerden korkacak bir şeyimiz yok: bu gelecek biziz, gelecek oluşuyor ve onu aydınlatan bizim varlığımız.

İşte o zaman şeytana uydum.

– Bizim rejimimizin de öteki rejimlere benzeyeceğine, bir gün çökeceğine inanmıyor musunuz siz? Bu anın yakın olabileceğine inanmıyor musunuz?

Bana baktı, ayağa kalktı, yastıklara gömüldüm; titrediğimi, alabileceğim bir darbeye karşı savunma eylemimi kesinlikle gördü. Sadece güldü.

– Ötekilerin benzeri mi? dedi ağır ağır gerinerek. Evet, belki; ama hazırladıkları ve haberdar olmadıkları gerçek gibi, yıkıntılarında aradıkları açıklama gibi. Nasıl son bulacaktı, dedi, öğretici üslubuyla, son derece sinir bozucu ve yorucuydu bu üslup, çünkü gücü benden geliyordu, nasıl bitecekti, yitip gitmiş olan bütün rejimlere bir anlam veren oysa eğer ve yokluğunda, bir şeyin bitebileceğini tasarlamak artık mümkün değilse? Bir bakıma o da bitmiştir, son bulmuştur, her şeye ve kendi kendine son vermiştir. Evet, bu açıdan haklısınız ve incitmiyorsunuz beni: Onu ölüm, hapis, düşüş fikirleriyle birleştirmek mümkün değildir pek, ama ölümü açıklayan istikrarıdır, düşüşü sonsuz süresidir.

Ayakkabısını hafifçe parkeye sürterek biraz yürüdü. Gazetelerin, uydurma olmayacak kadar çok bahsettikleri o saldırı olayını düşündüm.

– Her şeyi buharlaştırmamak gerekir, dedim; kürsüde ders veren bir hukuk profesörü değilsiniz. Boşuna tarihin içine batmışsınız siz ve olup biten her şeyi, anında yasaya dönüşecekmiş gibi derinden hissediyorsunuz, bu da boş. Ama ben, hastaları, grevleri, sokak gösterilerini görüyorum, bunları yok sayamam; ben kendim de hastayım; bitmek sözcüğünün ne anlama geldiğini biliyorum ben.

Döndü ve gülümsedi.

– Hayır, hâlâ bilmediğiniz de bu sizin belki. Sizin olaya ihtiyacınız var, güneşi özlemek isterdiniz siz. Özlemini çektiğiniz bu olayların hangi olaylar olduğunu sorup duruyorum kendi kendime. Benim aydınlanmam için gerekli her şey olup bitti ve artık hiçbir şey olmuyorsa, bunun nedeni olabileceklerin, içinden geçtiğim gerçekliğe ekleyebilecek bir şeyi olmamasıdır. Belki daha birçok tarihsel anlar, grevler, sizin de söylediğiniz gibi depremler, her tür çöküntü olacaktır, hatta belki gelecek yıllar boş olacaktır. Benim için hiçbir önemi yok bunun, çünkü önemli olan benim şu anda odanızda dolaşmam ya da yapmam gerektiği gibi büromda çalışmam değildir ve bundan böyle savaşlar ve devrimler benim küçük gündelik eylemlerimden daha önemli ya da önemsiz olmayacaktır, ama attığım her adımda hepimize, ilkini doğrulayarak son sözcüğü söyleme olanağı veren mutsuzluklar ya da mutluluklarla dolu eylemi baştan sona hatırlayabilmeliyim.

– Şimdi niçin böyle konuşuyorsunuz benimle? dedim. Ayağını hafifçe parkeye sürterek bir aşağı bir yukarı dolaşıp duruyordu. Ne yapmaya geldiniz buraya? Benim verdiğim ya da vermediğim bir kararın hiçbir önemi yoktur sizin için. Kişisel duygulara boyun eğmezsiniz siz, yok ettiniz onları; beni sevmiyorsunuz, ben sizi sevmiyorum... Durdum. Gerçek babam burada bulunmuş olsa? Mezarın kendisi bir şaka olmuş olsaydı? Ama önce kafa sallayacak, beni uzun uzun ve güvenerek seyredecek ve boş laflarla rahatsız etmeyecekti; sonunda kolumdan tutup şöyle diyecekti: Peki gidiyoruz şimdi! Louise, diye seslendim birden.

– Kız kardeşiniz çıktı.

– Ateşim var. Çıktı mı? Ne zaman çıktı?

– Biraz önce. Geçişinizi kolaylaştırması için bir meslektaşımla görüştü.

– Siz niçin duruyorsunuz?

– Ben de gideceğim.

– Bunlar? dedim kâğıtları işaret ederek.

– Ne isterseniz yapın. Yönetim sizin kararınıza göre bir karar verecek.

– Ya reddedersem?

– Reddetmeniz dikkate alınacak.

– Ya gerisi, gerisi, yaptırımlar?

– Olamaz ve olmayacak. Hükümetin hizmetinde kalacaksınız ve seçmiş olduğunuz yaşam biçiminize uygun bir kadroda yararlanacaklar sizden.

– Ama istifa ettim ben! Mektubum var.

– Unutmadık onu. Bir zamanlar birtakım insanlar işe giriyor ve hastalıklı bir kararsızlıkla çıkıyorlardı işten ve özgür olduklarını söylüyorlardı, çünkü kabuklarının içindeki küçük parçalar tam anlamıyla gelişip, kenarlara tutunmalarına olanak vermediğinden kımıldayabiliyorlardı sürekli. Sonra amaçlarından eksik şeylerin mahkûm edildiği bu tarihe aykırı düşünceye dönüşlerin bastırıldığı bir zaman geldi. Ama bugün mahkûmiyet yok artık, çünkü eksiklik yok. İç ve dış karşılık veriyorlar birbirlerine, en özel kararlar anında, ayrılmaz parçası oldukları kamu yararı biçimlerine entegre ediliyorlar.

– Ama buradasınız siz! Beni ikna etmek için, baş dönmesi gibi çevremde dönüp duruyorsunuz: bunu imzalamalı, şunu yırtmalıydım, sadakatimi açıkça ilan etmeliydim. Her şey mükemmel değil mi?

– Hayır, her şey mükemmel olmayacak, ama sizin için ve sadece sizin için olacak. Çünkü devlet sizin boyun eğmezliğinizden yararlanmayı bilecek ve bundan yararlanmakla kalmayacak, siz muhalefette ve başkaldırıda devletin delegesi ve temsilcisi olacaksınız, büroda ve yasalar karşısında nasıl yetkiliyseniz o kadar yetkili olacaksınız. Tek değişiklik, sizin bir değişiklik istemeniz ve böyle bir değişikliğin olmayacağı. Devletin yok olması diye adlandırmak istediğiniz şey size her zaman gerçekten devlet hizmeti olarak gözükecektir. Yasadan kaçmak için yapacaklarınız sizin için yasanın gücü olacaktır. Ve devlet sizi yok etmeye karar verdiğinde bu yok etmenin sizin hatanızı cezalandırmadığını, size tarih önünde başkaldıranların boş gururunu vermediğini ve sizi, tozları üstünde sizin ve herkesin iyiliğinin yattığı mütevazı ve uygun hizmetkârlarından biri yaptığını anlayacaksınız.

– Gidin, dedim, bitkin bir halde.

– Gideceğim, ama gidişim hiçbir şeyi değiştirmeyecek. Siz benim yerimde olabilirdiniz, ben de sizin yerinizde. Belki daha şimdiden benim yerimi almış durumdasınız.

– Gidin, diye yineledim.

– Görüşmek üzere. Akşama doğru size bir araba göndermeyi düşünüyorum. Kapıya kadar gitti ve durdu. Ve şunu unutmayın, dedi birden eski haline dönerek: Ben iyi bir yurttaşım, devlete hizmet ediyorum! En doğru çözüm yoludur bu!

Bir tükürük birikintisi geldi ağzıma, ama o kaybolmuştu. Hemen hemen aynı anda Bouxx girdi içeri. Sehpaya yayılmış bütün kâğıtları gördü ve hiç rahatsız olmadan almak üzere elini uzattı. Bir hareket yapmak üzere teşebbüse geçtim, ama göz göze geldik ve o istediğini yaptı. Ayağında çizmeler vardı, kötü çizmelerdi bunlar, yarım çizme olmalarına rağmen ağır ve kaba olduklan belli oluyordu. Müthiş yorgundum. "Çok iyi, dedi, yazın, yazmaya devam edin!" Omuz silkerek karşılık verdim. Böyle bir anda uzaklaştırmak istiyordum onu: son derece hızlı bir şekilde, çok büyük bir kayıtsızlıkla tam anlamıyla ayırmayı başaramadığım ötekinin yerini almıştı. Ayrıca varlığı yoruyordu beni, bu koca bedende ezici bir şey vardı, yorgunluğumun taştan ve topraktan eşdeğeri gerçek bir dağdı.

– Zor bir gün, dedi, lekeli, cüruf, kömür kalıntılarıyla kaplı çizmelerini göstererek. Kendinizi iyi hissetmiyorsunuz galiba?

– Şaşırmamış gibisiniz? dedim kâğıtları göstererek.

– Niçin? Bunun yüzünden mi? Niçin sıkıldığınızı uzun zamandır anlamış bulunuyorum. Mücadele ettiniz; size en yakın olan şeyleri mahkûm ettiğiniz kendinizde görmek istemiyordunuz. Ama mantık baskın çıktı, sonuna kadar izlenen aydınlık kendi kendini ele verdi.

– Ne anladınız? dedim, yorgun bir halde bakarak.

– Uzun zamandır izinizi sürüyorum. İlk görüşmemizi hatırlıyor musunuz? O andan itibaren tanıyordum sizi ve davranış biçiminizi de biliyordum. Hakkınızda bilgi edinmiştim. Siz bir vakasınız.

– Vaka?

– Evet, dedi başını sallayarak.

– Peki niçin bu kadar ilgilendiriyor bu vaka sizi? Söyleyebilir misiniz bana?

– Evet, cevap verebilirim size, sorunuz rahatsız etmiyor beni. Her şeyden önce itiraf edilmesi zor, belli birtakım niyetler besledim sizin için, bu bir gerçek, yani yönetici sınıf zihniyetinin rakiplerine mal ederek ahlaksızca ve kendisi yararlanarak tarihsel niyetler olarak nitelendireceği görüşler. Döndüğümden beri, biliyorsunuz, orada burada, kliniklerde, çoğu zaman yardımcı işlerde çalıştım, ama bazen eski arkadaşların işlerine baktım, tıp çevreleri öteki çevrelere göre resmi baskıya daha az maruz kalıyor. Sizi ilk kez klinikte gördüm. Bir kriz geçirmiştiniz. Koridorlardan birinde sakin sakin dolaşıyordunuz. Beni niçin etkilediniz, hatta heyecanlandırdınız? Bilmiyorum. Yürüyüşünüz ya da bakışınızdan etkilenmiştim belki. Evet, çevrenizdeki şeylere kavrayıcı bir biçimde bakıyordunuz, katılıyordunuz onlara adeta; bakın, şimdi bile, bana bakma biçiminizde aynı ifadeyi buluyorum tekrar. Tuhaf, bakışınız benim bakışıma bağlanıyor sanki, dokunacak; bu durumu bir keresinde bayılan birinde fark etmiştim: ayıldığında gözü açılıyor, nesnelere yapışıyordu. Hiç sara nöbeti geçirdiniz mi? Başımla, hayır anlamına gelen bir işaret yaptım. Bu görüşmeden sonra, kim olduğunuzu sordum; adınız sürpriz oldu ve yavaş yavaş, yollarımızın boşuna kesişmemiş olduğunu anladım. Sonra bir soruşturma yaptım. Durumunuz, hastalığınızla ilgili bilgiler verildi bana. Aile ilişkilerinizle ilgili çok şey öğrendim ve aynı zamanda çok şey de tahmin ettim. Evet, sonuç olarak çok uzağa gittim. Bir vaka, diyordum kendi kendime, neredeyse saçma bir kargaşa ve rezalet olasılığı. En eski hikâyenin yeniden başlaması ve bu kez yararlı bir biçimde yönlendirilmesi, hizmet etmesi mümkün olacak mıydı? Burada peşimi bırakmayan şaşırtıcı bir şey vardı. Aslında hâlâ ne istediğimi bilmiyordum: çevrenizde dönüp duruyordum, sizi deniyordum, karar veremiyordum. Sonunda gözümü açan siz oldunuz, ayarttınız beni. Bu da tuhaf tabii ki. Böyle bir hikâyede benim rolüm, kendimi sizin ayartıcınız yapmaktı. Oysa benim aradıklarımı bana bularak siz benim için bir dürtü oldunuz. Beni aydınlığa çıkardığınız anda açık seçik gördüm ve ben de tasarladığım her şeyin açınlamasına sahip oldum. Ama siz beni tasarılarımın içine kapattınız ve o andan itibaren de yok ettiniz onları. Çünkü tanıklarınızın arkasından bakarken, sizden yapmanızı isteyeceğim şeyi anlar anlamaz, artık onu yapabilmeniz mümkün olmadı. Eski hikâyeden çıktınız ve kendi kendinize döndünüz. Benim suçum bu belki, belki daha temkinli, daha sessiz sedasız, daha gizli, sabra ve zamanın olgunluğuna daha fazla benzeyerek hareket edebilirdim. Neyse önemli değil. Önemli olan sizin her şeyi hep anlamış olmanız; tutkunuz da her şeyi biliyordu ve ben her zaman onun hizmetinde oldum, onun bir aracı oldum adeta. Artık sizi avlamaktan başka bir şey istemiyordum.

– Bu hikâyeler nedir böyle? dedim sürekli artan bir yorgunluk duygusuyla. Doktorluk hikâyeleri bunlar. Sizde profesyonel deformasyon var ve bu durum sizi sürekli dışında kaldığınız mesleğe geri götürüyor ve nedeni de kesinlikle bu mesleği icra edememeniz.

– Ne demek istiyorsunuz? dedi birden heyecanlanarak. Bu da mı şaka? Şakalarınız niçin her zaman bu kadar sevimsiz ve yaralayıcı oluyor? Bu özet gerekli olduysa, nedeni, şimdi bütün bunların aşılmış olmasıdır; şimdi samimi olmak istiyorum sizinle. Özellikle açık bir işbirliği, gerçek bir ortak çalışma önermek için geldim size. Dinleyin, dedi, sanki, sözleri, benim düşüncelerimi daha açık seçik biçimde geçirmek için benimkileri öncelemek istemişti, cevap vermeyin, bekleyin. Size ihtiyacım var, işte gerçek. Günün birinde, yapılmış olan her şeyi, grupların ne zamandan beri çalıştıklarını, hangi biçimler altında etkinlik gösterdiklerini, hangi amaçlar peşinde olduğumuzu açıklayacağım size. Dağın ne kadar kazıldığını bilemezsiniz, kimse de bilemez; ben de bir halkadan başka bir şey değilim, tek bir zincirin halkası, oysa bin zincir birbirini arıyor ve gizlice birleşerek ötekilerin tümünü yok edebilecek bir güç oluşturuyor.

– Bana niçin ihtiyaç duyuyorsunuz?

– Size ihtiyacım var... dedi tekrar birden sıkıntılı bir havayla. Destekçilerimiz, her tarafta ajanlarımız olduğunu söyleyebilirdim size: sizin o ünlü idarenizde, yukarıdan aşağıya, her kademede. Ama fazladan bir ajana ihtiyacım yok. Zaten hastasınız siz, hareketsiz durumdasınız.

– Rehine mi?

– Evet, dedi ani bir coşkuyla, belki bir rehine. Sizi bırakmak istemezdim, bu odada tutmak ve arada bir gelip görmek isterdim. Ah! Boş konuşmalar yapmıyorum ben, uzun süre inceledim sizi. Çekmecelerimde sizinle ilgili çok sayıda belge var. Siz yasaya düşman biri değilsiniz, ama yasayı terk etmek istiyorsunuz, bu çok önemli. İstifanız, bir istifa olarak ilgilendirmiyor beni. Hizmet ettikleri şeylere ihanet eden yüzlerce memur tanıyorum ben. Ama özellikle ihanet etmiyorsunuz siz: Yasaya bağlısınız ve ona hizmet etmiyorsunuz artık. Size bakıyorum: yüzünüze bakıyorum, nefret ettiğim her şeyi, iyiliği, en aşağılayıcı mizahla karışık anlayış yetisini ve gülümseyen, ilgisiz, neredeyse ölü bakışa kadar, sizi görmek için sizden ödünç aldığım bakışı tekrar buluyorum. Bütün bunlar ne kadar küçük düşürücü! Ama siz kimseye hakaret etmiyorsunuz. Tersine, beni bu kadar uzun süre yaralamış olan şeyi seyretmekten zevk, huzur duyuyorum. Size bakarken yaralanamam artık ben. Beni aydınlatıyorsunuz, yakmıyorsunuz beni. Siz kesinlikle benim aradığım kişisiniz.

Açgözlülükle baktı bana, saniyeler sürdü belki bakışı, sonra cevap vermediğimi görünce yatağıma atladı, yarı bağdaş kurmuş, yarı oturmuş haldeydi ve diziyle çizmesi yüzümün hemen yanındaydı. Beni etkileyen, bana neredeyse anlamsız gözüken coşkusunun bana müthiş bir yorgunlukla bağlanmış olmasıydı, sanki ezilmişliğimin derinliklerinden bana önerdiği baş döndürücü bir yükselişe geçmek zorunda kalmıştım ve ona göre içeriği atılım, başarı, uzlaşma olan düşünden sadece beni felç eden, ağırlığına benzer boğucu kitleyi tanımıştım. Hem sonra alçakgönüllülüğü çok büyüktü, bilinçsizlik içinde küçülüyordu, kölelikle, dövülmüş bir hayvanın iaatkârlığıyla (değil bile) soylu olduğunu sanıyordu: Dövülmüş bir atın kalıntısından başka bir şey değildi. Geri çekildim. Bu hareketi yaparken uyuduğunu gördüm. Kolumu çektim o zaman, hep biraz öne doğru eğiliyordu. Deri ceketinden, bana apartmanın kokusunu hatırlatan, bir çürük kokusu yayılıyordu. Bitmiş tükenmiş gözüküyordu. Çekindiği, efendisi olduğunu söylediği ve o anda bir çırpıda hakim olduğu o çok yavaş ve çok hızlı kanı düşünüyordum. Uykusu ne tuhaftı! Beni de dinlendiriyordu, odanın uykusuydu, bütün evin uykusuydu, benim uykumdu. Saat kaçtı acaba? Birden doğruldu, bana baktı ve kalktı. "Bittim," dedi ölü bir sesle. Ayaktaydı ve uyuklar bir halde pencereye doğru bakıyordu. "Gidip bir kahve yaptıracağım kendime." Yine hareketsiz, kımıltısız kaldı, ama yavaş yavaş uyanır gibi oldu, kulak kabartırken yakaladım onu. "Duyuyor musunuz?" diye sordu. Gerçekten de boğuk bir çığlık, bir türlü çıkamayan kötü öksürük gibi bir şey işitiyordum.

– Arkadaşınız. Biraz önce işittim sesini.

Yine dinledi ve şaşırmış gibi gözüktü, sinirlendi.

– Gidip susturacağım onu. Köpek gibi yakınıp duruyor.

– Neyi var? diye sordum, o birçok kez hızlı ve düzensiz biçimde duvara vurduktan sonra. İniltiler anında kesildi. Omuz silkti ve odanın ortasına geldi tekrar. Ne yapacaksınız siz bu hastalarla böyle? Onları susturmak için duvara vurmanız yeterli olamaz. Ya sizi bir yere kilitleseler, dispanseri kapatsalar?

– Dispanseri, burayı mı? Niçin kapatacaklarmış?

– Polis gözlüyor sizi, çok iyi biliyorsunuz bunu.

– Polis? Niçin gelecekmiş? Her şeyden önce, nerede polis? Gelmek istemiyor, yemin ederim. Çevrede bile dolaşmıyor. Polisin zamanı değil şimdi.

– Er ya da geç gelecekler, her zaman gelirler. Hiçbir şeyin farkında değilsiniz siz! Onlar durumu sizden daha iyi biliyorlar, ürkütmüyor onları ama bu durum.

– Kesinlikle biliyorlar. İstatistikler konuşuyor. Felaketin kendi kendini kanıtladığı an geldi. Denetim komisyonları açılacak dört yeni merkez sunuyor bize. Yarın, belki her sokakta bir yardım merkezi. Kurnazlık yapmak kimseyi çekmiyor artık.

– Ne diyorsunuz siz? Ama o zaman... Ve buradasınız siz! Sizde delilik kokan bir şeyler var Bouxx. Ama sizi kendi başınıza bırakırlarsa, bu daha vahim! Demek hâlâ anlamadınız bunu, sizi desteklemelerinin nedeni yok etmek istemeleri, yardımları sizi ortadan kaldıracak, kaldı ki yardım ettikleri falan yok, bir görünüş bu: Hangi olanaklardan yararlanıyorsunuz? Hangi önlemleri alabilirsiniz? Boğulacaksınız, biliyorlar bunu, süpürüleceksiniz. Yok olacaksınız, hepimiz yok olacağız. Beni ne yapacaksınız?

– Gitmek istiyor musunuz?

– Bana bir araba göndermeleri gerekiyor. Biliyor musunuz?

– Doğal olarak, bu evde kalmak çekici bir olasılık değil.

– Söyledikleriniz hoş şeyler değil. Bu karardan ben sorumlu değilim. Emirle safdışı edildiysem, itaat etmekten başka çarem yok.

– Nasıl isterseniz. Kâğıtları topladı ve kayıtsız, neredeyse küstah bir tavırla baktı onlara. Gidişiniz zorunlu tabii ki. Aileniz gittiğinizi görmeye çok önem veriyor, kuşkusuz!

– Niçin böyle söylüyorsunuz? Bir şeyler mi sezdiniz? Başka bir emir mi aldınız? Kâğıtlar hâlâ elindeydi ve onlara bakıyordu, kesinlikle okumuyordu. Dostça konuşalım. Niçin gittiğimi görmelerini istemediklerini anlatmak istiyorsunuz bana? Nereden biliyorsunuz bunu?

– Hiç, hiç bilmiyorum.

– Kahretsin! dedim tekrar köşeye gömülerek.

Biraz ilerledi.

– Eğer kalmak istiyorsanız, kolay: bir belge hazırlayıp imzalayacağım ve bu belgede sizin... hasta, bulaşıcı... belirteceğim. Bundan sonra hiç kimsenin, en yüksek otoritenin bile sizi çıkarma hakkı olmayacak.

– Ama bu yetkiyi kötüye kullanmadır. Ya da... gerçeği söyleyin bana! Kesinlikle emrediyorum size bunu. İnsanlıkdışı muamele ediyorsunuz bana, aldığınız tedbirler iğrenç.

– Ben sizi zorla tutmuyorum. Sadece sizin rızanız olursa imzalayacağım.

Sessiz kaldık. Bölmenin arkasında, Dorte yeniden öksürmeye başladı, gerçekten iğrenç bir öksürük, kendi kendine boğulan kötü bir öksürük.

– Bu hastalığın belirtileri nelerdir? Bilmediğini gösteren bir mimik yaptı, şu anlama geliyordu: Ben gerçek bir doktor değilim, bunu bana söylediniz, ama belki ayrıca şu anlama da geliyordu: Özellikle belirtilerle ilgilenmeye başlamayın, yeteri kadar bilgilisiniz bu konuda, hepimiz yeteri kadar bilgiliyiz. Bırakın bunları, dedim.

Tenin görünümü şimdi hafifçe kırmızılaşmıştı, hem itici hem çekiciydi. Elleri son derece becerikli bir şekilde kaburga kemiklerimden aşağı doğru kaydı, ancak bir hastabakıcı kullanabilirdi ellerini böyle; birden hasarsız gibi gözüken kalçama dokununca çok acı verdi bana.

– Polis! dedim alçak sesle, kulaklarım uğulduyordu. Bu sabah güzel bir sopa çektiler bana.

Uzun uzun yüzüme baktı, sonra yanaklarıma küçük fiskeler vurdu. "Bayılmayın. Size bir merhem yaptırtacağım. Bu ne?" Tekrar ayağa kalkarken elimde sıktığım kâğıdı görmüştü. "Gösterin onu bana!" Şaşırarak elimden kapmak istedi onu. "Ne oluyor!" dedim iterek. Sonra örtülerin altında tekrar okudum kâğıdı.

– Ne olduğunu biliyor musunuz bunun? Üvey babamın beni rahatlatmak için yaptığı bir şaka, salgın olmadığını, hiçbir tehlike altında olmadığımı belirten yazılı bir bildiri!

– Üvey babanızın mı? Ve kâğıdı ele geçirmek için itti beni. Vurdum ona.

– Fazla ileri gidiyorsunuz, dedim sertçe. Ayrıca, size okumuş olduğumdan daha fazla bir şey yok: taahhüt ediyorum...

– Yazısını görmek isterdim.

– Sıradan bir yazı, herkesinki gibi, benimki gibi. Uzaktan gösterdim. Bu kâğıdı niçin sakladığımı biliyor musunuz? Güleceksiniz belki. Tılsım bu!

– Tılsım! Sizi salgın hastalıktan korumak için mi?

– Farz edelim ki, dedim, siz bir doktorsunuz ve beni birtakım hikâyeler anlatarak tedavi etmek istiyorsunuz, ama yine farz edelim ki gerçekten yasadışı bir eylem peşindesiniz, bana sahip olmak istiyorsunuz, bu ülkede bir şeyler çatırdıyor, hastalık sizin suç ortağınız oluyor; farz edelim ki çok özel bir insansınız, iki görünümlü bir yaratık. Devlete karşı bir eylem gerçekleştirebileceğinizi umuyorsunuz, gerçekten hasta değil misiniz bu durumda? Ve eğer hastaysanız, yapacağınızı iddia ettiğiniz her şey sadece sis, batışınızın işareti değil midir? Ama siz gerçekten sıradışı bir insansanız, yani devlete yabancı biriyseniz, o zaman devletin kendisi tuzaktan başka bir şey değildir, bir yalan, ikiyüzlülük makinesidir ve siz haklısınız, en adil olan şey için, boyunduruk altındaki ve mutsuz hakikat için mücadele ediyorsunuz; ama eğer haklıysanız, yine de devletin bir aletinden başka bir şey değilsiniz, terk edilmiş olmasına rağmen, bu terk edilişten yasanın emriyle onu yaşatmak ve muzaffer kılmak için acı çeken devletin gayretli bir hizmetkârısınız; ve eğer böyle bir hizmetkârsanız, aynı zamanda benim de hizmetkârımsınız, bana hizmet ediyorsunuz, beni tedavi ediyorsunuz ve bu durumda gerçek bir doktor ya da yetkisiz bir doktor veya düşleri için benim yanımda bir garanti arayan şaşkın biri olmanın önemi yoktur. Ben bir çiviye asılıyım ve çivi gerçektir. Şimdi boğuluyorum ve kimse beni kurtarmayacak çividen, ne siz ne bir başkası: işte bu kâğıdın bana hatırlattıkları.

– Siz beni gerçekten manyak sanıyorsunuz galiba?

– Çiviyi sökme umudu içinde gidip geliyorum, hepsi bu, anlıyor musunuz? dedim, ona bölmeyi göstererek. Hiç böyle öksürük duymamıştım ben: çatlak bir öksürük, sahte gibi, hastalıklı, sanki bir hasta değil, hastalık öksürüp duruyordu.

Duvarın önünde derin düşüncelere daldı. "Onu yirmi yıldır tanıyorum, dedi. En iyi arkadaşım. Şimdi nedir bu böyle? Yatakta bir iskelet!"

– Ya kalırsam, başıma ne gelecek?

– Canınızı sıkmayın. Sizi görmeye geleceğim arada sırada. Her şey yolunda gidecek. Şimdilik, diye devam etti, bir an duraksadıktan sonra, bir tek şey istiyorum sizden: yazmak istediğinizde, yazın, ne olursa olsun, kafanızdan geçen her şeyi, bomboş olanları bile.

Yüzüne baktım.

– Benden çekinin, Bouxx, rica ediyorum, çekinin benden.

Dostça bir selam verdi ve kapıyı çekti.

– Uyumaya bakın. Daha sonra hemşire gelecek.

VII

Elimde terin aktığını hissediyordum, ama cildim çok az nemliydi, hatta soğuktu; güneş de yakıyordu. Kalktım, yatağın kenarına oturdum. Uzattığım zaman ayağım ağrıyordu; yarı kıvrılmış durumdayken apseye hafifçe baskı yapıyordu ve zaman zaman ani acı duyuyordum; şişlik biraz inmiş gibiydi. Sandallarımı kaldırdım. Güneş parkelerin üstünde altıncı çizgiye ulaşmıştı; vuruşlar devam ediyordu: üç vuruş, üç vuruş daha; bir vuruş, sonra beş vuruş daha. Sanki bir hayvan sessizce öteki tarafa tırmanmış ya da alçıyı hafifçe ısırmıştı. Beş vuruş sonra iki vuruş; bir vuruş, sonra beş vuruş. Herhangi bir şey olabilirdi bu: ölen bir sinek; ama sinekler havada dönüp duruyor, birbirlerine yapışıyorlardı, çok küçük, güneşte uçan bir macun haline gelen küçük sineklerdi daha çok; onları avlamamız salık veriliyordu bize. Sandalımla sertçe vurdum duvara. Anında karşılık geldi duvardan: bir vuruş, bir vuruş daha; bir vuruş, bir vuruş daha. *Ah, ah!* Çakmağının kenarıyla vurduğunu biliyordum. *Ah, ah!* Tuhaf bulmuştu durumu, duvar gülüyordu. Duvar biraz önce *kalkıyorum* demişti. Sopayı elime aldım ve hafifçe vurdum: Tablo gözümün önündeydi, büyük harflerle oluşturulmuş beş çizgiyi görüyordum, kafamda hafif bir yanık gibi, apsemin tahriş olması gibi hissediyordum onları. Ve duvar kendisini ayağımdan daha fazla hissettiriyordu bana ve yalnızca duvar değil, bütün bölmeler, her nesne, parkelerdeki her parça; saatlerce, gündüz, gece, durmaksızın, onu, çatırdayan, yürüyen, uçan her şeyle karıştıran sinsi bir suskunlukla vuruyordu, öyle ki şimdi artık söz olmamış tek bir ses, tek bir sessizlik anı yoktu. Güneş yedinci çizgideydi, tekrar uzandım, acı da baldırımın içinde sessizce, bilinçli sarsılmalarla vurmaya başladı: dört hafif vuruş, sonra çok kısa bir vuruş; bir hafif vuruş daha, sonra beş hızlı vuruş. BELKİ, belki salgın. Bütün o bölgede et taştan daha sertti, tam bir kabuktu, ona en çok acı veren şeyin duyarsızlığıydı. Ağrı o yerde bir pansumanla karıştırılıyor gibiydi, öyle ki kötüledikçe iyileştiğini sanabilirdiniz, ama aynı zamanda da tam tersiydi durum: Hissedilmez oldukça daha fazla acı veriyordu; şimdi ise ateş yakıyordu onu. Tekrar kalktım, perde inmişti bu gece, güneş pencereyi kaplıyor ve bütün odayı dolduruyordu. Artık tahammül edemediğim bir şey vardı. Sıcak mı? Evet sıcak, ama aynı zamanda da ışık: su gibi uyuşuk ve sabırlıydı, bir açıklık bulur bulmaz akıyor, açıklık olmadığında sızıyordu; saatlerce, günlerce, yüzyıllarca yayılıyordu, suydu. *Ne yapıyorsunuz?* diye sordu duvar. Yaklaştım, baktım duvara, parmağımla lekenin çevresini izledim: şimdi yukarı doğru genişliyor, daha fazla belli oluyordu, ama özellikle daha nemli, daha yağlıydı. *Lekeye bakıyorum* diye vurdum hafifçe. Onu olması gerektiği gibi tahmin ediyordum, duvara yaslanmış, duvarla birleşmiş gibiydi, kafasını yapıştırmış, gözlüyordu duvarı. *Eee? – Daha büyük?*. Duvar ansızın neşe içinde güldü: *Ah, ah! Ah, ah*, saniyeler süren iki kısa sert vuruş. Tekrar yatağa attım kendimi. Uzaklardan su sesleri geliyordu: bütün gün su, tabak, çanak seslerinden oluşan bir sessizlik, bazen de bir çığlık. Duvara bakarken örtülüre sarındım. Uzun süre bakınca, duvarda neredeyse okunaklı bir şekilde bir dizi sözcüğün ilan gibi yer almış olduğunu görüyordum: *Bütün evlerde, eğer bir kimse ateşlenmişse ve bedeninin herhangi bir yerinde leke ya da şişlik varsa...* Metin ansızın bitti, tehlike işareti belirdi; doğrudan doğruya duvarın alışmış olduğum vuruşlarını okuduğumu sandım. Hemşire merdivenden yukarı doğru çıkıyordu: kolaydı onun ayak seslerini tanımak, hep aynı, ritimsiz, eşit biçimde sağa ve sola, sola ve sağa ağırlık veren adımlar, ama çok ağır ve de karışık, çok ağır ayakkabılardan geliyordu muhtemelen bu sesler. "Niçin kalkmadınız? – Ayağım çok ağrıyor." Şişliğe doğru eğildi. Gömleği kaskatıydı, kendi kaskatılığı içinde kolalanmıştı sanki. Maymuncukla pencereyi açtı, perdeyi düzeltti ve vasistası açıp biraz havalandırdı ortalığı. "Bu sizin dışarı çıkmanızı engellememeli, dedi. Tersine." Ansızın duvar oyununa başladı yeniden: *Yeni bir şey?* Başımı örttüm, *Sessizlik, sessizlik* diye vurdum, ama elim bir ara verir vermez o vuruşları yeniden duymaya başladım, bu vuruşlar o kadar çabuk, o kadar kırılgan, ama öylesine direngendi ki, kendi vuruşlarımın arkasından bile fark ediyordum onları. *Gezinti* dedim. O zaman duvar dilini değiştirdi, *Bak, bak* sözcüklerini yineledi, belki on kez yineledi bunu ve her sözcük için yaklaşık elli kez vurdu.

Bouxx'un anlamadığı şey, benim yazmaya ihtiyacım olmadığıydı: Olaylar kaydediliyor, kendi kendilerine yazılıyorlardı, sadece ben ortada olduğum için bir öykü oluşturuyorlardı. O zaman her şey son derece açık, son derece çabuk oluyordu ya da tersine her şey çok yavaş oluyordu; her an son yaklaşıyordu, ama son aynı zamanda uzun süre önce gelmişti. Pencereye gittim; ne görülüyordu? Hiç; evlerin yükseldiği yerde belki karanlık bir kütle; ışık yanan tek bir pencere yoktu. Geri dönüp yatağa doğru yürüdüm, ama yatak reddetti beni. Parkeye yattım. Sokağı açık seçik görüyordum. On, belki de yirmi ev kapalıydı, bazıları ıstırap içeri girmiş olduğu için, bazıları da insanların ıstırabın içeri girmesine izin vermedikleri için. Ve sürekli gelip geçenler, sıralanmış, dizi dizi evler, kaldırımlar; birçok pencerede çiçekler bile görmüştüm. İnsanlar rastlaşmaya devam ediyorlardı, birbirlerini görmeden yürüyorlardı, ama her şeyi görüyorlardı bir yandan da: En küçük bir kuşkulu harekette, bandajlı bir bacak ya da bir kol şeridi gördüklerinde uzaklaşıyorlardı. Döşemede öyle kalamazdım. Yürüseydim, işitecekti beni, biliyordum bunu. Yarı karanlık içinde, başınızın dönmesi için eşyaların çevresinde on kez dönmeniz yeterliydi, gündüz, kırk kez, elli kez dönmeniz ve üstelik baş dönmesini düşünmeniz gerekirdi. Kendimi rahatlatmaya çalıştım. Yarı uykulu bir haldeydim ve fare tıkırtıları rahatsız ediyordu beni. Aslında vuruş değildi bunlar, bir sürtünme, bir kanat çırpmasıydı; gece, mücadeleden yorgun düştüğünden, yumruğunu duvarda dolaştırmakla yetinecekti. *Ne?* diye sordum. *Duydunuz mu?* Ne duyabilirdi? Evdeki ateşlileri mi? Sayıklıyorlar ve bağırıyorlardı; yaraları olanlar pansuman sırasında, yani saat dokuza doğru ve beşe doğru bağırıyorlardı. Ama onun, neredeyse her gece yakın semtlerden gelen iniltiler, korkunç çığlıklar duyduğu oluyordu. Üç gün önce, bir gezinti sırasında, yasaklanmış bir binanın önünden geçtiğimiz sırada bir pencere açılmış ve bir kadın üç kez "Ölüm" diye bağırmıştı; küçük bir evdi burası ve evde başka kiracı olmadığı kesindi; ses tonu o kadar şaşırtıcı gelmişti ki, ne hakaret, ne nefretti, basit, yansız, boyun eğmiş bir sesti, bu kadın sanki kendi kendisini ölmeye davet etmişti. 'Ölüm, ölüm, ölüm,' duvar şimdi aynı gizli ve anlamsız üslubuyla bu çığlığı yineliyordu. Sopayla yeni bir vuruşa kadar sürdü bu, sonra durdu. Sesleri saymaya çalıştım: evin içinde hiçbir ses, ne öksürük, ne kapı, ne su. Sessizlik. Homurtu her şeyi susmaya zorladığında, bir trenin sessizliğini andıran sessizlik, ama burada homurtu aramak boştu ve dışarıdan sadece daha yaygın, fark edilmesi daha zor bir sessizlik geliyordu. En yakın sokağın nereden geçtiğini hatırlamaya çalıştım: kafamın arkasında. Sağda boş araziler, solda sokak, meydan, sonra cadde. Uzaklardan belli belirsiz bir kamyon sesi geliyordu belki. Tekrar doğruldum, yeniden tıkırdamaya başlıyordu. *Çukur. – Ne? – Orada çalışıyorlar. – Susun.* Sık sık düzenleme çalışmalarından gelen gürültüler olduğunu iddia ettiği boş arazilerin bulunduğu tarafta olmalıydı bu, ama beni şaşırtan sadece sessizliğinin türünün aynı olmasıydı: sonuçta belki hafif bir tepinmeden başka bir şey değildi bu. Araba sesleri işitmiş olmalıydı. Uzaklarda kamyonlar, ağır kamyonlar ya da uzun bir kamyon kuyruğu yol alıyordu kesinlikle. Ses sürekli değildi, yaklaşıyor, uzaklaşıyor, kayboluyordu; zaman zaman sanki bir araba duruyor, sonra tekrar hareket ediyor, yine duruyordu, bu arada bazıları da ileri fırlıyordu. Çöpler, süprüntüler gibi. O anda bina içinde kapıların açıldığını sandım. Başımın üstünde biri yataktan atladı. Hastalar tekrar öksürmeye ve inlemeye başladılar. Şimdi artık kesindi, bir kamyon sokağa girmişti, homurtusu yaklaşıyor, duvarlarımızı titretiyordu, sonra birden kesildi ses. Pencereden hiçbir şey görmüyordum, giriş kapısı açılmadı. Birtakım kayma sesleri, ayak sesleri duyuyordum, sokak tarafında insanlar dikkatle çalışıyorlardı, eşyalar taşıyorlar, kaydırıyorlardı onları. Artık daha fazla ses işitmemek için tabureye oturdum. Ve gerçekten sessizlik kısa sürede geri döndü, ama ortaya çıkar çıkmaz da kesildi tekrar, her tarafa yayılan, bütün kenti kaplayan korkunç bir uğultuya bıraktı yerini: Hızla bize doğru yaklaştığını duyuyordum, beni sarıp sarmalıyordu, vuruyordu bana, bunun yağmur, fırtına yağmuru olduğundan emindim, ama öylesine canlı, öylesine uyarı ve tehdit yüklüydü ki, beni bir an rahat bırakmıyor, sürekli takip ediyor, deliye döndürüyordu. Tekrar yattığımda ses yine kesilmişti, yağmur hafif hafif atıştırıyordu. Dorte konvoyun sesini duyup duymadığımı sordu. *Hangi konvoy?* Sorusunu usulca yineledi sonra sustu.

Apse gitgide daha fazla canımı yakıyordu. Ve gitgide bir bandaj görünümü ve duyarsızlığı kazanıyordu. Gezinti sırasında koşan bir adam gördüm; adam bir yan sokaktan çıkmış cadde boyunca gidiyordu; bir örtüye sarınmıştı; onu durdurmak isteyen kimse yoktu. Sokağın köşesinde düştü; oradan geçmekte olan iki ya da üç kişi yardım etmek istediler ona; ama adam yaklaşmalarına izin verdikten sonra iniltiler çıkararak üstlerine saldırmıştı. Sadece Bouxx'un kâğıtlarına bakarak felaketi seziyordum: apsenin dibinde ucu açıkta çivi gibi bir şey vardı ve okuduğumda bu çivi gömülüyordu, biraz daha okuduğumda bir burgu oluyordu. Yine de okumak için çaba gösteriyordum. Sayfalar, sayfalar, raporlar, kibirli çılgınlıklar yığını. Bütün bu açıklamaları niye gönderiyordu bana? Benim duygularımı öğrenmek için mi? Beni yazmaya teşvik etmek için mi? Beni daha fazla yakmak için mi? Hissediyordum bunu, daha fazla süremezdi: yanma beni rahatsız etmeye devam etseydi, benim de koşmam gerekecekti; nereye olursa olsun gidecektim; ırmağa atacaktım kendimi. Bu yanma bütün bedenimi dolaşıyordu, parmaklarımın ucunda, ensemde buluyordum onu, kurutuyordu beni, ama gerçek amacı bu değildi, onun istediği gözlere ulaşmak, bakışımı etkilemekti, bakışımı öylesine acı ve yıkıcı kılıyordu ki, göz kapaklarımı ne indirebiliyor ne kaldırabiliyordum ve o ateş okuyordu. Bouxx'un bir öğretmen gibi düzenli ve biçimli yazısıyla yazdığı sözcükleri, tek bir işareti kaçırmadan, neşeli bir dikkatle okuyordu: "Aşağılanmış bir insanım. Bu, birisinin beni aşağıladığı anlamına gelmez. Hayır bir hakarete uğradım. Kim olursa olsun yaralıyor beni, herkes saldırıyor bana ve eğer şiddete başvurursam, şiddet uyguladığım kişi zorunlu olarak en fazla haksız olandır. Sorumlu aramıyorum ben. Kimileri, kimilerine göre daha fazla suçlu, ama herkes çok suçlu. Kurumları, insanları, yasaları ayırmanın bir önemi yok. Bir idareyi yıkmak, boş ve anlamsız bir eylem; ama bir halk adamının onurunu kırmak onu benim ebedi müttefikim yapar." Bu sözcüklerin bir nevi benim tarafımdan yazılmış sözcükler olduğunu biliyordum, onları okuyor ve utanç verici buluyordum, ama anlıyor, onaylıyordum; bu nedenle beni okumaya zorluyordu. Başka bir sayfada istatistikler vardı: dört yeni merkez; boşaltılmış yirmi bir yeni bina, elli yedi binaya giriş çıkış yasaklanmıştı, kırk üçü, şüpheli vaka dolayısıyla, on dördü kiracıların bulaşıcı hastalığa yakalanmış olanlarla ilişki kurmalarından dolayı. Bu rakamların amacı neydi? Beni korkutmak için mi gösteriyordu bunları? Onları tartışmasız kılmak, onları bana kalan tek otorite gibi kabul ettirmek için mi? Beni niçin bu öldürücü gezintilere sürüklediklerini anlıyordum: kapalı evleri, bekçileri, yönetmeliğe uygun engelleriyle görmeliydim; bütün bu semt, her adımda havayı zehirleyen ve yaşamı alt üst eden uğursuz bir yangının etkisinde kalmış gibi gözükmeliydi bana. Sokaklarda gelip geçen insanlar vardı hiç kuşkusuz, ama yine de tenhaydı ortalık, yasal olarak yasaklanmış bir bölge gibi boş bir alan, gelip geçenlerin hiçbir zaman gerçek bir nüfus oluşturamayacakları bir bölge. Bütün bunlar bakışımın onları meşru kılması, salgının, ölüm önlemlerine izin vermesinin resmiyet kazanması, olayların, artık sokaklara girmenin çamura, pis suların yalnızlığına girmekle eş anlamlı olduğu biçiminde değişmesiydi. Kâğıtları bir kenara attım, içmek istiyordum, herhangi bir sıvı olabilirdi bu, mikrop öldürücü bile olabilirdi. Bardakta da yağlı lekeler vardı, parmaklarım her tarafta, örtülerde, duvarda iz bırakıyordu. Ateş yüzünden belki; bedenimden bir tür yağ çıkıyordu sanki; bacağıma baktığımda, dokunmaya cesaret edemiyordum, taşa benziyordu, derisi tiksindirici bir solukluktaydı, deri üstünde müthiş bir baskı vardı sanki ve bu tuhaf baskı dönüşüyor, bana bir anı kadar, bütün geçmişin anısı kadar ağır bir baskı yapıyordu. Ve hatta bakmak... Hissediyordum onu, bakmak çok fazla geliyordu, bakışım yaraya asit döküyor, onu kendi içine sokuyordu. Bu acaba havanın ya da güneşin etkisi miydi? Güneş görüşü zorlaştırmıştı; yaranın acı vermesi yeterli değildi artık, yine görmek gerekiyordu onu, bütün odayı işgal ediyordu, beni kendimden dışarı doğru çekiyordu, bütün oda canımı acıtıyordu, acıtmaktan da öte artık tahammül edilemeyen bir şey beni kaldırıyor, coşturuyordu. *Hasta mısınız?* Ama duvar cevap vermemeyi sürdürüyordu; sadece Dorte'un damgası, varlığının kanıtı, ateş ve terinin etkisinin sonucu gibi biçimsiz büyük leke konuşuyordu; evet gerçek olan şuydu ki, daha büyük gözüküyordu, pul pul genişliyordu; oraya koşup elimi sürdüm, yine vurdum, uyumadığını biliyordum. Keyfi bilirdi. Tekrar yürüdüm. Oda belki çok boştu, duvarlar da çok beyazdı; hem sonra dışarı, çok doğrudan bakıyordu; bu yüzden yerimde duramazdım. Dinlenmek için, göz atabileceğim gravürler istemiştim ve bana vermeye razı olduğu tek şey sadece bir fotoğraftı; yirmi kadar insanla birlikte kendisi ve Dorte görülüyordu bu fotoğrafta ve tuhaf bir görüntü arz ediyordu fotoğraf, komedi gibi bir şeydi, ama korkunç gerçekti aynı zamanda. Sadece Bouxx'un tanınması mümkündü: ne daha genç ne de farklı gözüküyordu ve bu nedenle o, bildiğim ölçülerin dışında bambaşka biri haline getiren giysiler içinde fantastik, inanılmaz biri, neredeyse bir kahraman gibiydi. İki sıra halinde sıkışmış olan ötekiler tutuklulara ya da hastalara veya aynı büroda çalışan memurlara benziyorlardı, ama hepsinin yüzü aynı biçimde soluktu, ölü yüzü gibiydi yüzleri, eğri büğrüydü sanki. Dorte sol tarafta, hemen Bouxx'un arkasındaki yüz olabilirdi. *Dorte?* Ne yapıyordu? O odadan hiç ses gelmiyordu, öksürmüyordu artık, arada bir inliyordu. Ben şimdi onun bağırıp çağırmasını ya da sadece konuşmasını isterdim. O odada neredeyse hiç konuşulmuyordu, en azından ben bir konuşma işitmiyordum ve hemşire alelacele uğrayıp gidiyordu. Ona bir şey mi oldu acaba, diye düşününce çaresiz hissettim kendimi, sanki bütün binada tek hakikat onun varlığıydı. Lekesine, akıllıca işaretler serpiştirdiği duvarına baktım. Kâğıtların içinden, sokaklarda her tarafa asılmış olan ve onun için zırıltıdan başka bir şey olmayan afişleri aldım. Duvara yaydım onları. *Girilmesi yasak olan bütün binalar dışarıyla teması sağlamakla görevli iki ya da üç nöbetçinin gözetimi altındadır. Tıbbi otoritenin şüpheli vakalar saptayacağı her binaya sekiz gün süreyle giriş çıkış yasaklanacaktır. Hastalığın seyri bulaşıcılık özelliği gösterdiği takdir-*

de bina derhal boşaltılacaktır. Bulaşıcı hastalık kapmayanlar da, boşaltma kararından etkilenen bir binada oturmuş olduklarından sekiz gün süreyle bir Merkezde gözetim altında tutulacaklardır. Bu binanın sakinlerine kesinlikle dışarı çıkış izni verilmeyecektir. Daha önceki yasal önlemler yeni bir bildiriye kadar askıya alınmıştır. Alt taraftaki koridorlardan koşuşturma sesleri geldi. Okuma etkinliğime bağlı olduğunu hissettiğim tuhaf bir kalp sıkışması duyuyordum, ama bunun biçimini anlayabilmem mümkün değildi. Açılamayan pencerenin yanına gittim; havasızdı ortam; diz çöktüm ve aralıklardan biraz dışarının havasını teneffüs ettim. Bahçenin öbür tarafında, tam karşıda boş gibi gözüken bir yatağın beyaz kitlesini fark ediyordum. Bununla birlikte bir süre sonra, bir gölge, kalınca bir şey gelip camın kalınlığına eklendi. Bir işaret yaptım ona. Gölge hareketsizdi. Çok kısa olduğunu fark edince bunun yatağın üstünde diz çökmüş bir adam ya da belki bir çocuk olabileceğini düşünüyordum, ama geniş, neredeyse biçimsizdi. Pencere camını kalınlaştıran yapışkan maddeyi temizledim; bir kâğıt aldım ve tırnağımla kazıdıktan sonra cama hafif bir saydamlık kazandırmayı başardım. Kişi hiç hareket etmiyordu, beni gördüğü ve incelediği kesindi. İşaret ederek, onun da camı silmesini istedim. Ansızın olağanüstü biçimde hareketlenen karşımdaki pencerenin tüm genişliğini kaplayarak hızlı hızlı kalkmaya, eğilmeye başladı. Eğiliyor sonra tekrar kalkıyordu; bir an gölgesi müthiş uzadı ve pencerenin üstüne kadar çıktı; daha sonra tekrar o tuhaf dansına başladı. Bu manzara alt üst etti beni. Bir ürperti kapladı içimi, kendimi yatağa attım. Bu sahnenin bana rağmen gerçekleştiği duygusu, görmüş olduğum şeyin her zaman görülen bir şey olduğu duygusu bedenimde kasılmalara neden oldu, yere düştüm. Ama biraz sonra yine rahatladım: Yere yatmış olmak ve yerin tozunu solumak acayip keyif veriyordu; yavaşça soluk alıyordum; sabırsızlığım tekrar sınırlarına dayanmıştı. Sürünerek pencereye doğru gittim. Birçok yerde ışık yakılmıştı. Bütün bu daireler dispanserin idari bürolarını barındırıyor olmalıydı ve Bouxx'un üçüncü katta, binanın uç tarafındaki odalarda kaldığını düşündüm, çünkü bizim kapatılmış olduğumuz üçüncü blok artık sadece hastalara tahsis edilmişti. Karşıdaki oda karanlıkta kalıyordu. Gece lambası yanıncaya kadar çömelmiş durumda kaldım.

Yüzüme biraz su atarken Bouxx'a mesaj göndermeye karar verdim. Işık o kadar zayıftı ki, zar zor yazabiliyordum: Bu süre içinde buradaki varlığımın alçaltıcılığının ötekilerinkinden ne kadar fazla olduğunu hissettim, çünkü ben okumak, yazmak, düşünmek zorundaydım. Her şeyi anlıyordum. "Kâğıtlarınızı okudum. Benden size akıl vermemi istemediniz, ama ben günlerdir size şunu söylemek istiyorum: çok yazıyorsunuz. Yazılı şeylere karşı aşırı bir güven duyuyorsunuz. Açıklamalarla, cezalarla, raporlarla çok uğraşıyorsunuz. Üstelik, ifadelerinizde izah edemediğim bir muğlaklık var. Bunlar cahilce kaleme alınmış metinler, olup bitenlere iyi uygulanamayan eski öğretileri canlandırmaya yönelik sonradan öğrenilmiş bir dil, öyle ki geçmiş kesinlikle geri gelmiş gibi gözüküyor, ama ele alınan her şeyi hayali kılan karikatüral bir kehaneti andırıyor. Benimle ilgili olarak durum dayanılmaz oluyor. Hastalık her zaman hüzün veren bir şeydir, ama bu kadar alçaltıcı bir hal alırsa kendi kendini olanaksız hale getirir. Olup biten her şeyi anladığımı unuttunuz siz belki. Her şeye nüfuz ediyorum, bunu iyice belleyin; bu nedenle daha fazla duramayacağım artık. Utanıyorum. Bu odada kokuya dayanabilmek iyi kötü mümkün. Ama koridorlara bakın: çürüme, kokuşma, sanki her odada atlar çürüyor. Hava değil buradaki, aşağılayıcı bir şey. Ya sokaklar, rica ediyorum yarın sokaklarda dolaşmaktan esirgeyin beni. Görünüşüm kötü olduğu için ya da kötü koktuğumdan benden kaçan insanlarla karşılaşmaktan korkuyorum artık. Sokaklar bütünüyle ayrışıyorlar. Korku çok büyük. Ve siz hâlâ bazı kasapların hayvan kesmelerine izin veriyorsunuz, öyle mi? Çılgınlık bu. Bakın, artık çamurdan başka bir şey olmayan zavallıları, iyileştirmek için bile olsa aşağılamamanız gerekir. Sizi temin ederim ki, aşağılayarak iyileştirmek hikâyenin en kötü yanıdır. Benim gibi her şeyi anlamak cehennemdir." Yattım ama endişe geri gelmişti. Zıplayan, alçalan o zavallıyı görüyordum. Sırtında bir gömlek olmalıydı. Acı çekiyor muydu? Görüşüm niçin onu kendi dışına çıkarmıştı? Ya da bu daha iğrenç, daha somut bir şey miydi? Yarı uykulu durumda açık seçik silah sesleri duydum. Gece lambası hâlâ yanıyordu. Belli belirsiz duyulan bir silah sesi uzaklarda karanlığı deldi: silah sesi boş alanlardan geliyor olabilirdi. Ama çok daha yakınlardan bir yerden yaylım ateşi sesi geldi, öylesine güçlüydü ki, ses bütün çevreyi sarmış gibi geldi bana ve hatta arka taraftaki duvar sıvasının dağıldığını sandım. Nihayet otoritelerin uyandıklarını düşündüm. Kalkmak, gidip görmek, bağırmak, kapıya vurmak isterdim, ama kalkmadım. Sabahleyin çok kötü hissettim kendimi yine. Elimi, ceketimi kokluyordum. Karşı tarafta küçük bir beyazlık parlıyordu ve sanki gözlerim uyandığımdan beri o parlaklığın üstündeydi: bu parlaklık duvarın üstündeydi, ama leke gibi değildi, oynuyordu, hatta duvardan ayrılıp havada biçimleniyordu; sonunda büyük bir dikkatle inceledim onu. Biraz sonra yan taraftan bir ses geldi kulağıma. Sonra biri çıktı dışarı. Girişe doğru koştum, bir delikten görmeye çalıştım. Tekrar yattım, beyaz işaretin tehlikeli yanı ortaya çıktı yavaş yavaş; ışıktaki kesiciliğin ne olduğunu hissettiriyordu bana, şimdi beni ezecek ve daha önce yaşadığım olayı yeniden yaşamak zorunda bırakacak bir diş, bayağı müstehcen bir parçaydı. O zaman uyuşukluğumdan kurtuldum, bu işaretin, güneş ışığı giren penceredeki sıvı maddenin üstündeki açıklığa denk düştüğünü anlamıştım; duvar uğulduyordu sanki. *Dorte?* Cevap olarak olağanüstü hafif bir ses, bir damla sesi, daha sonra bir damla sesi daha. – *Hasta* mısınız? *Korku*ttunuz beni! Su sesi kesildi. Duvarda tekrar yerini aldığını düşünüyordum. *Cevap verin.* Bir rezervuar dolmayı bekliyordu sanki: Tek bir damla için saatlerce beklemek gerekiyordu, bu iki damla için günlerden beri muhafaza ettiği sessizlik gerekmişti. Birden vuruşlar biraz düzensiz, ama belirgin bir biçimde tekrar başlamıştı.

Felç. – Bouxx muydu? Ama yine sessizlik çöktü. İkimiz de hemşirenin ayak seslerini duyuyorduk. Hemşire bir kahve kavanozu ve su kabıyla girdi içeri. Dışarıdan içeri soktuğu koku öylesine derin, öylesine etkileyiciydi ki, bana kötü bir ecza ürünü tadındaki sıvısından içirme teklifi bir anlamsızlık, bir meydan okumaydı. Ben içmeyeceğimi işaret ederken, kabı almak için uzattığı elleri önümde yayılıp, açıldılar; bu ellerin büyüklüğü, sertliği çok şaşırttı beni, başka türlü bir havaları vardı: Hangi işle meşguldü bu eller? Bunu düşünmemek daha iyiydi. Eller kabı aldı, gözlerimin önünde hafifçe yükseldi, sanki o ana kadar bir kılıf içinde tutulmuşlardı ve bir daha görülemeyecek bir halde kendilerini göstermek üzere mahsus çıkmışlardı. Her zaman eldiven taktığını işte o zaman anladım; ellerini belki ilk kez çıplak görüyordum. Uzaklaştı, vasistasları açtı. Hemen arkamda olduğunu belli belirsiz hissedebiliyordum. "Beni niçin tedavi etmiyorlar? Ayağım yanıyor. – Kompres yapabilirim size. – Vız gelir sizin kompresleriniz bana. Canım yanıyor. Bunun ne anlama geldiğini bilebiliyor musunuz, canı yanmak, canı yanmak! Sürekli yüreğim yanıyor." Sanıyorum yüzüme kreozot kokulu biraz su serpti. Yatağı düzeltti. "Nasıl dayanıyorsunuz bu kokulara?" Ama bana hiç bakmadan hareket etmeye devam ediyor, ne iyi, ne sert, anlamsız bakışlarla süzüyordu nesneleri, soğuk bir görünüm içindeydi ve çevresinde de gizli bir koku uçuşuyordu. "Niçin bu mesleği icra ediyorsunuz? Niçin kaçıp gitmiyorsunuz?" Belki, dedi omuzlarını kaldırarak. Döndü, yemek kaplarını topladı. "Size kahve bırakmamı istemiyor musunuz?" Yüzüne baktım, istemediğim anlamında bir işaret yaptım, ama kapı kapanırken bağırdım ve çağırdım onu. "Orada kim kalıyor, karşı odada? – Nerede? – Avlunun öbür tarafında." Yatakta diz çöktüm. Pencereye doğru gitti ve uzun uzun dışarı baktı. Yarı eğilmiş haldeydi, kocaman ayakkabıları ayaklarının yarısını kaplamıştı neredeyse: bir tür çizmeydi ayaklarındaki, batıdaki madenlerde çalışan işçilerin ayaklarında görülürdü bu çizmeler. "Köpek odası orası, dedi dönerek. – Köpek! Ne işleri var orada köpeklerin? Deney için mi?" Bir hareket yapar gibi oldu. Yerimden kalkıp pencereye koşmak için gitmesini beklemek çok zor geldi. Camın arkasında bir yatağı andıran aynı beyaz kitle uzanıyordu, odayı bütün genişliğiyle kaplıyordu. İspanyolete ya da belki bir iskemleye bir çamaşır asılmıştı. Oda boş gibiydi. Bütün hayvanların öldürülmeleri için emir verildiğini biliyordum ve sokaklarda dolaşanlar da izlenmiş ve yok edilmişlerdi. Ama birkaç gün önce ilk gezintilerimizden birinde, caddenin ortasında, yolu tamamiyle işgal etmiş insanların tasmalarından tuttuğu kırk kadar iri köpek görmüştük. Kırkılmış, kadın teninin karikatürünü andıran beyaz ve hastalıklı derileri gözüken dev gibi hayvanlardı bunlar. Havlamadan, hatta homurdanmadan sahiplerinin yürüyüşüne uyarak yürüyor, müthiş bir gürültü çıkarıyorlardı. Kendilerine yol açmak için kaldırıma çıkan sağ ve sol taraflarındaki insanlarla hiç ilgilenmiyorlardı. Belki görmüyorlardı bile onları, kör gibi gidiyorlardı, kısa bir gezinti yapıp daha sonra kulübelerine dönmek üzere toplanmışlardı sanki ve iğrenç apseler gibiydiler. Hiç kuşkusuz dayanmak zor olmuştu buna, koku bile başka bir koku olmuştu, çok özel, insanın içine işleyen bir kokuydu, ağır ve çok tatlı bir şey birden boğucu bir yoğunluk kazanmıştı sanki. O an müthiş bir tiksinti duymuştum ve şimdi tiksinti karşıda, benimkine benzer bir odadaydı. Gözlerimi odaya ve avluya dikerek bekledim. Bu köpeklerin havladıklarını duyarsam, katlanamazdım buna, çok kötü şeyler olurdu, diye düşündüm. Gün ışığında camda çizmiş olduğum üç parmağı uzun uzun inceleyince bunun bir yazıya benzediğini ve sanki bu aralıktan gördüğüm her şeye aynı adı verdiğini anladım.

Neredeyse hiç kullanılmamış iki bina arkalarında, sokağın üstünde hareketsiz bir kitle, hiçbir yere gitmek istemeyen bir tür iç karartıcı kalabalık oluşturan siyah bir duman bırakıyorlardı. İnsanlar bu dumana bakıyorlardı ve eğer onları saymış olsaydım belki yirmi, belki otuz olurdu sayıları, ama birbirlerinden ayrı kalmaya dikkat ederek gerçek bir topluluk oluşturmuyorlardı, birbirlerinin arasındaki mesafe bir koridor genişliğindeydi ve kimileri, yüzlerini bir bezle saklayarak bütünüyle kaybolmak istiyorlardı. Arkada kaldığını hissettim, yapmaması gerekirdi bunu. Özellikle yanmış olan iki eve değil, dosdoğru önüne bakıyordu. İlk evler, içlerinde hâlâ insanlar bulunmasına rağmen en ölü evlerdi, pencereler kapalı, balkonlar bomboştu; birçok pencereye kumaş parçaları ya da kâğıt gerilmişti, en küçük bir boşluk bile kapatılmak isteniyordu sanki. Panjurlu evlerde panjurlar indirilmişti. Bekçiler yanan devasa binaların ötesinden bizi seyrediyorlardı, biri küçük kaba bir barakanın eşiğinde ayakta duruyordu, ötekiler ellerinde coplar sokaktaydılar. Daha ileride bütün evler işaretlenmişti ve sokağı ıssızlaştırıyorlardı. Birkaç kişinin konuştuğunu fark ettim ve bundan daha tuhaf bir şey olamazdı, çünkü birbirlerine bakmadan, birbirlerine yaklaşmadan, birbirlerinden sonsuzca uzakta kalarak konuşuyorlardı, sanki sözcükler yansız bir varlığın tamamlayıcısından başka bir şey değildi, öyle ki bu ses Dorte'un duvara vuruşunu andırıyordu. Dorte'un da benzer şeyler söylediğini hatırlıyordum. Evleri yakan insanlar karşı binanın kiracılarıydı büyük olasılıkla; oldukça büyük bir binaydı bu ve giriş katında bir konfeksiyon mağazası vardı. Sadece sokakla ayrıldıkları bu pencerelerin arkasında hastalığın kuluçkada olduğuna inanmış olmalıydılar ve düzenli bir tahliyeyi bekleyecekleri yerde birçok petrol bidonunu atmışlar ve komşularını bir anda kor yığınına dönüştürmüşlerdi. "Bu kulübelerin hepsini yakmak gerekir, dedi biri alçak sesle. – Evet, bunların hepsini ateşe vermeliyiz." Ve hep birden bu sözleri yinelemeye başladılar alçak sesle. Ateşin parlak bir görünüm kazandırdığı, küller içinde kuluçkaya yatmış bir slogan, ölü sözlerdi bunlar sanki. Duman kokusu, bize doğru esen acı buğular serinlik veriyor ve bizi hastalığın soluğundan koruyorlar, gökyüzünün altındaki en arı şey haline getiriyorlardı. Bekçiler uzaklaşmamızı işaret ettiler. Birçok insan anında uzaklaştı oradan. Koltuğunun altında silahıyla bir bekçi yaklaştı. Söylentiye göre o gece, kaçmak isteyen yasaklı kiracıların evlerinden çıkmalarını engelleyerek düzeni sağlayan oymuş. Ama herkes, çoğunun, yaylım ateşine rağmen kurtulduğunu ve çevrede dolaştığını düşünüyordu.

Bekçi on metre kadar uzağımızda durdu ve bize seslendi. O anda baktığı şeyin, sokak levhası, Batı Sokağı levhası olduğunu fark ettim; bu levhanın üstünde bir siyah, bir de beyaz daire vardı, bunlar sokakta, boşaltılmış ve giriş çıkışı yasaklanmış evler olduğunu gösteriyordu. Kırmızıya boyanmış sıvanın üstünde sessizlik sözcüğü. Yalnız kaldığımızı fark etmiş olmalıydı, ama kulaklarımda bir şüphe gibi çınlayan ve buralarda oyalanmamızın nedeninin hastalık bulaşmış bu pis evlerden birine ait olduğumuzu belirten bekçinin sesine dikkat etmedi. Caddede hemen her ağaca bir afiş yapıştırılmıştı, ama hemen her afiş de yırtılmıştı; ıslak ve kirli büyük kâğıt parçaları sarkıyordu ağaçlardan. Ama biri sağlam kalmıştı bu afişlerden; küçük olmasına rağmen uzaktan seçebiliyordum onu, çünkü resmi nitelikte olduğunu belirten renkli çizgi diyagonal bir biçimde kaplamıştı afişi. Çok yeniydi belki, ama yanından geçenlerden hiç kimse okuma amacıyla yanaşmıyordu bu afişe. *Çamaşırhane Sokağı bekçilerine. Giriş çıkışın yasaklandığı ikisi dışında bütün evlerin boşaltıldığı Çamaşırhane Sokağında başka birçok evle de ilgilenen bu iki evin bekçileri mühürlenmiş boş evleri yağmalamakla kalmamış içinde insan bulunan evlerin kiracılarını da soymuş ve öldürmüşlerdir onları. Bir teftiş sırasında, biri tabancayla öldürülmüş, öbürü boğazına tıkılan bir bezle boğulmuş iki kadın cesedi bu-*

lunmuştur. Oysa muayeneden sonra bu iki kadının korkunç bir bulaşıcı hastalığa yakalanmış oldukları anlaşılmıştır, öyle ki onlara yaklaşan herkes bulaşıcı hastalığa yakalanma tehlikesiyle karşı karşıya kalmıştır. "Ne yapıyorsunuz? dedi. Gelin!" Son satırlarda bekçiler karşı karşıya oldukları ve bir an önce dispansere gitmediklerinden halkı karşı karşıya bıraktıkları tehlikelere karşı uyarılmışlardı. Sokakta konuşmamı istemediğini biliyordum. Dolayısıyla arkasında, oldukça uzaktan izliyordum onu, öyle ki her adımda ayağımdaki ağrının artabileceğini ve şiddetli bir spazma neden olabileceğini düşünüyordum. Tam eski kapıcı dairesinin önüne geldiğimde büyük bir şaşkınlık içine düşmekten kurtaramadım kendimi. Beni küçük bir odaya götürdüler; orada, bir küvetten pamuk tamponlar ve kirli bez parçaları çıkarıp bunları bir kovaya atan beyaz gömlekli bir çocuk gördüm.

Bu çocuk, pamuğu andıran görünümü içinde parmaklarını göz kapaklarıma daldırdı, sonra çekildi. Kızı yanımda, ayakta görüyordum, kollarını, dirseklerine kadar yağmurluğunun ceplerine sokmuştu ve çocuk, öbür tarafta elleriyle işaretler yapıyordu ve bazen de hızla ağzına götürüyordu ellerini. Birçok kez bakır gibi bir sesle, gururlu ve kesin bir üslupla hapishane sözcüğünü yineledi ve kız bu sözcüğü dudaklarından izliyor, ona görülür, parlak bir biçime sahipmiş gibi bakıyordu, onu biraz önce sokaktaki insanlarla ilgili ateş sözcüğü kadar parlak görüyordu. "Hapishane boşaltılacak, dedi ansızın gök gürültüsünü andıran bir sesle. Aciliyet kazanmıştır bu durum. Bütün ülkede ondan daha sağlıklı bir bina yok. – Evet," diye yanıtladı kız boğuk bir sesle. Yüzünün ne kadar görünür olduğunu o zaman fark ettim: Boynu bile çıkıyordu yağmurluğundan ve başına doğru o kadar tuhaf, o kadar belirgin bir hareketle yükseliyordu ki, kendisinin de kendini çok fazla gösterdiği ve buraya olup bitenleri yoklamak için geldiği izlenimi içinde olduğu açıktı. Sürekli önüne bakarak yağmurluğuna meydan okudu, sonra bir şey durdurdu onu ve tersine, kemerinin tokasını sıkarak iyice sarındı. "Örgütümüzde çok önemli bir dönem," diye bağırıyordu çocuk. Önümden geçti ve masanın üstündeki bir defteri aldı, küçük, koçanlı sicil defteri gibi bir şeydi bu; kız yavaşça dönerek bakışlarıyla izledi onu, ama o sinirli bir sesle şöyle konuştu: "Bakın," ve kiz yaklaşmak için öylesine sert bir hareket yaptı ki ben geri attım kendimi. Sıkıntıyla baktı çocuk bana. "Ah, dedi, on dört beklenmedik giriş oldu; geçici olarak küçük salona yerleştirildiler" ve duvardaki planda bir noktayı göstermek için eğildi. Kız raflardan birinden küçük bir şişe aldı. "Bu mu?" diye sordu. Bana uzattığı şişeden hafif bir nane alkolü kokusu çıkıyordu. Bacağımdan şikâyet ettim. O da üstünde çok sayıda küçük bayrağın bulunduğu plana bakıyordu. "Ya odası?" Her ikisi de duvara dönmüştü. Acı acı bacağımdan yakındım. "Gerçekten ağrıyor mu? Gösterin bana." Çocuk kırmızı bir şişe ve bir pamuk tampon aldı eline, şişedeki sıvının neredeyse tamamını boşalttı ve giysilerime ya da yere küçük bir damla bile düşmesini ustaca engelledi. Kız acayip bir tavır içinde inceliyordu onu. Ateş hızla karna ve göğüse sirayet etti, yanmanın altından verdiği kötülüğü hissediyordum: ağrıya katlanabiliyordum, ama şişeden dökülen ve beni mahsus canlandıran o düşmanlığa katlanamıyordum. Mücadele ettim. Dökmeye devam ediyordu. "Yeter mi?" dedi baldırıma koyduğu pansumanı bastırarak; bense tepki göstermek istiyordum bu pansumana karşı, herkesin gözünün önünde serbest olduğumu ve acının tehlikeli biçimde benimle birlikte kapalı kalmış olmadığını göstermek istiyordum. "İyileşirsin!" dedi hafifçe omzuma vurarak. Gözlerimi ona diktim ve birden sokakta, kendisine dokunmaya cesaret edemeyen insanların arasında koşan gömlekli adam Bouxx'un fotoğrafından çıkmış gibi geldi bana: aynı kaba, frenlenmesi olanaksız aynı sinirli haliyle tıpatıp o çocuklardan biriydi; belli bir anda acı onu yatağından sıçratmış ve yalınayak, kaptığı bir örtüyle dışarı atmıştı; yalınayaktı, ama sol ayağında bandaj olduğunu fark etmiştim, bandaj bileğini kaplıyor, iyice sarıyor, bacak çevresinde dolanıyordu. "Gözetim altına alınanlarla ilgilenilecek," dedi beni kapıya kadar geçirirken. Kapıya doğru itiyordu beni, ama ben sürekli ona bakıyordum: Boynunda çok şişmiş ve hafif nemli bir dizi boğum vardı; göz kapakları, kenarlarda kırmızıydı ve benden daha genç, daha hastalıklı, olağanüstü ufak tefek biriydi! Ciddi bir ses tonuyla bir kez daha bağırdı ona doğru: "Jeanne, on dörtler, unutmayın onları!" Jeanne omzumun üstünden gülümsedi ona.

Benim odama birçok hasta getirileceğini sanmıştım. Seslerden anlaşıldığı kadarıyla bir yerden bir yere taşınma işi hiç durmuyordu. Dorte'un odasına getirdiler bir bölümünü. Çoğunu Bouxx'un eski dairesine yerleştirmek zorunda kaldılar. Kat çok gürültülü bir yer oldu ve buradaki koku öylesine güçlüydü ki, benim odanın girişine kadar ulaşıyordu. Akşama doğru bu şamata kesildi. Ama biraz sonra yeni gelenler oldu, bunların sayısı yirmi, otuz belki de daha fazlaydı: geçici olarak yerleştirildikleri avluda on beşten fazla kişi saydım, bazıları yatmış, bazıları çömelmiş, bazıları da ayaktaydı. Bu on beş kişiyi başkaları izledi, seslerini duyuyordum, ne olduğunu tam olarak kestiremediğim sürünen ve düşmanca bir şeylerden, uzaklardan tanıyordum onları: Özellikle hasta değildiler sanki, güçlü, şen şakrak insanlardı bunlar. Ama sokakta, avluda, koridorlarda ne zaman tepinmeler başlasa hastalığın yükseldiğini, yanmamın şiddetlendiğini hissediyordum ve her rahatlamada yeniden doğan ağrıyı kesme umudu daha derin sığınaklardan çıkmış, daha karanlık bir acıyla sürüklenip gidiyordu. Nereden geliyordu bunlar? Büyük bir özenle korunan bu evlerin tümü sanki dışarısıyla yeniden ilişki kurmuşlardı, sanki mendirekler yıkılmış, sular akmaya başlamıştı ve şimdi sakin ve yalnız, akıp gidiyorlardı. Durum kötüydü, hiç kuşku yoktu buna. Hastalar, girişlere, koridorlara, kapı önlerine, benim kapımın önüne yığılmışlardı, hatta zaman zaman, duvardan geçen ve gitgide yaklaşan solukları, homurdanmaları ve özellikle sanki birbirlerine bağlanmış gibi parkenin üstünde dönme biçimleriyle odamın içinde görür gibi oluyordum onları, sanki her an alan kazanıyor ve en küçük boş alanı doldurmak istiyorlardı. Kız oldukça geç geldi. Işık yoktu ve ben onun tam önümde, ayakta, kendi anlamsız ışığıyla aydınlanmış yüzüyle böyle nasıl durduğunu anlamıyordum, bir yandan da elime doğru göremediğim bir şey uzatıyordu. Elindeki feneri indirdi ve ben bardağı alıp, kenara koydum, baktım. "İçsenize, dedi, acelem var." Yüzüne baktım, solgundu. "Bu odaya hasta getirilecek mi? – Hayır." Sıvıyı içtim ve bardağı geri verdim. Bardağı alırken elimi eldivenine koydum ve feneri yavaşça yüzünün yukarısına doğru kaldırdım; engellemedi beni, yüzü parladı, daha gri bir renk aldı, çimento grisi rengini aldı. "Ne oluyor? Çok kötü değil mi?" Biraz geriledi, belki beni daha iyi görmek için yaptı bu hareketi, ama geri çekilirken sakınmak istediği bir şey kımıltısız çizgilerine kondu, bu çizgileri daha kımıltısız, benim kendi korkuma denk düşen bir şey haline getirdi. "Çok kötü!" dedim ve biliyordum ki gözlerimdeki korku herhangi bir korkudan daha boş, daha kısırdı, aynı zamanda daha da aşağılayıcıydı. Kız başını salladı. "Bu insanlar nereden geliyorlar böyle? – Şşşt, susun." Kuru sesiyle şşşt, dedi bir kez daha. "Nereden geliyorlar? Bunlar ağır hastalar mı ki? – Hayır. – Peki niçin buraya getirdiler bunları? – Hiç bilmiyorum. Ayağınız peki?" Ayağımı gölgeye doğru iten o ışık noktasının arkasında onu aradım ve geniş omuzlarına ve çenesinin geniş ve sert alt kısmına doğru bakarken yanmam bir utanç yanmasına dönüştü, sefil ve aşağılayıcı bir şey durumuna geldi. "Evet, dedim, yardımcınız son derece rahat hareket etti yanımda; yeterli bu, iyiyim. Kim bu çocuk? – Öfkeyi boşaltmak gerekir, dedi. – Teşekkür ederim, anlıyorum. Kim bu yardımcı? Daha önce gördüm onu. – Adı Roste, David Roste, dedi soğuk bir tavırla – Roste?" Işık giriş kapısını aydınlattı. Gömleğinin üstüne yağmurluğunu geçirdiğini gördüm. "Yiyecek başka bir şey yok mu? – Hayır, dedi. Size bir sakinleştirici verdim. İyi akşamlar."

Sakinleştiriciye rağmen uyanık kaldım. Çok fazla acı çekmiyordum. Daha fazla acı çekmek isterdim. Şu Roste'u düşündükçe, onun benimle birlikte sislere girdiğini, boş sokaklara daldığını ve korkarak puslu bir ortamda koştuğunu görür gibi oluyordum. O zaman bir yardımcıdan başka bir şey değildi ve şimdi bağırıyordu, sesi gök gürültüsünü andırıyordu. Hapishane sözcüğü onun ağzında özellikle ona özgü bir şey, sadece kendisinin anlayabileceği çok büyük, belirti gibi bir şey oluyordu. Ama söylediklerinden hiçbir şey öğrenmiyordum ben. Hapishaneyi ondan daha iyi tanıyordum ben, idare bürosuna gitmiştim, Kraff diye bir arkadaşım vardı orada ve büyük bir cam bölmenin arkasından yemekhaneyi gösterirdi bana, masaları görürdüm orada, koltuğundan sürekli gözetlediği eski binaları da gösterirdi. Kaç kez gitmiştim oraya? Bir yıl boyunca çok sık gitmiştim, hapishane görmek çok şaşırtmıştı beni. Kraft için iyi bir arpalıktı orası, dört parmağıyla bir bedel ödemişti, ama üzülmüyordu buna. Birgün elini gözlerine kadar kaldırdığını gördüm, uzun uzun, neredeyse aşkla baktım eline ve eksik parmaklardan çok kalanlar yüzünden bu inanılmaz derecede uzun ve zayıf ele, bu düşman ve acımasız işaret parmağına, bu beyaz ip gibi şeye bakmak korkunçtu, ama o gerçek bir selam gönderdikten sonra öpmüştü onu. Kraft'ın mahkûm avlusuna bakan iyi aydınlatılmış, büyük bir odası vardı. Binalar şahaneydi tabii ki, pislik içinde birçok sokağın bulunduğu mahallenin en modern binalarıydı. Biraz uzakta küçük bir çocuk parkı uzanıyordu, uzun ağaçları, gölü, çimenleri ve küçük bir hayvanat bahçesiyle çok güzel bir parktı burası. Hapishaneden gözüküyordu park, manzara şahaneydi. Kraft'ın başına gelen kaza iki, üç yıl önce olmuştu. İdari büroların düzenlenme işi yeni bitmişti ve hapishane alanları boş kalmıştı. Sadece yıkılmamış, ama gelecek yıl yıkılması kararlaştırılan, sonunda idarenin, hücrelerin disiplinle ilgili bazı amaçlara hizmet etmesi nedeniyle yararlanma kararı aldığı eski binalarda kalan elli kadar eski mahkûm vardı. Kraft yeni binayı çok gösterişli bulduğundan eleştiriyordu ve şimdi ben de fark ediyordum bu durumu, bu binaya girerken öteki binalardan farklı bir yere girdiğimi hissediyordum ve bu farklılığın tek nedeni bu binanın konforu, lüksü ve pratik örgütlenmesinin iyi olmasıydı. Kraft acı bir üslupla sanatoryum diyordu buraya. Hapishanede olup biten her şeyden, mahkûmların başına gelen her şeyden haberdardı; günlüğüne yazıyordu bunları. Daha fazla bilgi almak için gardiyanlara para veriyordu; işi sadece kamu hizmetiyle ilintiliydi, ama onun özel bir gözetim görevi üstlenmiş olduğundan kuşkulanılıyordu ve bu casusluk ünü onu hak etme isteği vermişti ona belki. Günlüğü ünlendi. Bütün ziyaretçilerine, meslektaşlarına, hatta büroda çalışanlara bölümler okuyordu bu günlükten. Bana da birçok sayfa okumuştu ve bu kötü mahkûm hikâyelerinin hepsi birbirine benziyordu, ama o yorulmuyordu bu işten ve mahkûmların yaşadıklarının bizim hayal ettiğimizden daha gizli daha olağanüstü şeyler olduğunu söylüyordu. Birçok mahkûmun, mahkûmiyet sürelerini uzatmak için kendilerine ceza verdirdiklerini ve gardiyanların bu durumu bildiklerini iddia ediyordu; gardiyanlar ona göre sadece yeni mahkûmların ve mahkûmiyetlerinin sonuna gelmiş olanların saldırılarından korkarlardı, çünkü yeniler özgürlük isterler, ötekilerse istemezlerdi. Bu Kraft, manyağın tekiydi. Bir mahkûmu daha iyi tanımak ve çevresine sızabilmek için hücresini paylaşabilirdi büyük bir mutlulukla. Aslında durumundan utanıyordu. Geçirdiği kaza değiştirmişti onu. Kapıyla asansör boşluğu arasına sıkıştığında öyle bir çığlık atmıştı ki, bütün belediye binası duymuştu sesini, öte yandan bu çığlık hayatını kurtarmıştı onun, çünkü asansöre bakan görevli çocuk anında kesmişti cereyanı. Şimdi neredeydi, ne yapıyordu? Şu anda elini görüyordum, onu odadaymış gibi çok net görebiliyordum, ama hiç düşünmezdim onu. Ya hapishane? Niçin Roste muzaffer bir edayla söz etmişti oradan? Ne biliyordu bu konuda? Dikkat, dedim kendi kendime, sen kendini yanıltıyorsun, açık seçik görmekten vazgeçebilirsin. Uyumadım. Sakinleştirici çok iyi değildi. Ertesi sabah kalkamadım.

Öğleye doğru hararet ve sıkıntıdan bunalmış durumda giyindim. Bu sabah yirmi yıl kadar uzun olabilirdi, hatta yüzyıllardır aynı olan sabah olabilirdi ve o en kötü günlerin en kötü saatlerini aramaya gitmiş olabilirdi, bundan daha kötü bir durum olmayabilirdi benim için. Koridorda kimse yoktu. Örtüler, çantalar. Herkes yemekhanede olmalıydı. Dorte'un kapısını o kadar sert bir şekilde ittim ki, kapının arkasındaki birine çarptım. Bekliyordum bunu, bu odada on beş kişi vardı belki: sekizi yataklarda, gerisi yere uzanmıştı. Dorte her zamanki yerinde uyukluyordu. Fizyonomisindeki değişiklik ürküttü beni ve bir süre sonra gözlerini açtığında daha da ürktüm. Saniyelerce gözlerimin içine bakarak –ve ben onun beni bir korkuluk gibi gördüğünü hissettim ve bu nedenle beni de korkutuyordu– kalktı, yatağında süründü, anormal kolunu çıkardı ve örtüleri üstünden atmaya çalıştı. Bu hareket korkuttu beni. Bir süre hiç hareket etmeden tuhaf gözlerle seyretti beni, döşemeye, sonra bedenine baktı, hafif bir tereddüt geçirdikten sonra arkaya düştü. Korkunç şeyler hissettim. Gitmek isterdim, ama kötü hava, sıkıntı bitiriyordu beni. Neredeyse ayaklarımın ucuna yatmış bir ihtiyar fal taşı gibi açtığı gözlerini üstüme dikmişti. Pencerenin yanında, bir başkası, yüzü dizlerinin üstünde, belli bir merakla inceliyordu beni. O anda bulaşıcı hastalığın bana uzak kalacağını ya da biraz abartılan bu felaketin ancak görmekte gecikildiği ölçüde, gerçek doğasını tanımak için onu aşma gücü bulunamadığı ölçüde korkunç etkileri olabileceğini düşünmüştüm. Şimdi soluk alamıyordum. Benim apsem de sonunda onun kolu gibi kesinlikle felç olacaktı, bu kesinlik her yere yazılmıştı, renksiz yüzüne, benim bembeyaz elime, bulaşıcı hastalık artık beni esirgeyemeyeceğinden açık bırakılmış kapıma. Yatağına düşmek zorunda kaldım. Çok az sürdü bu. Birkaç sözcük telaffuz ettiğini duyunca, başımı ellerimin arasına alıp kulak kabarttım ve sonra bir çığlık attı: keskin, iğrenç bir çığlık. Yüzü neredeyse ters dönmüştü ve ben sadece çenesini ve ne söylediği belli olmayan dudağını görüyordum. "Dorte," diye bağırdım. Onun kadar güçlü bağırdım, ayaktaydım. O anda anlamsız bir şey oldu. Ayaktaydım ve beni yorgun ve uykulu bir halde seyreden bu insanlara bakıyordum, onları bu uyuşukluklarından kurtarmak ve olup bitenlere katılmaya zorlamak için dövmek, öldürmek isterdim, tuhaf bir hareket yapmak zorunda kaldım. İşte o anda elimi kaparak ısırdı. Bu eylemi yapmadan önce, acı omzumun üstünü kaplamadan önce anladım sanki. Ayağa kalkar kalkmaz, hissettiğim korkudan anladım ve belki de daha kötü şeyler düşündüm, boğazıma sarılıp beni boğacağını düşündüm. Bir saniye, iki saniye içinde, son derece öfkeli bir kararla dişlerini öyle bir geçirdi ki, neredeyse kör oldum ve yatağın üstüne düştüm. Bilincimi yitirmedim, çünkü beni sarsan hıçkırık gibi şeyleri hissediyordum; aynı zamanda bana yer açmak istiyormuş gibi kenara çekilmek istediğini de anlıyordum. Biraz sonra üç ya da dört kez arkadaşça vurdu bana, arkasından bir şeyler mırıldandı. Doğruldum, bütün gücümle baş parmağımı sıkmaya, vücuduma yapıştırmaya devam ediyordum, öyle ki o da bakmak zorunda hissetti kendini, çekingen, korku dolu, kız bakışlarıydı bu bakışlar, biraz önce yapmış olduğu hareket biraz aşırı, cezayı hak eden, ama kaçınılmaz bir hareketti sanki. Ve o da bana bakmak için gözlerini kaldırdığında onu son derece sakin, bakışlarını çok canlı –ve neredeyse ışıl ışıl– gördüm, öyle ki bu ısırığın sandığımdan da anlamsız bir eylem olduğu düşüncesi hakim oldu bana. Kendisine acı veren krizlerin, örtüleri yırtacak, ısıracak bazen de kendi elini ısıracak kadar dayanılmaz olduğunu anlattığını duydum; bunları işittim ve o aynı zamanda son derece sakin bir tavır içinde bakıyordu bana, tuhaf, tatmin olmuş bir gururun ifadesi vardı yüzünde. "Kanıyor" dedim, aptalca, baş parmağımdaki şişliği göstererek. Sıkıntı içinde baktı yaraya. "Hemen pansuman yapmak gerekiyor," dedi. Tekrar kalktım, buz gibi bir hareket sürükleyip götürüyordu beni. Yine bir çığlık attı, evet yeni bir çığlık, ilki kadar keskin, iğrenç bir çığlık, en azından merdivende ve aşağıdaki revire ulaşıncaya kadar duyduğum kadarıyla. Yardımcı, avucuma hafif bir elektrik verdi, omuz eklemim yandı; yavaş ve bilinçli çalışıyordu. "Ağzınızı açın," dedi bandajı bitirdiğinde. Kırmızı göz kapaklarının arkasında yukarı doğru kalkan ve alnıma kadar kuşku havası getiren bakışının kararsızlığını görüyordum. "Çıktı, dedi, yardım için çağırmış olduğu ufak tefek hizmetçiye. Nasıl olur bu? Şu sırada çıkmamalısınız, hijyen koşulları çok kötü. – Kapı açıktı. – Canım, kapı açık olsa bile. Ve diyorsunuz ki, çok acı çektiğiniz için bu hale soktunuz elinizi öyle mi? Canınızı yaktığınızı hissetmiyor muydunuz? – Hayır, dedim, ben değil, görmeye gittiğim bir hasta. – Hasta mı? – Evet, tanımanız gerekir: Dorte! – Dorte," diye yineledi gözlerini yere indirerek. O anda yaranın verdiği yanma kendini hissettirmeye başladı: onu itme arzusu duyuyordum, onu sıkıntıya sokabilecek düşüncesizlik ve meydan okuma sözleri etme arzusu duyuyordum. "Bouxx nerede? Görmek isterim onu." Beni duymamış gibiydi, ama ansızın büyük bir şaşkınlıkla, neredeyse eğleniyormuş gibi baktı bana; o çok küçüktü ve büyüyordu. "Buraya gelmiyor mu peki? – Hayır, dedi merhamet dilenen bir üslupla, çok sık değil!" Revirden çıkarken hizmetçi beni merdivenin altında bekletti: bütün topluluk iniyordu merdivenden, belki otuz, belki kırk çocuk, çoğu çok küçük gösteriyordu, renkleri çok kötü, perişan haldeydiler, ama hasta olduklarını söylemek de o kadar kolay değildi. İçlerinden birinin çağırdığı küçük hizmetçi kız arkalarından koştu ve bağırarak tekrar odama çıkmamı istedi benim, o da peşimden geliyordu. Kapıdan Dorte'a pansumanı gösterdim. Bütün oda ateş, hastalık fırını görünümüyle etkiledi beni: aşırı ısıtılmış bir mahzen, bir çukurdu burası; ve yarı uykuda olan, sürekli koma durumundaymış gibi sallanan, yaşamak için de ölmek için de hiçbir şey yapmayan bütün bu insanlar nereden geliyorlardı?

– Nereden geliyor bütün bu insanlar?

Yorgun bir tavır içinde, hafifçe gülümseyerek baktı bana.

– Söyleyin, diye fısıldadı; nasıl buluyorsunuz beni? Çok değiştim!

– Çok kalabalık, dedim odaya bakarak.

– Yaklaşın o halde! Sağ tarafımı hareket ettiremiyorum artık: hareketsiz sağ tarafım. Öyle bir izlenim içindeyim ki, evet, anlayın bunu, öyle sanıyorum ki bedenimin yarısı tuğla gibi: Çalışan, duvar ören bir usta var bu tarafımda sanki. Mümkün mü böyle bir şey?

– Eğer gerçekten felç olduysanız, artık çok fazla acı çekmemeniz gerekir, dedim sertçe.

– Çekiyorum, duvar yıkılırsa... O zaman her şey yıkılır, her şey dağılır. Yaşam geri gelir. Beni inceledi. Öyle bir görünümünüz var ki...

– Evet, görünümüm de iyi değil.

– Fena değil.

Zorlukla bakmaya devam etti bana. Şaşırmış gibiydi, ayrıca çok yorgun gözüküyordu; son darbeyi vurmak isterdim ona.

– Sizi değişmiş bulmuyorum. Hastalığı yeneceksiniz siz: Yıpratıyorsunuz onu.

– Öyle mi diyorsunuz?

Düşünmeye başladı. Uyanık kalmak için olağanüstü bir çaba harcıyordu. Arada bir yüzünü buruşturuyordu. "Ateşim yok artık," dedi kaçamak bir gülümsemeyle. Ama birden gözünün ucuyla, kötü kötü süzdü beni; yüzünün arkasında bu koca bedenin dibinden bir söz söyleme amacıyla çıkmak isteyen kötü bir aydınlık görüyordum. Ne var ki sözler çıkmıyordu; ağzıyla hiç ilgisi olmayan daha çok göğsü ve karnıyla ilintili bir horultu çıkarıyordu; açık ağız bekleyip duruyordu ve sadece biçimsiz kırıntıları alarak tiksintiyle geri atıyordu onları. Birden açık seçik biçimde konuştu: "Hastalık her zaman aynı şekilde seyretmez." Sonra, tatmin olmuş bir halde, epey uzun süren, tesir eden ve sonunda beni yitiren güçlü bir bakış attı. Döndüm, kapı hâlâ yarı açık haldeydi. "Gitmeyin. Ya bu? diye mırıldandı elime bakarak. – Roste ilgilendi onunla. – Roste? – Evet, aşağıdaki doktor." O zaman öksürmeye başladı, daha doğrusu gürültülü bir şekilde soluk alıyordu; içinde çok fazla hava vardı sanki ve bir an önce kurtulması gerekti bu havadan. Bu işi bitirince sıkıntılı hali geçer gibi oldu.

– Tamam! Şimdi usta rahatça duvarını örmeye devam edebilecektir, dedi neşe içinde. Çok hızlı çalışmıyor, doğru bu. Bugün hastalar dolaşmıyor ortalıkta: üç gün, iki gün, bir gece. Bazı aileler on iki günde yok oldular.

– Bu tür vakalardan söz edildiğini işittim.

– Niçin kimileri için bir süre ve eski hastalar için haftalar, aylar, belki de daha fazla? Ve daha kötüsü nerede, daha iyisi nerede? Kritik anın öğleden sonra saat üç olduğu söylenir. Biliyor muydunuz bunu?

– Eski hastalar deyince ne anlıyorsunuz siz?

– Öncüler, hastalığa eskiden, salgın büyük bir gelişme göstermeden önce yakalananlar. Roste ailesinin, kız kardeşinin ve annesinin hikâyeleri anlatıldı mı size?

– Hayır, Roste fazla ilgilendirmiyor beni.

– Ah, ah, sevmiyor musunuz onu? Gururu yüzünden mi? Ukala mı buluyorsunuz onu?

– Dikkat edin, yoruluyorsunuz.

– Hayır, durursam, ipin ucunu kaçırırım. Bakın, bir süre önce, akşama doğru olmuştu olay: Mahallede alışverişe çıkan iki kadın oldukça geç bir saatte dönmüşler.

Yanlarında kiracı olarak kalan kıza göre her ikisinin de sağlıkları yerindeymiş. Yemekte Roste'un kız kardeşi yediği şeyin tadını bozuk bulmuş. Her şey çok baharatlıymış, susamış ve yemekten sonra hafif hafif uyuklamaya başlamış. Ama uyandığında iyi hissetmiş kendini ve etrafı toplamaya başlamış. Bu arada şiddetli kaşıntılar hissetmiş, sürekli dizini ve ayağını kaşıyormuş. Birden bir çığlık atıyor ve ötekilere bacağındaki kırmızı lekeleri gösteriyor. Durumu fark eder etmez ölü gibi olmuş. Kızının durumunu gören annesi evin içinde, aklını kaçırmış gibi koşturup durmuş; hastaya, komşulara ve kendi kendisine aldırmadan bağırıyor, el kol hareketleri yapıyormuş. Kiracı kız yardım getirmek üzere dışarı çıkmış. O yokken neler olmuş? Dispansere telefon edip döndüğünde yangın çıkmış ve ev yanıyormuş. Çılgın gibi sağa sola koşturan anne kızıyla birlikte ölmek mi istemiş ya da kızı kendine geldiğinde çok acı çektiğinden kendi kendisini mi yakmış? Hepsi mümkün.

– Roste'un ailesinin başına bunlar gelmiş, öyle mi?

– Kiracı kız burada oturuyor, diye sürdürdü konuşmasını pis pis sırıtarak, olayı anlatabilir size. Roste o zamandan beri kahraman, efsanevi bir kişilik oldu; böyle olağanüstü bir biçimde ölmeyenleri üstünlüğüyle eziyor. Siz ne düşünüyorsunuz bu konuda? Sinsi sinsi bakarak devam etti: Sizin dediğiniz gibi, eğer hastalığı tüketenler, onu sürdürenler ve yaşatanlar, kendilerinde onu taşıma ve geçen her şeye bulaştıracak kadar diri tutma gücü olanlar birkaç saat içinde gömülen ve kaybolan başkalarını hesaba dahil etmiyorlar pek galiba, diye düşünüyorum.

– Ne!

– Evet, insanları korkudan dondurmak, onları korkuta korkuta felakete çekmek heyecan veriyor, kahramanca bir şey, ama yarını olmayan bir dram. Felaketin de yaşaması gerekiyor, anlıyor musunuz, hastalığın alttan alta çalışması gerekir, yavaşça, sürekli, dokunduğu şeyi dönüştürecek, herkesi bir mezar yapacak kadar zamanı olması gerekir ve de bu mezar açık kalmalı. Böyle olmalı! Tarihe ancak böyle bulaşır.

Coşuyor, yatağının üstünde yükseliyordu ve bu arada bütün sözleri eski sözlerdi bana göre, eskiden sağlığı yerindeyken sözcüklerini tarttığı ve şimdi kafasında başka bir şey yokken yinelediği sözlerdi bunlar. Ve benim elim yanıyordu!

– Korkunç acı çekiyorum. Tanrım, niçin ısırdınız beni? Ben de sonunda yakacağım bu kulübeyi! Ve bulunduğunuz noktada, çılgınlıklarınızın çevresinde akıl yürütmeye devam ediyorsunuz değil mi? Bu bulaşıcı hastalığın olayların gidişatını değiştireceğine gerçekten inanıyor musunuz? Hasta olduğunuz için dünyanın altüst olacağına inanıyor musunuz?

– Evet, dedi sıkıntıyla.

– Sormama izin verin lütfen, o halde sizi tedavi etmelerine izin veriyorsunuz? Niçin tedavi ediyorlar sizi?

Şaşkın bir ifadeyle bakıyordu bana ve bakışlarından aşağı yukarı şu düşünceyi okuyordum ben: "Ama bizi çok iyi tedavi etmiyorlar, daha çok ölmeye terk ediyorlar bizi!"

– Tedavi hastalığın bir parçasıdır, dedi çekingen bir tavırla.

Hastalık, yasa hastanın tedavisini üstlenince yasaya bulaşır, evet, kafasında bu tür özdeyişler olmalıydı. Yürümeye, yatağın önünde dönmeye başladım. Yanmış olmanın ne anlama geldiğini hiç kimse bilemez! Kolumda bir tür lav yükseliyordu: ateş, metalik bir ateş, bütün bu evleri yakan ateşten bin kez daha korkunç.

– Tuhaf bir görünümünüz var, diye mırıldandı.

– Ne var görünüşümde? Söyleyin gitsin: Kemiklerime kadar bulaştı hastalık, sizin gibi öleceğim. Sonra? Milyonlarca hasta, ceset, sakat, deli olacak ve çok yol almış olacaksınız siz de! Ne değişecek? Boş inançlarla kendinizi avutmaya çalışıyorsunuz. Yasayla bu işi bitirebileceğinizi sanıyorsunuz. Ama yasa sizin hastalıklarınızdan ve mezarlıklarınızdan yarar sağlıyor. Kendinizi boşuna alçaltıyorsunuz. Ve bunu bilen ben de sizden daha alçağım.

Gidip gelmemi engellemek için büyük çaba harcadığını anladım, gözleriyle izliyordu beni, yoruyordum onu.

– Bouxx nerede? diye sordum durarak.

Şaşırdı, kafasını salladı. Onu inceliyordum, ifadesi bir şeyler anımsatıyordu bana: Saygıyla bakıyordu bana, evet, coşkuyla, yücelterek bakıyordu, aynı zamanda da alay ediyor gibiydi. "Başıma ne gelecek acaba?" diye düşündüm.

– Onu etkilediğiniz doğru mu? diye sordu.

– Hayır, etkilemiyorum onu, sanmıyorum. Niçin

böyle bir soru soruyorsunuz bana?

– Çünkü beni de etkiliyorsunuz. Ve Bouxx çok güçlü, çok kurnaz bir insandır, dikkatinizi çekerim delidir aynı zamanda. Kimse baş edemez onunla.

– Yaptığı işlere bu derece güveniyorsunuz, öyle mi?

– Benim için bir tür köpektir o, dedi, hayallere dalmış bir halde. Köpek gibi, yerinde duramaz, müthiştir, her şeyi sallar, yerinden oynatır, arar, dener ve birden bire uyuyuverir, çünkü unutmayın ki kanı uykuya dalabilir anında. Hapishanede haftalarca uyurdu; ayakta bile uyurdu.

– Hapishanede mi?

– Evet.

– Bouxx hapis mi yatmıştı?

– Tabii. Bilmiyor muydunuz? Başka türlü nasıl tanıyabilirdim ki onu? Hücre arkadaşlarıyız biz. Siz hiç hapis yattınız mı?

– Hayır. Hapis yatabileceğimi düşünmedim bile.

– Ben hayatımın üçte birini hapishanede geçirdim. Bu sürenin yarısı da hücrede geçti. O dönemde hücre cezaları küçük bölmelere ayrılmış geniş bir beton çukurun dibinde çekilirdi. Uzun ve daracık gerçek bir çukurdu; dibi çok dardı; iki yanı dimdik yükseliyor ve yukarıya doğru genişliyordu.

– Bir dakika lütfen! Bütün bu ayrıntıları öğrenmek istemiyorum ben.

Ama sözcükler dökülüyordu ağzından, bir denizi tüketebilecek gibiydi, dışarıya, yaşamının bütün noktalarına kavuşan ve küçük kara suları için bir an önce bir çıkış bulmak isteyen binlerce küçük dere akıtabilecek güçteydi sanki. Şimdi gözlerini anılarına kapamış, bir ihtiyarı andırıyordu, yanıma yatmış, pelerininin eteğini yüzüne kapamış, ciddi bir tavırla beni inceleyen ihtiyara benziyordu aynen; hastalık sözcüğü gerçekten uygun düşmüyordu ona ya da en azından her zaman uygun düşmüyordu kesinlikle.

– Bölmeleri ayıran duvarlar inceydi, ama her bölme arasında yalıtılmış bir bölge bırakılmıştı, yandakilerin sizi duymaları için biraz sertçe vurmanız gerekirdi, nöbetçiler bizi susturmaya çalışmazlardı, söylediklerimizi duymak ve ilgililere yetiştirme çabası içindeydiler onlar.

– Niçin hapis yattınız?

– Teknik meselelerden, mevzuata aykırı davranmaktan. Garajıma fabrikalar hesabına gizlice yeni arabalar koymakla suçlandım; üretimleri denetimden kaçmış olacaktı böylelikle.

– Bu yüzden on yıl hapis yatmadınız herhalde?

– Hayır, dedi, tam o kadar değil. Neyse. Önemli olan niçin hapse girildiğini bilmek değil, niçin orada kalındığının bilinmesidir. Evet, hapishaneye kapatılan birine günün birinde özgürlüğü verilir kesinlikle ve çoğu zaman da hemen verilir bu özgürlük. Ama bedeli nedir bunun? Çalışma, normal zaman süresini aşan sürekli bir çalışma, saatler, saatler süren ek çalışmalar, kimi zaman bütün gece, bütün gün süren çalışmalar; böyle bir çalışma düzenine kaç kişi dayanabilir? Ve bundan kaçmak isteyen mahkûm, göz yummaları için, gözetim bürosunun hoşgörüsünden yararlanmak zorundadır ve bunun da bir bedeli vardır tabii ki. Sonunda poliste bulursunuz kendinizi, her zaman hapishaneye işiniz düşecek biçimde, ama en aşağılayıcı yanıyla, bir daha çıkmanız mümkün değildir bu hapishaneden.

– Olayları tahrif etmiyor musunuz? Bouxx'u orada mı tanıdınız?

– Bouxx, hemen, böyle bir ertelemeden yararlanmayı kabul etmeye hazır görünenlere karşı saldırıya geçti. Güçlü entrikacılığıyla onları takip etti, soruşturdu, ortadan kaldırdı onları. Sonunda gerçek anlamda bir örgüt kurdu ve bu deneyim bizim kaderimizi belirledi. Çünkü devletin insanları hapishaneden çıkarmak istemesinin ve onları zorla açık havaya sürüklemesinin nedeni hapishanenin, kendisi için bir tehdit olmasıdır dolayısıyla hapse düşmek devleti tehlikeye atar.

– Öyle mi dersiniz? Biraz önce alaycı bir tavırla hapis yatıp yatmadığımı sordunuz bana? Hayır, ben sizin gibi tanımıyorum hapishaneyi; ama ben de hapishaneden söz edebilirim her şeye rağmen. Kraft diye birinin çalıştığı idari bölüme işim düştüğünden birçok kez girip çıktım hapishaneye. Biraz önce hatırlattığınız olaylar Kraft'a göre çok farklı yorumlanıyordu, bu çevrelerde her zaman görülen basit ahlaki ihlallerle açıklanıyordu.

– Niçin olmasın? Buralar çok özel yerler, dedi kibirli bir alçak gönüllükle.

– Hayır, o kadar özel değil. Kendinizi yersiz hayallere kaptırmanızdan korkarım ve söylemiş olduğunuz şeylerin çok az önemi var belki de. Kendinizi hücrelere gömmeyi maharet saymışsınız; ama ne yapmışsınız?

Devletin arzusuna uymaktan başka hiçbir şey yapmamışsınız, çünkü devletin en büyük arzusu sizi hapiste tutmaktı, çünkü siz suç işlemiştiniz, sizi orada özgür bir durumda tutmak istiyordu çünkü sizin tutukluluğunuzun gerçek amacı bu özgürlüğün fethiydi. Ayrıca Bouxx ve siz, gerçekten hapis yattınız mı? Olabilir, fark etmez. Her durumda üstünlüğünüzle beni ezmeye çalışmanız için bir neden oluşturmaz bu!

– Güzel konuşuyorsunuz! Hayatta pek fazla bir şey kaçırmamışsınız.

– İftira atmak için konuşmuyorum. Ama siz olayları olduğu gibi görmüyorsunuz. Bütünü görmüyorsunuz siz. Ben görüyorum bütünü.

– Doğru, bütünü görmüyoruz biz. Bu nedenle gücümüz böylesine büyük.

– Üslubunuz pek dostça değil! Açık konuşmak istemiyor musunuz şu anda? Biraz önce beni ısırdınız, elinizde olmadan mı yaptınız bunu, ağrınız vardı ya da başka bir nedenle mi: kin duyduğunuz için mi?

Kurnazca baktı bana.

– Ama gerçekten ısırmadım ki ben sizi. Elinizi şöyle tuttum ve olağanüstü sert bir hareketle sakat elimi kaptı ve dudaklarını değdirdi. Yıldırım çarptı sanki. Farkında olmadan geri çektim elimi ve örtüye sürtündü elim; elime bakıyordum, bu soğuk, acı, keskin, evet ısırıcı ağzın hâlâ elimin üstünde olduğunu düşünüyordum. Bakın, diye devam ediyordu, açık ağzı ve yapışkan sesiyle: diş yok artık ağzımda. Sizden kesinlikle nefret etmiyorum. Artık bölmeden iletişim kuramadığım için üzülüyorum, bir tür hücre arkadaşı olduk biz. Ayrıca hastalığa rağmen beni görmeye geliyorsunuz şimdi. Ziyaretiniz iyi geldi bana; siz geleli beri kriz geçirmedim ve çok konuşuyorum. Aslında, dedi, biraz küstahça bakarak, niçin geldiniz?

Gözlerimi ellerime doğru eğdim. Gerçekten öpmek mi istemişti? Bir şeyi, bir eylemi, yeme, ısırma ya da öpme eylemini taklit etmek istemişti.

– Bilmiyorum. Sıkıntıya teslim olmak zorunda kaldım. Dünden beri bir hareketlenme var binada. Hasta sayısında bu kadar artış var mı? Yoksa bazı bölgeleri boşaltıyorlar mı? Bilginiz var mı bu konuda?

– Siz girdiğinizde düşündüm ki, gelişinizin nedenini artık sonun... Vaktin gelmiş olduğunu düşündüm. Sizi göreceğimi sanmıyordum ve siz öylesine etkileyici, öylesine muzaffer bir tavırla yürüdünüz ki! Sadece çenenizi oynatarak kaderimizi tayin edecek, çukuru örtüp, mühürleyecektiniz sanki. Ne ifade, ne gururlu tavır! O anda çok kızmış olabilirim size: Küstahlık biraz aşırı gözüktü bana, bu işlerin basit bir biçimde, tam bir eşitlik içinde geçmesi gerektiğine olan inancımı yaraladı; ve her koşulda şunu unutmayın ki galip gelen siz değildiniz.

– Ama, dedim titreyen ellerime bakarak, beni anında tanımadıysanız eğer, kim sanıyordunuz?

– Ama kesinlikle tanıdım sizi. Bir kez daha baktı. Sanıyorum sizin sağlıklı havanız alt üst etti beni. Gözlerimi açtığımda sizin ışıltılar saçan yüzünüzü gördüm: O kadar beklenmedik bir şeydi ki! Gözlerimin önünde sadece şu başlar var ve ansızın yüzünüzü, parlak bakışlarınızı görüyorum. Tuhaf bir an oldu.

– Gerçekten çok sağlıklı bir görünüşüm var mı?

– Müthiş.

Daha sonra kapanan gözlerini hafifçe kırptı. Ne kadar üzgün ve aşağılanmış hissediyordum kendimi! Nedenini belirtmek çok zordu benim için. Bu arada kendimi daha iyi hissediyordum, bileğim uyuşuyordu; sinirli bir şekilde, bana bakacağına toplulukla birlikte çekip giden ufak tefek hizmetçiyi düşünerek gitmeye karar verdim.

– Hâlâ bir taş, dedi, gözlerini açmadan, yüzünü buruşturarak.

– Yine duvarcınız mı? diye sordum biraz sıkıntılı bir şekilde.

– Elinden geldiği kadar çalışıyor, dedi gülümseyerek. Çok bilinçli belki de: İnce eleyip sık dokuyor, aynı yere geri dönüyor, duvar hiçbir zaman yeteri kadar parlak gözükmüyor ona. Bir taşı yerinden oynatacağı anı belli bir tereddütten sonra hissediyorum. Ah! diye inledi. Ah, ah!

Gözleri fırlamış halde ve acımasızca bana doğru bakarak doğruldu ve çığlığı, önceden kestirmeme rağmen, öylesine sert bir şekilde geri attı ki beni, tekme attım ihtiyara. Hemen sakinleşti.

– Odamdan, ara sıra bağırdığınızı duyuyorum, dedim yaklaşarak.

– Neredeyse hep uyuyorum da ondan. Bunlar yarı uykulu durumdayken oluyor. Ayrıca yardımcı da oluyorum ona. Hafifçe yer değiştirmem yetiyor işin başarıya ulaşması için. Ben de küçük rolümü oynuyorum.

Beni etkilemek istiyor, diye düşündüm; kendini üstün görüyor, çünkü hasta.

– Bu kâğıtta, dedi duvara bakarak, gelişmenin yaklaşık süresi hesaplandı. İkinci bölüm daha hızlı gelişebilir. Omurgalar geçilince, neredeyse bir çırpıda kurulur; bütün taş kütlesi, hazırlanmış olan eklemler arasındaki yerine oturur. Kesinlikle çok dikkatli olmak gerekir; yoksa yapı dağılır sonunda.

– Ya her şey yolunda giderse?

– O zaman tahmin ettiğiniz şey olur, dedi neşeyle.

– İyileşeceksiniz, dedim, biraz kırıcı olabilecek bir üslupla, birçok başka insan gibi iyileşeceksiniz. Bunların tümünün çok hasta bir görünüşleri yok.

– Bilmiyorum. Bazıları çok hasta, diye fısıldadı. Bazıları hücrelerinden zorlukla çıkabiliyor. Söyle bana, Abran, yanında yatmış olan çocuk...

Kiminle konuşuyordu? Dönemediğinden, rasgele birine bakıyordu; baktığı belki de yatağında büzüşmüş ve kendinden geçmiş gibi gözüken iriyarı, çok esmer, güneyli köylüydü; tam karşısında –ki yarısını yok ediyordu– örtünün üstünde tuğla rengindeki elini gördüğüm, sargılı öteki elini saklı tutan bir hasta boşlukta kayboluyordu. Onlarla konuşarak beni niçin şaşırtmış, hatta şoke etmişti? Biz onları konuşmalarımızın dışında tutmaya mı karar vermiştik ya da en azından kendiliğinden böyle mi gelişmişti olay? Ve şimdi hepsi ona bakıyorlardı, kimisi hassas kimi ise sevimli sevimli. Muhatap alınan kişinin pelerinli patrik olduğunu anladım; patrik doğrulduktan sonra dik duruyordu, yüzünde bir ifade yoktu, çok yaşlı insanlar böyle olurdu bazen. Adam büyük olasılıkta dinliyordu söylenenleri. Sonunda sessizlik baskın çıktı. Aradan epey bir zaman geçti. Biz onlarla ilgilenmeye başlayalı beri atmosfer daha sıkıcı olmuş, hararete, yığışmış bedenlere, belli belirsiz hissedilen mikrop öldürücülerin katranına yabancı gözüken belirsiz kokularla dolmuştu; sanki küçücük bir şey çürüyordu bir köşede, ama kokusu solunamayacak bir şeydi: çok basit, belli belirsiz bir koku, öyle ki yerden geliyordu bu koku sanki bana, çömelmiş, ellerim ve yüzüm yarıkların tozlarında bu kokuyu arıyordum sanki ben. Odanın ortasına doğru ilerledim. "Fırsat bulur bulmaz, dedim hiç kimseye bakmadan, döneceğim." Kapım ardına kadar açıktı. İçeri girince nasıl bir felakete inanmak zorunda olduğumu açık seçik gördüm. Gözlerim kapanmayacaktı. Çok şey biliyordum, en kötü aşağılanmaydı bu. Yatağıma düştüm, kısa boylu hizmetçiyi, kap kacağı ve yiyecekleriyle birlikte kovdum: kısa boylu, yağlı, yozdu, korkutuyordum onu, iğrençti. Bir ara bölmenin arkasından ses duydum. Bu insanların konuşmaya ya da inlemeye başlayabileceklerini düşünüyordum sıkıntıyla. Akşama doğru Bouxx'a yazmaya karar verdim: bu yazma girişiminin nasıl bir tehlike anlamına geldiğini benden daha iyi kimse bilemezdi, ama bu saatler o kadar uzun, o kadar ölü saatlerdi ki, bunu bir öykü haline getirmekle yetinemezdim: yeterli gelmeyen, hep aynı, tek bir cümlede yoğunlaşıyorlardı.

"Çok meşgul olduğunuzu biliyorum. Ama rica ediyorum, okuyun şu satırları. Devlet hizmetinde zaman zaman elverişsiz sağlık koşullarımın gölgelediği sakin ve düzenli bir yaşam sürdüm. Şimdi olayların seyrini değiştirme girişimlerinizi dehşet içinde izliyorum. Sizi suçlamıyorum, yakınlık duyuyorum size karşı ve çılgınlıklarınız rahatlatıyor beni: Yazık! Bu demektir ki, bu durumda mahkûm ettiğiniz her şeyin hizmetine giriyorsunuz siz."

"Size yararım dokunsun isterdim, en büyük vefa örneği olmak isterdim. Ama körsünüz siz, uçuruma doğru koşuyorsunuz. Nasıl açacağız gözlerinizi? Düşmanlarınızın safında vuruşuyorsunuz siz ve ben de açık yürekliliğimle ikna ederek, kandırıyorum sizi. Size hakikati söylersem mücadeleden vazgeçeceksiniz. Sizi umut içinde bıraksam, mücadele konusunda yanılgıya düşeceksiniz, yalvarıyorum anlamaya çalışın, benden size gelen her şey yalandan başka bir şey değildir sizin için, çünkü ben hakikatim."

"Sizi şuna inandırmak isterdim: dairelere, yönetime, devletin görünür ya da gizli bütün aygıtlarına saldırmakla doğru yapmıyorsunuz. Önemli değildir bunlar. Bunları ortadan kaldırırsanız, bir şeyi ortadan kaldırmış olmazsınız. Yerlerine başka şeyler koyarsanız, aynılarını koymuş olursunuz. Üstelik, onlar sadece kamu çıkarını düşünürler: Doğru hareket etmek için sizlerle her zaman uyum içinde olacaklardır. Garanti ederim bunu size: Dairelerde esrarengiz hiçbir şey yoktur, talepte bulunan bir kişinin canını sıkan ve görünüşün arkasında onun hiçbir zaman anlayamayacağı bir şeyler bulunduğu izlenimi veren eski yönetimlerin aşağılık tekeli sırlardan hiçbiri yoktur. Herhangi bir kimse her zaman her şeyi öğrenebilir. Yönetim, sınıflandırmalar, kararlar açıkta, herkesin gözü önündedir ve uygulanan tam bir eşitlik sayesinde devlet bütün gücüyle her an kendisine yönelen kişinin bedeninde ve ruhunda yerini alır. Devlet her yerdedir. Herkes hisseder, görür onu, herkes devlet için yaşadığını hisseder. Devlet dairelerde var olmaktan çok temsil edilmektedir. Resmi özellikleriyle bulunur dairelerde ve hiç kuşkusuz görünüşler de eksik olamaz: tarihi yapılar, kurumlar, memurlar, masalar, klasörler, devlette en küçük şey özel bir soyluluk kisvesine bürünür. Merkezin peşindeki kişi onu bulabileceği konusunda bu noktada yanılır kesinlikle. Ama yine de merkezden başka bir şey değildir. Dolaylı yoldan ulaşılabilir ona ancak, dolaylı yoldan ele geçirilebilir o, ancak kapılardaki tabelalar, odacıların üniformaları vb. kadar anlam taşıyan işaretlerle ele geçirebilirsiniz onu. Kendi dışında olmayan için kaybolur gider. Dairelerle kalıcı ilişkiler kurulmuşsa uçup gider onlar; gerçek anlamda sadece onlara saldıranların gözünde vardırlar. Dolayısıyla dairelerde tanık olduğumuz ve üstünde sadece geçmişin duraksamalı harelenmesinin kaydığı salonların biraz hüzünlü ve görkemli görünümüne bağlı olmayan boşluk izlenimi çıkar ortaya: Bütün odalarda büyük bir ciddiyetle çalışan insanlar sürekli gidip gelirler, olağanüstü bir meşguliyetin getirdiği uğultu hakimdir her tarafa, herkes koşuşturur, ama ziyaretçinin içini hüzün verici ve yararsız bir şey kaplamıştır, sanki herkes işsizlik ve sıkıntı içinde esnemektedir."

"Bu sahte görünüşler konusunda kafa yormanızı isterdim. Yönetimin, yasalara kavranabilir bir gerçeklik kazandırmak için yaptığı her şey, kararnameler, mevzuatlar, her tür önlem, herkesin katıldığı gücün aldatıcı bir görünümünü andırır. Sanki düşünce, dolayımsız bir duyguyu doğrulanmamış bir deformasyona uğratmaktadır. Yasaların gerçek değerlerini böylelikle kazandıkları bilinir, ancak bu bedeli ödeyerek yasa olabilirler. Ama gizli bir işin, daha sonraki bir müdahalenin hoş olmayan izlenimleri kalır. Yönetim herkese tanınan, zaman aşımına uğramayan her şeyi bilme hakkına resmi onay vermek için insanları haberli kılan ajanlar seçer ya da duvarlara afiş astırdığında ve belli başlı kararlarını gazeteler aracılığıyla duyurduğunda her vatandaşa ait olan örtük bilgi konusunda son derece aşağılık açıklamalar – maddi araçlar ölçüsünde– daha ziyade korkutma önlemlerini gizler gibidir ve yasa, herkesin, kendisini ortak anlayışa doğru çekildiğini hissettiği buluşma yeri olmaktan çok, nedendir bilinmez, bize düşman muamelesi yapmaya kararlı bir memur tarafından bildirilen kişisel ve tuhaf bir uyarı niteliğindedir sadece.

Bu çok belirgin sapma ciddiye alınamazdı. Devletin saygınlığı, ona duyulan saygı ve özellikle bazı duraksamalar ve başkaldırılar arasında verilen destek her düşünceyi bağlar ve ayrı tutulamayacağı muazzam yapı içinde en küçük bir çatlağı görmesine izin vermezler. Rejimi, onu gösteren şeyden ayırmayı hiç kimse başaramaz, çünkü yasa tesadüfen ortaya çıkmamıştır ve ancak kendisini ruhların derinliklerine yazdırdığı ve kendisini temsil eden egemen aygıt görünümü içinde dışarı çıktığı ortak hareket içinde hakikat kazanır. Aslında her zaman eleştiri yapılabilir ve insanlar geri durmuyorlar bu konuda. Memur da herkes gibi insandır, yönettiklerinden hiçbir üstün yanları yoktur. Bireyin en küçük bir hakkını çiğnemişse eğer, bunun nedeni bizim kendi toprağımıza girmemiş olmamızdır, her zaman mücadele etmemiz gerekirdi, uzaklardaki ve baskıcı bir iktidara karşı yüzyıllar boyunca yapmamız gerekirdi bunu. Hiçbir yarar sağlamadıkları görevleri yerine getiren insanlar herkesten daha fazla insanlıkla dolu değil midir? Göründüğünden daha etkin bir vicdanları vardır bunların sanki: Daha az yaşarlar, daha çok düşünürler. Biliyorum ki idari deformasyon burada damgasını vuruyor bize, en derin düşüncelerimizde düzenli, nesnel bir şeyler vardır, her zaman bir ilişki konusu olmak zorundadırlar ya da bir hikâyede kendilerini hiç belli etmeden yer alırlar sanki. Dolayısıyla bazı önemli kamu görevlilerini ve aynı zamanda icra görevlilerinin genellikle kaba ve çirkin davranışlarda bulunmasını açıkça fark ettiren derin düşüncenin ve kurnazlığın bu görünümüdür kesinlikle; bu icracılarda düşünce, kendini bekleme, sahte kaçışlar ve gecikme yoluyla ifade edeceği yerde otoritenin aceleciliğini ve kör sertliğini gerekli kılıyordu sanki. Yasa kurnazdır: Böyle bir izlenim verir. Vurduğu zaman bile çekicidir. Hiçbir zaman reddedilemeyeceği bahanesiyle her şeye karışır. Dünyada hiç kimseyi mahkûm edemediğinden sürekli iyilik kisvesi, sinsi amaçlar arkasında gizlenir. Aydınlığın kendisidir ve nüfuz edilemez ona. Kendisini doğrudan ifade eden mutlak hakikattir ve bu bizi dışarıda ve yüreklerimizde en alçakça, iz bırakmayan sahtekârlığa davet etmek demektir. Ama komplolar düzenlediğini de sanmayın. Sizi safça olduğu kadar yoz da olan böyle bir düşünceye karşı bütün gücümle korumaya çalışırım. Yasanın bazen, dürüstlüğüyle kuşatılmış olduğumuz uyanıklık duygusunu yumuşatmak için karanlık işler çevirebileceğine inandığımızı sanıyoruz biz. Bu duygudan kurtulmak, bu duygunun verdiği yorgunluktan kurtulmak istiyoruz biz. Komplolar hayal ediyoruz, çünkü iyi niyet ve açıklığa dayalı son derece karmaşık ilişkiler düşüncesine katlanamıyoruz; söz konusu ilişkiler, bize yabancı olmak şöyle dursun en yakın ve en içimizde olan şeyleri açıklarlar."

"Şimdi rica ediyorum sizden, dinleyin beni. Size emanet edeceğim sırlar önemlidir. Sizin için bir tehlike arz etmemin nedeni sadece yaşama biçimim, düşünce tarzım ve alışkanlıklarım değildir. Beni de çalıştırıyorlar: Bir rolüm var, emirler alıyorum, emirleri yerine getiriyorum. Nasıl? Söyleyemem bunu, çünkü aslında doğru değil. Bunlar beni alıp götüren, serbest bırakan düşünceler, beni, karşıdan bakmaya cesaret edemediğim, her zaman yaşayacak gücü bulamadığım bir durum karşısında uygun mesafede tutan dinlendirici formüllerdir. Ama masal değildir bunlar: masaldan uzak şeylerdir. Bizden önceki devirlerde olayları bu şekilde görmek hakikatin ta kendisiydi muhtemelen; bugün de bir eğretilemenin tüm kesinliğine sahiptir. Memurlar, dairelerde yaşadıkça, kararname imzalayarak, devletin sürekliliği için çalışarak, bize sert ya da haksız gözüken kararlar alarak, kimsenin aynen kabul etmediği, ama aşılmış yaşamlar gibi ahlak, siyasi kader, genel olarak dünya yaşamı konusunda bir fikir veren imajların ötesinde kendi kendileri değil midir?"

"Şu korkunç şeyi düşünün bir. Ben kendim birçok bakımdan bir figürden başka bir şey değilim. Bir figür? Böyle bir sözcüğün nasıl tehlikeli, alçakça, umutsuz bir yaşam biçimi gerektirdiğini anlayabiliyor musunuz? Ben bir maskeyim. Bir maskenin yerini tutuyorum ve bu konumumla yasanın hiç eksiksiz insanlığı üstüne daha kaba, daha saf, sonuna ulaşmış bir evrim içinde boşuna geri dönmeye çalışan bir insanlığı –aynı zamanda da parlaklığını yumuşatmak için hafif bir cila– yayan bu evrensel hikâyede bir yalan rolü oynuyorum."

Gece yarısına doğru, tekrar biraz iyi hissettim kendimi, dinlenmiştim, yemeğimi geri gönderdiğime pişman oldum. Etrafın çok karanlık olmasına rağmen koridorun boş kaldığını, kapımın sürgüsünün hâlâ çekilmemiş olduğunu gördüm. Biraz sonra, soyunurken odamın içi, avludaki büyük lambadan geldiğini sandığım soğuk, kör edici bir ışıkla doldu. Hemen hemen aynı anda korkunç bir patırtı koptu. Köpekler! Yere kapaklandım. Fark ettim onları, iki adamın baş etmeye çalıştığı ve hareket etmeden uluyan, pencereme doğru bakan on kadar çoban köpeği, dev gibi on hayvan. Böyle ulumaları hiç kimse işitmemiştir asla: güçlükle soluk alıyor, yerlerde yuvarlanıyor, sürükleniyorlardı. Ulumadan çok avluda ve belki de odamda hareket etmeye başlayan yağlı ve kör kurtçuklar. Bundan daha ilkel bir şey olamazdı. Mütevazı bir vahşet içinde gözlüyorlardı beni ve gözlerken de uyuşuyorlardı. Ansızın projektör söndü. Köpekler de neredeyse hemen o anda sakinleştiler. Yattıktan sonra sokakta havladıklarını işittim. Nereye doğru koşuyorlardı? Onları nereye götürüyorlardı? Uzun uzun düşündüm bu olayı. Köpeklerin bu gece gezmeleri ansızın, gecenin içinde, görmezden gelemeyeceğim bir yıkıntı ve tiksinti dünyasını uyandırıyorlardı. Evet, bunu biliyordum, geceleri, her zaman daha fazla düzensizlik olurdu. Evler geceleri yanardı, bekçiler geceleri ırza geçer ve öldürürlerdi. Giriş çıkışı yasaklanmış evlerden kaçtıkları için yasadışı ilan edilmiş, hastalığın deli ettiği ve herhangi bir yere, avluların kuytu yerlerine, boş arazilere gizlenen herkes, geceleri dışarı çıkardı, çıkışı olmayan evlerinden kaçan hastalar hoşgörüsü olmayan bir ölümden kaçabileceklerini sanıyorlardı; yıkılmış insanlardan oluşan, gündüzleri saklanan bu kalabalık, geceleri ortaya çıkıyordu ve yiyecek bir şeyler bulabilmek için, düzensizliğe öfke duydukları ve mutlu insanlardan nefret ettikleri için evlere saldırıyorlar, ani, cüretkâr ve hızlı saldırılara geçiyorlar, şimdi belki de örgütlü seferler düzenliyorlardı. Bu kaos sürekli büyüyordu. Kıyılarının dışına taşarak akan bir ırmaktı bu, sürekli daha fazla enkaz isteyen bir enkaz dalgası, şimdi kendisi kadar karanlık, onu sınırlarının ötesine çağırdıktan sonra tekrar geri çekilme emri veren otoriter güçlerin karşı durduğu bir siyah dalgaydı. O anda, bütün bu sefillerin kaderi, inanılmaz aldatmacası içinde, o kadar açık gözüktü ki bana, bunları belirtmek için, bu sefaleti aydınlatmış olan sözcükleri ateşten harflerle yazmak isterdim gökyüzüne. Ve gerçekten yazdım bu sözcükleri. Ama sefalet taş ve kurşundan meydana gelmişti ve aydınlığını algılayabilmek için göğe doğru bakmak yeteneklerine dahil değildi onun ve hatta hiçbir işine yaramadı bu onun. Çünkü eylem halindeki felaketin gücü buydu: bu felaket yıldızlarda parlamaya başlamışsa da hakaretamiz bir alaydan, felaketin kendisinden daha acımasız, ama ifşa edilebilecek ve ertelenemeyecek bir aldatmacadan başka bir şey açıklamamıştı. Bozulma halindeki bütün bu kalıntının, gerçek ölüm meşaleleri, kendi dışlarına atılmış, akılsız, koşuşturan ve inleyen bu hastaların, şimdi kaçtıkları için kendilerini neredeyse kaçmak zorunda bırakanlar tarafından rahatsız edilmeleri hiç kuşkusuz utanç verici bir çılgınlık, ölümcül bir komediydi. Ama sorumlusu kimdi bunun? Çok sert önlemlere atılabilirdi suç. Ama önlemler sadece felaket acımasız olduğu için sertti, öyle ki salgını engellemek için gerekli olan sıkı düzenin, hem acımasız hem kendisi de bulanık, kokmuş, hastalık bulaşmış düzenin arkasından, her gün, kendilerini, bu düzene boyun eğdikleri takdirde yitip gitmiş, boyun eğmedikleri takdirde çamurlu bir yaşama mahkûm gibi gören ve sayıları her geçen gün artan zavallılar zorla düzensizliğe itilmişti sanki. Birçok insan kendilerini felaketten korumakla görevli bekçileri felaketin kendisi gibi görüp, korkmaya başladılar. Bu bekçilerden bazıları hırsızlık yapmış ve cinayet işlemişlerdi. Üstlendikleri komisyonlardan paylarını alarak, haraç alarak, gizli çıkışlara büyük paralar karşılığı izin vererek, yardımların ve hekimlerin gelişini geciktirerek ve felaketin yayılmasını engelleyecek felaketten daha korkunç bir hale getirecek biçimde davranarak korudukları evlerin sırtından geçindikleri oluyordu. Bu suiistimaller çok sık olmuyordu belki; anlaşılıyordu bunlar, çünkü bekçilerin görevleri çok tehlikeliydi; ayrıca bir çoğu fedakârlık ve cesaret örneği gösteriyorlardı. Ama gözetim altındaki her evin komaya girmiş, ölümün damgasını vurduğu bir ev olduğunu kanıtlamak için birkaç çok genel olay yeterli gelmişti. Buna ihbarlar, muhbirlik, her şeye, aile bağlarına bile baskın çıkan müthiş bir felaket korkusu ekleniyordu. Herkes bütün yakınlarını denetliyor, üstlerinde trajik belirtiler bulabilmek için onları gözetliyor, sürekli bir hastaya yaklaşmış, kuşkulu biriyle temas etmiş, kaçan birinin yanından geçmiş olabilecekleri düşüncesiyle onlardan kuşkulanıyorlardı. Çok insan sadece ihbar edilme tehlikesi takıntısıyla kayboluyordu. Kimileri de ayaklarının altına gerilmiş olduğunu gördükleri tuzakların korkusuyla çabuk davranarak gerçek tuzaklar kuruyorlardı ve bunun sonucunda, çoğu zaman evlerde, komşuları tarafından içeri alınmış, tuzağa düşmüş, bir gecelik sığınak arayan, kendisine sunulan her şeyi kabul eden, kendisine oynatılan rolün bilincinde olan ya da olmayan bu zavallılardan birine rastlanıyordu. Biri kaçtığında, ortadan kaybolması bütün yakınlarını, tanıdıklarını, en uzak dostlarını, çok eskiden görüşmüş olduğu ve ona sığınak bulduğundan kuşkulanılacak dostlarını bile etkiliyordu. Binlerce drama yol açan gerçek, kolektif bir ihbardı bu. Bölge Halk Sağlığı Enstitüsü insanları mümkün olduğu kadar evlerinde kalmaya, sokaklara çıkmamaya davet etmişti. Ama aileler arasında bile daireler bölünüyor, çok büyük odalar ayrılıyordu; herkes kapanıyordu. Aile tam bir zindandı. Bir yandan da tersiydi ve bu kadar intihar olmasının nedeni bulaşıcı hastalığa yakalanmış, ağır olmayan hastaların intihar ederek yakınlarını çok uzun sürecek bir hastalıktan kurtaracaklarına inanmış olmalarıydı: Kaybolduğu sanılan birçok insan bu koşullarda ölmüştü (öldürülmemişlerse eğer) ve kenar köşe bir yerlere iyi ya da kötü gömülerek, bazı sokaklarda salgının gelişmesine katkıda bulunan bulaşıcı hastalık merkezleri oluşturuyorlardı. Bu geceler boyunca neler olup bitiyordu? Köpek ulumaları açıklıyordu olup bitenleri, şu an bile olabiliyordu olay ya da biraz sonra, yarın da olabilirdi. Merdivenden inerken gördüğüm ve ne hasta ne içeri kapatılmış olan bu çocukların nerelere doğru yöneldiklerini biliyordum. Boşaltılmış sokaklardaki boş binalara gidiyorlardı, kaçanlardan bir teki bile, içlerinde en sefili bile olsa geri dönmeye cesaret edemiyordu. Bu evlerde onları can çekişmenin beklediğini hissediyorlardı, evlerden kaçmışlardı ve bu kaçış evleri ölüm yerleri haline getirmişti. Tercihen aradıkları bir mahzenin dibinde bir delik, bir merdivenin altında gizlenecek bir yer, hâlâ hayat olan bir evde gizli bir yerdi, ama bu tür yerlere sığamayacak kadar kalabalık olduklarından, birlikte olmaktan nefret etmelerine rağmen sonunda çoğunun bir araya geldiği ve sığındığı boş alanlara doğru iyi kötü sürüklenmeleri gerekiyordu. Derin çukurlar bu boş arazilerde açılmıştı ve bu yüzden buralara sadece çöp toplama işiyle görevli birkaç yüz kişi girebiliyordu ve bunlar kokmuş, sarhoş, yapmak zorunda oldukları iş nedeniyle yarı deli insanlar olarak nitelendiriliyorlardı. Önceden hazırlanmış bu çukurlar çok sayıda sığınak oluşturuyorlardı. Dorte'un bana duvarın arkasından söylediğine göre orada, hâlâ yaşayan ve kendi kendilerini gömmek isteyen insanlar bulunmuştu. Heyecan içinde söylemişti bunu Dorte. Aslında bunlar kaçanlardan birkaçıydı sadece ve ölülerle karıştırıldıkları, her zaman etkin olan bir çukurda gizlenmek şanssızlığını yaşamışlardı, oysa onların hayatta kalmaktan başka dertleri yoktu. Çünkü bu onların kaderlerinin trajik düğümüydü: Bu sefil bağ yiyecekten bütün bütün vazgeçemezdi. Hastalar ateşe doyuyorlardı, ama ötekiler yaşamak istiyorlardı; ve yaşamak, neye mal olursa olsun normal dünyaya girmekti. Delilik ve yok olma krizleriyle sapıtmamak için her akşam kaçınılmaz olan saldırılar burada bana Bouxx'un adını çağrıştıran belli bir suç ortaklığı bulma ihtiyacı içindeydi. Bu kadar büyük bir kalabalık kendi kendine bırakılamazdı, bir denetimden kaçamazdı ve iğrençliği onu çukurlara atan ölüm kararlarından kaçmak istedikçe, kendisini terk etmeyen kesin bir gözetimi davet ediyordu kendisine. Gittiklerini gördüğüm insanlar bu amaca hizmet için çalışacaklardı. Bundan böyle orada yaşayacaklar, kaynakları olmayan bu kitleye kendilerini kabul ettirecekler, önceden hazırlanmış stoklara tehlikesiz seferler düzenleyecekler, onu sinsice yöneterek yaşama yaklaştıracaklardı. Korkunç bir komedi değil miydi bu? En büyük sefalete düşmüş bu insanlar anarşisinin kendisini zorda, günün korkusuyla bozgun yaşamına mahkûm hissettiği bir anda sadece toleransla ve kaçtığı, onu bir yandan hayatta bir yandan da hayatın dışında tutan ve zamanı gelince hem çok büyük kargaşaları engellemek hem de normal yaşama dönmesini engellemeye devam etmek için ona karşı azgınca bir baskı uygulamaktan kaçınmayacak olan otoritelerin etkisiyle hiçbir şey yapmıyordu. Evet bir komedi. Ama komedi bitemezdi artık. Ve inisiyatifi ele aldıklarını sananların kurbanları oldukları komedi daha korkunçtu. Benimkisi daha da korkunçtu. Ve birdenbire komedi de kalmıyor, yerine her şeyin üstündeki iğrenç ve hakim hakikat geçiyordu. Bu ölüm ortamlarını hayatta tutmaya yönelmiş bu çocukların, kendilerinin de günün birinde çukura düşme tehlikesi içinde olduklarını görmeyen var mıydı? Çoğu, böyle bir bulaşıcı hastalık tehlikesi karşısında kalmaktansa yeni bir düşkünler ve yitik insanlar kategorisi oluşturarak kaçacaklardı. Ayak takımı arasına atılmış olanlarla onları orada yaşatmak için emirle gelenler arasında aynı sefalet içinde ölmenin belirsiz olasılığının, oradan hiç çıkamama güçlüğünün ve nihayet çukurun büyüsünün ortak olduğunu kim görmüyordu. Birilerine verilen, ötekilerden gizlenen emir hiç kimsenin kaderini değiştirmiyordu. Bouxx'un gönderdiği, bu sorumsuz kitleyi çeviren, kendileri de sorumsuzluğa giren insanlar gitgide cahilleşen bir sorumluluk getiriyorlardı bu kitleye; kendileri de kurtaramayacaktı onları, sonuçta kime hizmet ettiklerini bilmedikçe daha az kurtarıyorlardı onları, çünkü Bouxx'un tarafında ve gözetim altında tuttukları bu kalıntılarla ortak çıkarları olduğuna inanıyorlarsa da Bouxx, aşağılanmış insan körlüğüyle uzaklaşmak istediği yasa hesabına çalışıyordu. Ve böylece bütün bu kaos, bütün bu çılgınlık otoriteye hizmet ediyordu ve otorite için her şey yolundaydı. Böyle düşünmemem gerekirdi, dedim kendi kendime. Ama bu düşüncenin üstünden gece aktı, gecenin gerisi ve belki de gündüz ve belki de birçok gün. Kimi zaman hâlâ şöyle düşünüyordum: Ya ben, niçin buradayım ben? Yatağın dağınık olduğunu fark ediyordum; ben yokken kesinlikle birçok örtü alınmış, yeni gelenlere verilmişti ve belki de küçük topluluğun eşyalarıyla birlikte götürülmüştü ve bir çukurda büzüşmüş, enkaz halindeki bu insanlardan birinin işine yarıyordu bunlar. Bu düşünce şaşırttı beni ve ele geçirdi. İzlemiyordu beni, tuhaf bir duyarsızlığın kanıtıydı; ne var ki onu geri itmeyi, kendimi kenarda tutmayı, onu tekrar harekete geçirmeyi beceremiyordum. Yaptığım her şeyin arkasında sessizce duruyor, yerini alıyordu. Ve hemşire içeri girdiğinde fazladan hiçbir şey olmuyordu. Boşuna bakıyordum ona: Hararet öylesine ağır, ışık öylesine sıkıcıydı ki, onun yatağa yaklaşmasını, masaya doğru gitmesini, kâğıtları eline alıp, düzeltmesini büyük bir şaşkınlık içinde seyrediyordum, sanki, duyarsızlaştıran sıcaklık ve hareketsiz ışığın içinden günler ve günler geçmişti ve bu sessiz girişimler mutlu sona ulaşamamıştı.

Bir sabah, yatağımı yapmam için kalkmamı istedi. Bir tabureye oturmuş, arkasından bakıyordum ona: Gömlek yerine hemen hemen renksizleşmiş bir elbise giymişti ve yükselen ağır ayakkabılarından çıplak bacakları çıkıyordu. Odanın içinde geziniyordu, bazen su kabının, bazen pencerenin yanında görüyordum onu. Başının arkasında caddenin ağaçları ölü yapraklarını yükseltiyorlardı ve ağaçların arkasında evler gündüzün küstah zaferini, gizli çürümelerinin ve gizli cesetlerinin açığa çıkmasını beklerken sessiz cephelerini yükseltiyorlardı. Ona baktığımda şunları düşünüyordum: Ne yapıyor orada? Duvarları yeteri kadar kurulamadı mı, yapacak başka işi yok mu? Camları sildiğini, camları günlerdir yorulmadan ve kımıltısız, her sabah yeniden bu pencerenin önüne gelerek, sonra oradan ayrılarak sonra yine oraya dönerek, sırtında bazen kreozot kokulu bir gömlek, bazen neredeyse elbise olmaktan çıkmış bu rengi atmış elbiseyle sildiğini düşünüyordum. Elbiselerimi ararken taburemden kalktım. "Elbiselerim nerede?" Bir ara pencerenin yanından ayrıldı, çıplak bacaklarıma, baldırımdaki sargıya, çıplak kalçama doğru ilgisizce bir göz attı. Yassı yüzünü, bedenimde kalmış gri gözlerini görüyordum, yükselen kocaman deri ayakkabılarından dondurucu bir kabalıkla çıkan çıplak bacaklarını görüyordum. Yarı yarıya giyindim, yardım etmedi bana. Yan odaya gittiğimi söyledim kendisine. "Nasıl isterseniz," dedi sakin bir tavırla. Kör kör, sendeleyerek girdim o odaya. Dorte çok kötü gözüktü. Sol eli bile şişmişti. Bana bakıyor, hiç hareket etmiyordu; tamamen felç olduğunu sandım. Arkadaşlarıyla konuşmak istedim, onlar da her zamankinden daha uykulu, daha hareketsiz gözüktüler. Abran adıyla hitap edilen, ot mindere uzanmış, başının yarısı peleriniyle örtülmüş olan ağzını açıyordu ve ben ne boş yanakları ne donuk ve aç gözleriyle ilgili olan bu acayip zayıf yüzün bana gösterdiği şeyi tanıyamıyordum bir türlü. Ne iğrenç bir yaşlı adam, diye düşündüm. Yaşı, yaşlılığın, hayalin ciddiyet kazanamadan hüzünlü bir gerçek olarak kaldığı dönemi aşmıştı hiç kuşkusuz. Saygıdeğer bir insandı o artık. Çenesinden göğsüne doğru hafif bitkisel bir maddeyi çekiyordu eliyle. Biraz kıvırcık, kızılımsı ve beyaz renkli yün iplik gibi bir şeylerdi bunlar. Manyakça hareketlerle çekiyor, dağıtıyor, uzatıyordu onları. Orada bir kenara ilişiverdim. Müthiş sıcaktı içerisi. Yüzlerce sinek ve sivrisinek olmalıydı, bunların duvarlarda, camlarda ve tavanda vızıldamaları bütün bu hareketsiz insanlardan daha çok gürültü yapıyordu. Bir süre bakınca anladım ki, bunların tümünü felç eden şey ne ateş, ne sıcak, ne de hastalıktı. Dorte'un hareket kabiliyetini azaltan ve onda sabit, çekingen ve duyarsız bakışlardan başka bir şey bırakmayan şey gerçek bir felç değildi. Bir ara, birisi bir şey düşürdü, sandallarını düşürdü sanırım. Bu ses odadan bir soluk gibi geçti, hiç kimse hareket etmedi, ama herkes, hep birlikte sarsıldı, yüzler pencereye doğru uzandı; ben de bütün gücümle baktım camdan. Uyanan Dorte'un ağzından iki ya da üç sözcük çıktı. Çok sıkıntılı çıkıyordu sesi. Elinden yakındığını anladım, havasız kaldığını söyledi, su istedi, sonra dilsizliğine geri döndü. Çevresinde onlarca sinek uçuşuyordu; peş peşe, dudağının altında, sakalsız bir bölgede küçük, beyaz bir noktaya ulaşmaya çalışıyorlardı; kimi zaman alnının üstüne konuyor, yanakları boyunca kaprisli ve kurnaz bir girişimle aşağı doğru iniyor, kılların arasına karışıyor ve sanki beklenmedik bir biçimde, vızıldamaya başladıkları beyaz çizgiye ulaşıyorlardı. Onları avlamak için iki kez kalktım yerimden, ama hareketim korkuttu onu. "Pis sinekler," dedim. Çok küçüktü sinekler. Salgın hastalıktan önce bu tür sinekler görmüş olduğumu sanmıyorum. Kanatlarına kadar her tarafları siyahtı. Zıplarken çok hafif bir ses çıkarıyorlardı, kendi ezilmiş bedenlerinden çıkan kuru bir sesi andırıyordu bu ses. Biri kondu dudağa, sonra bir başkası. Olabildiğince sabır göstererek seyrettim sinekleri: Hareketsiz duruyorlardı, dudak da hareketsizdi. Derinin gözlerimin önünde yarıldığı, kuruduğu, ama aynı zamanda sulandığı izlenimine kapıldım. O anda müthiş bir patlamayla yerimden zıpladım: yerdeydim; ev temellerini yitirmişti sanki; ışık bile soğuk yansımalara dönüşmüş, titriyordu. "Ne oluyor?" Kalkmaya çalıştım. Dorte'un yüzü gri çizgilerle kaplanmış, harap olmuştu. Kaptan su aldım ve yüzüne serptim; ağzı hafif hafif kımıldıyordu. Bir bez ıslattım ve damla damla sıktım ağzına. Ağzından Roste, diye bir sözcük çıkıyordu sanki. "Roste'u çağırmak gerekecek," dedim ihtiyara. Ot mindere neredeyse sırt üstü devrilmiş olan ihtiyar doğrulmaya çalışıyordu.

Ama ayağa kalkınca hastaya yaklaşmadı, bakmadı bile, pencerenin yanında toplanmış bulunan öteki insanlara doğru dönüyordu. "Şimdi daha iyiyim," dedi Dorte. Derin derin nefes alıyordu. Yüzüne biraz renk geldi; terliyordu ve bunun yüzüne bir anlam kattığı söylenebilirdi. "Şimdi daha iyiyim, dedi. – Ne oldu?" diye sordum. Çevremde konuşuyor, fısıldaşıyorlardı. Kaç patlama olmuştu? İki, belki de üç? Ama daha bir şeyler olacaktı sanki. Sandığın üstüne oturdum. Şimdi bir uğursuzluk hakim olmuştu ortalığa. Bu uğursuzluk belki de bilinçsiz bir şekilde "Şimdi daha iyiyim," diye tekrarlayan ağızdan geliyordu; kimsenin ilgilendiği yoktu bu sözlerle, öyle ki bu sözler kayıtsız, ilgisiz bir ortam içine düşmüştü ve tekrar yükselmek istiyor ve yine öteki mırıltıların içine karışmak istiyordu. Hapishanenin eski binalarını yıkmak istediklerini anlıyordum; bu eski binalar bit yuvalarıydı ve eğer tıp merkezleri olarak hizmet vereceklerse yeni yapıların çevresinden kaldırılmalıydı. Ama hapishane sözcüğü burada kendi başına bırakılmış, istediği yere giden, doğru gibi gördüğü şeyi ifade eden bir sözcüktü: Kendini duyurmak için hiçbir ağıza ihtiyacı yoktu ve arkasında herkes toplanmış, yüz yüze, bu sözcüğü haykırıyor, mırıldanıyor, dişleri arasında eziyordu. Mahkûmlar sanki hücrelerini boşaltmayı kabul etmemişler, savunmaya geçmişlerdi, inatla yere uzanmışlardı, hiç kımıldamıyorlardı, hiçbir biçimde ikna olmuyorlardı, bu yüzden, bu tür bir önleme damgasını vurmuş olan Bouxx, taş gibi suskunluklarıyla önüne çıkan, eskiden vermiş olduğu yasaklama emirleriyle karşı karşıyaydı ve bunlara karşı, kendi kendisine karşı mücadele etmesi gerekiyordu; bu mücadeleyi, galip gelmek istediğinden, sonunda ayakta kalmayı ya da ezilmiş olmayı hiç umursamadan sırf galip gelmiş olmak için, hiçbir şey karşısında gerilemezmiş gibi gözüken o temel öfkesiyle yapması gerekiyordu. Bouxx'un adını yüksek sesle telaffuz etmek zorunda kaldım. Ve sözcük, ağzımdan çıkar çıkmaz Dorte yalvarma ve korku dolu gözlerle çılgınca baktı bana: Bana dikilmiş olan gözleri bulunduğum yerde görmüyorlardı beni sanki, ama daha uzakta, duvarın öbür tarafında, kapının önünde, sonra daha uzakta, bu odanın ve bu evin ötesinde ve her yerde buluyorlardı beni ve beni yine bulmak için daha ötelere gitmekte duraksamıyorlardı. O anda, onun da suyun, benim günlerdir seslerini işittiğim durgun ve bitkin suların kabarmasını işittiğini kesinlikle anladım; yavaşça, hararetli ve ışıklı bir şekilde yükseldiklerini hissediyordu ve çürük şeylerin, mutsuzluk ve aşağılanmanın yuvarlandığı kör ve kara bir kabarmaydı bu. Çürük şeyler, mutsuzluk ve aşağılanma boşuna bekliyorlardı bizi, ancak güneş doruk noktasına vardığında, bizi ebediyen başarısız ve günün şan, şöhret ve iyi niyeti konusunda ebediyen yorgun ve utanç içinde ve umutsuz bırakmak için ulaşacaklardı bize. Ve çukurun kapandığı anın aynı zamanda kesinlikle dışlandığı an olacağını hissederek, bu kadar acıdan ve sabırdan sonra, bu çukuru mutsuz geçmişinin derinliğiyle kazdıktan sonra, tekrar yasanın ışığı altına atılmış durumda gözükmek tehlikesi içindeydi ve sarsılmaz bir inançla bağlandığı kişilerin eylemiyle aşağılanmanın doruk noktasıydı bu, bu bozgunu hissederek şaşkın ve yalvaran, olacakları reddeden, her şeyi reddeden, sürekli "Şimdi daha iyiyim" diyen gözlerle bakıyordu bana. Yaşama, iyileşmeye çağrı yapıyordu bu sözlerle, yasanın ondan istediği de tamı tamına buydu ve benimle birlikte oda tahammül edemediğim aşırı aşağılanmalar, pişmanlıklar ve umutlarla doluyordu. "Doktora haber vermek gerekir," dedim yemek getirmek için aşağı inmeye hazırlanan çocuklara. Gittiler. Arkalarından, en fazla sakat olanlar indiler yemekhaneye. Yemekte biraz rahatladım. Odanın yarısı boşalmıştı neredeyse. İhtiyar, yanımda sakin sakin, ciddi ve becerikli hareketlerle lokmalarını çiğniyordu. Bu kadar tuhaf zayıflığının nereden kaynaklandığını anlıyordum şimdi: Sakalının kendisi çok zayıftı, yüzüyle ilintisi olmayan iki, üç tele indirgenmişti sakalı ve eli şimdi bile uzatmaya ve kıvırmaya devam ediyordu bu telleri. Lokmalarını çiğnemeye devam ederken kalktı ve selam verdi bana. Titreyerek sarındığı pelerinini, sonra da bacaklarının çevresindeki üst üste sarılmış birçok kumaş parçasını gösterdi. Pelerinini bana, sıcaktan boğulduğum bir yerde soğuk alabileceğinden şikâyet etmek için değil, ilgilenebileceğim, ilginç bir şey gibi gösteriyordu, ama beni tanık gösterme üslubuyla şunları söylemek istiyordu sanki: "Eğlenin bununla, ama şunu da dikkate alın: Hücrede yaşamış bir insan soğuğu kendisiyle birlikte götürür." Çünkü o da bana bir an önce oradan geldiğini, yaşamının büyük bölümünü orada, yasanın boyunduruğu altında, kendi gardiyanlığını kendisinin yaptığı hücrelerin dibinde geçirdiğini anlatmak istiyordu. Evet, kesinlikle mahkûm olmuştu, zamanında mahkûm olmuş olabilirdi ancak, çok uzun zaman önce, yılların sayısı kaybolmuştu, ama ona bakılırsa, hapishane sanki bu yaşlılık belleğinde ortaya çıkmaktan zevk duymuştu, bellek kendisine daha yabancı, kendisinin bütün hatıralarıyla içine düştüğü hayata daha kapalı bir gerçeklik içinde değişmek için yararlanmıştı bundan. Bu konuda konuşurken hiç hapishane sözcüğünü kullanmıyordu, kodes, delik sözcüklerini kullanıyordu, öyle ki sakin bir tavırla, yavaş ve gösterişli bir üslupla konuşmasına rağmen, anlatımında, sürekli aynı şeyi yineleyen ve tehlikeli bir kurnazlık içeren imalar vardı: Hapishane zamanla yeraltına gömüldü, çukur oldu ve ihtiyarın gerçek yıllarının kaybolduğu yeraltı dünyası oldu.

– Ne anlatıyor? dedi David Roste. Ne zevzek ihtiyar! Ve kolunu çekti. Ben kalktım. Ne yapıyorsunuz siz burada? Odanızdan çıkmamalısınız ve öteki odalara hiç gitmemelisiniz. Daha önce söylememiş miydim size?

– Hemşirenin izniyle geldim

– Hangi hemşire?

– Jeanne.

– Ne? Elini boynuna götürdü.

– Dorte pek iyi değil. Size haber vermenin uygun olacağını düşündüm.

Birden yatağa yaklaştı, yüzüne doğru eğildi, kibirli, ama ilgili bir tavırla inceledi. Eldivenli eliyle ağzına dokundu. Sonra bir ampulun içindeki sıvıyı bir bardağa doldurdu ve yavaşça içirdi.

– Zevzek moruk, dedi, ihtiyarı iterek ve sandığın üstüne oturarak. Niçin hep aynı şeyi anlatıp duruyorsunuz?

– Onu yaşadım ben, dedi ihtiyar ciddi bir tavırla. Hâlâ da yaşıyorum. Anılarım, sanki o zor günler hâlâ bitmemiş gibi çok yakın bana.

– Hep aynı şeyleri anlatıyorlar, dedi Roste bana bakarak. Sanki hepsi tek ve aynı olayı yaşamışlar. Başlarına gelen şeyleri, dinledikleri şeylerden ayırmak bayağı zor. Küçümseyici bir tavırla dudaklarını şaplattı. Odanıza dönseniz iyi edersiniz, dedi bana.

– Hepimiz aynı acılardan geçmedik, dedi Abran o yumuşak üslubuyla, ama yinelenen öyküler herkese ait ve herkes bunlarda kendi yaşadıklarını buluyor, geri kalan her şey üstünde de hakkı oluyor. Unutmak mümkün değil, anılar çok acı veriyor ve onları hatırlamamız büyük bir hüzün bizim için. Ama kesinlikle hatırlamamız gerekir bunları, çünkü bizim yaşamımız sadece bu oldu ve başka bir şey olmadı.

– Dinleyin, dedi Roste. Ağlayıp sızlanıyorlar, ritüel yas hareketleri yapıyorlar, hiç kimse onlardan daha mutsuz olmamıştır. Ama aslında bundan başka bir şeyi sevdikleri de yok, dualarını okuyorlar, sefaletleri içinde kendilerinden geçiyorlar. İyi bir şeye ulaşabilmek için kendiliklerinden en küçük bir çaba gösterirler mi? Evet, buna inanma noktasındayız, onlara uygun yer sadece hapishane. Hapishaneyi seviyor onlar. Ve hapishaneyi sevmezlerse eğer, bu daha kötü: Çünkü her şeye rağmen en istekli yaşadıkları yer kodesin dibi.

– Hasta onlar, dedim.

– Ben de hastayım, dedi, boğumlarına dokunarak.

Yüzüne baktım.

– Sanıyorum aileniz de yakalandı bulaşıcı hastalığa, değil mi? dedim.

– Salgın buradan geçti, dedi, kibirli bir tavırla.

– Doktor hikâyelerimizin görkemini ima ediyordu, dedi ihtiyar, gülümseyerek bana doğru dönerken. En hüzünlü seremoniler her durumda şenliklere benzer. Talihsizliklerimiz trajik olaylara uygun düşen karamsar bir üslupla dile getirildi. Samimi bir şekilde söz edemiyoruz bunlardan. Onların anılarına doğru sadece korku dolu, ama aynı zamanda da saygı dolu zihinleri yöneltiyoruz. Kimse, tek başına ağırlığını taşıyamaz bunun. Ve bu kadar büyük sefaletlere uygun cevaplar verebilmemiz için içimizdeki en büyük mutsuzlukları bir araya getirmemiz bile yetmez. Hissettiğimiz her şeyi ve hatta neşe ve minnet gibi görünüşte yer değiştirmiş duyguları da katmamız gerekirdi bunlara. Sadece gözyaşı ve üzüntüden ibaret olsaydı yeteri kadar büyük olmazdı yasımız. Yaşamımızdan herhangi bir payı ona vermeyi niçin reddedecekmişiz?

Çılgınca bir konuşma, diye düşündüm. Bu sözlerin üstüne derin bir dokunaklılık havası mı yayılmıştı? Ortaya çıkmak için sadece düşüncenin sesini bulabilen kör bir şeyin karanlık göndermesi mi? Ah, bu dil benim için, kesinlikle çok büyük bir tehdit içeriyordu, üslup neredeyse anlamsızdı, sanki benim kullanımıma uygun biçimde, kültürün alışılmış kurallarına göre formüle etmek istemişti onu, bilgisizliğin altındaki bir bilgisizlik, korkunç bir ilksel eylem. Evet ona inandırmak istiyordu beni: Bütünüyle çok yaşlı insan konumuna uyarlanmıştı, sadece kutsal, koşullara kayıtsız ve sadece dinsel töreşenlerin önceden saptadığı rolü kabul ederek cevap verilebilecek ifadelerden yararlanabilmesi mümkündü. Ve benim de bir rolüm vardı. Benim rolüm hikâyeye, sürekli kayıp, ama her zaman karışan bir dinleyici olarak müdahale etmekti. Hiçbir şey söylemiyordum, ama her şey benim önümde söylenmeliydi. İlahiler okunurken, hüzünlü günlerin anısı, o andaki bir acıyla tazelenmiş gibi herkes kulak kabartırdı kesinlikle, ama bu arada çok yüce birisi de dinliyordu, bu acıklı yinelemelere, dikkatiyle bir umut ve güzellik kazandıran biriydi bu.

– Yeter artık, diye bağırdı Roste. Yeter bu kadar mızmızlık! Hiçliğin de altına indirdiniz kendinizi, ama yetmiyor bu size. Hâlâ bu geçmişin önünde eğilmek istiyorsunuz. Sadece onu düşünüyorsunuz, hayransınız ona. Efendiniz sizin.

Sustuktan sonra da el kol hareketleri yapmaya devam ediyordu. Ansızın ayağa kalktı ve biraz üzerine doğru eğilmiş bir çocuğa çarpıyordu az daha. O çocuğu sarılı elinden tanıyordum. Roste'a iyice sokuldu ve biraz alçak bir sesle şöyle dedi:

– Niçin çıkmam engelleniyor? Niçin bir efendiyi bir başkasıyla değiştirmek zorundayız?

Roste şöyle bir baktı ona, omuz silkti. "Numara bunlar, diye homurdandı, kâğıttan dilenciler!" Ayakta, çelimsiz birini andırıyordu.

– Bütünüyle bu sefil geçmişe dalmış göründüğümüz zaman bile, dedi ihtiyar bana hitap ederek, her zaman aynı gelecek umudu içindeyizdir: çok büyük bir umut.

– Ne umudu? dedi çocuk alçak sesle. Bu tımarhanede şu zavallı gibi çürümek umudu mu? Ötekiler gibi bombalarla dışarı atılma umudu mu?

– Çok yaşlı olmama rağmen, dedi Abran, kodesten başka bir şey tanımıyorum. Dün hücre, bugün çukur: Dolayısıyla benim umudum kodesten başka bir şey olmaz. Sefaletlerimizin özüyle, bunlardan kurtulma umudunu nasıl ayırabiliriz birbirinden? Pis, iğrenç sefillikler! Sadece geçmişi yeniden bulmak bile olsa titreten bir şeyler var. Hepiniz yaşamımızı bir deliğin dibinde geçirdiğimizi hatırlıyorsunuz. Ama bu delik aynı zamanda bizim sığınağımız olmuştur ve gömülmüş olduğumuz bu sığınak yavaş yavaş, henüz oturulmayan, ama yine de epey geniş bir konut durumuna gelmiştir. Delik şimdi bizi rahatsız eden durumlarla karşılaştığımız, ama ihtiyaçlarımız ölçüsünde genişleyen temiz ve havadar şu binadır. İhtiyatla konuşmak gerekirse –çünkü bizim durumumuzda açık konuşmak uygun düşmez– her şey o şekilde olup bitiyor ki, sanki umudumuz, bizi bazen yutan, bazen barındıran bu deliktir.

– Doğru mu, diye mırıldandı, Roste'a, belki saldırganlık niyetiyle değil de muhatabıyla tek vücut olma amacıyla gitgide daha fazla yaslanan yaralı –ve Roste da hiç geri çekilmiyor, derin, ama her şeye rağmen çocukça bir küçümseme duygusuyla açıkça başını çevirmekle yetiniyordu– hücrelerimizden çıktığımızda özgürce yaşamayı düşündüğümüz doğru mu? Bu ölüm yerlerinden uzaklaşırken, derinliklerden çıkmış gibi olduğumuz ve yeni bir yaşamda yer aldığımız doğru mu? Bizim için, bizimkiler tarafından yönetilen bu bina, umutlarımızın gerçekleşmesinden fazla bir şeydi, umudun önüne geçen bir hayır duasıydı, bize her an her şeyi veren bir hayır duasıydı. Ya şimdi? Emirler beklemekten başka bir şey bilmiyoruz. Bize mi, bizden başkalarına karşı mı yöneltilmiş emirleı? Kim söyleyecekti bunu bize? Bina her zaman hapishanedir, diyorsun. Kesinlikle, ama artık değeri kalmamış bir vaat, saldırı haline gelmiş bir umut, boğucu bir düş kırıklığı.

– Pekâlâ, dedi ihtiyar, kalbini samimiyetle açıyorsun bize ve kararlılıkla bütün düşündüklerini söylüyorsun. Ama aynı zamanda güçlü bir biçimde dile getirdiğin eleştirilerinin ancak yarı yarıya temellendiği de anlaşılıyor. Buradaki yaşama karşı tam bir eleştiri niteliğindeki sözlerinden her koşulda anlaşılan minnettarlık ve sevgi gösterisi. İki tahta arasında gizlenebilen tespihböceğinin özgürlüğünü aradığını söylüyorsun. Ama madem ki şikâyet ediyorsun ve başkaldırıyorsun, bu demektir ki boğulma duyguları yanında sana mutlu ve hafifletilmiş bir yaşam duygusu da verilmiştir ki, sen başkaldırını da bu yaşam adına yapıyorsun ve sonuç olarak senin yakınmaların şükrana dönüşüyor. Vaat gerçekleşmiyor, ama asla kaybolmuyor da. Her şey söndüğünde o parlıyor. Her şey kaybolduğunda o meydandadır. Sevgili arkadaşlarım yakınmalarımızın ne anlama geldiğini bilmiyorum ve belki sözlerimizi ziyan ediyoruz biz. Üzüntümüz gerçekten çok büyük ve ne kadar yaşlı olursam olayım bütün acıları tadacak ve de bu acılara doyacak kadar yaşamış olduğumu sanmıyorum. Bizi bu zor durumdan kurtarabilecek biri var mı? Buna inanmaktan sakınacağım kendimi. Birisi? Sizin gibi, benim gibi? İzin verin bu sefilliğimle böyle saçma bir düşünceye güleyim. Hepinizi tanık gösteriyorum: gerekirse, hiç kimseye gereksiz yere yakarmadığıma, sırtımdaki yükün alınmasını istemediğime ve her zaman mutsuzluğumla hemfikir olarak çukurun daha derin yerlerine inmekten başka bir şey istememiş olduğuma tanıklık edeceksiniz.

– Yeter, diye bağırdı Roste. Defolun buradan. Bu ne maskaralık böyle! Elini boynuna götürdü. İhtiyar sakin bir tavırla ot minderine çekildi, ötekiler ayrıldılar. Basit bir gösteri, dedi, sinirli sinirli gülerek. Diyaloglar ayrıntılarda değişiyor, ama her zaman aynı sözcüklerin çevresinde dönüp duruyorlar. Kimi zaman seslerini yükseltiyorlar, biri ötekine karşılık veriyor, söylenmesi gereken gizlendiğini sanana karşılık veriyor. Ne istiyorlar? Ne düşünüyorlar? Hiç, tek bir düşünce bile söz konusu değil. Tam ve katıksız budalalık.

– Tören mi? dedim. Emin misiniz bundan? Bu sözleri işittiniz mi daha önce?

– Yüz kez, dedi, o küçümseyici ifadesiyle. Manyaklar hep aynı şeyleri söyleyip dururlar. Fark ettiniz mi? Siz de tekrara düşüyorsunuz.

Ama o da aynı sözcükleri yineleyip duruyordu: Bouxx'u dinliyordum sanki. Cüce herif, dedim içimden, istesem yok ederim seni.

– Kendi çıkarları için girişilen eyleme bu derece ilgisiz kalmaları mümkün mü? dedim, gözlerimi ona dikerek.

Muzip bir neşeyle baktı bana; 'Hoppala, ne demiştim ben?' diye düşünen birinin neşesiydi bu.

– Ama düşünüyorlar bunu, dedi birden ciddi bir tavırla. Bırakalım bunları artık.

Dorte'a baktı, Dorte da ona bakıyordu. Gözkapağını açtı, çekingen bakışları saran gri, neredeyse siyah lekeye doğru eğildi. "Ne hastalık, diye mırıldandı. İyileşeceksin dostum, iyileşeceksin. Birazdan bir iğne yapacağım size." Kapıdan, kemirilmiş sesiyle bağırdı bana: "Siz de odanıza dönün. Bugünlük bu kadar gevezelik yeter!"

O çıkar çıkmaz tekrar oturdum yerime. Sona ermiş bir antrakt gibiydi. Deniz yükseliyordu, biliyorduk bunu. Yükseliyordu ve hiç kimse suç ortağı olmamasına rağmen, hava böcek burgaçlarının ortasında bize ışık ve hararetten başka bir şey getirmemesine rağmen, hafif sızıntıyı fark eden, sokaklarda, ev boyunca ve duvarlarda yükselen suyun izlerini kendi hesabına gören kimse olmadı. Gerçekten böyle bir şey olabilir miydi? diye düşündüm. Böyle bir şey... Şimdi her şey dinginlik içinde ve sessizdi. Şimdi siesta zamanıydı. İhtiyar pelerinini burnuna indirmişti, ötekiler ağızlarını açıyor ve uyuyorlardı. Herkes uyuyordu. Ama içimizde, ışık ve hararet arasında sızan bir şeyi, karanlıkta oluşan ve körlemesine yayılan ve hayatta, hayatın ihtişamında düşebildiği ve içinde gerçek, silinmez bir leke olabildiği tek çatlağı arayarak, bir damlayı hissetmeyen, boğuk bir homurtu gibi işitmeyen tek bir kimse yoktu. Ve birden çatlak bulunmuş gibi oldu. Dorte doğruldu. Kolları biraz hareket etti, hatta bütünüyle felç olmuş sağ kolu hafifçe kımıldadı. Yavaşça, maharetle oturdu yatağına. Başını kaldırdı ve bana baktı. Yaklaştım, ama daha önceki yerimde, sandığın üstünde oturduğum sırada baktığı yere baktı beni görmek için, aydınlık ve güvenli bir bakıştı bu. Biraz sürdü bu bakış: Gözleri hareketsizdi, sonra daha uzakta, duvarın arkasında ve odamda, yatağımda, gözlerim duvardaki lekeye dikilmiş halde; gördü beni. Birbirimizi süzüyorduk ve bizden daha huzurlu hiçbir şey yoktu, odadan ve evden ve çevremizdeki suların boğuk homurtusundan daha dingin bir şey yoktu. Yavaş yavaş yanına döndü, yavaş yavaş ve ustaca, bölmeye doğru bakacak biçimde ve bu hareketi yaptığı sırada yer sallanmaya başladı, toz haline gelen toprağın çıkardığı ses gibi hafif bir hışırtı duyuldu. Beden rahat bir konuma kavuşunca, bir kolunun uzandığını, bölmeye doğru yöneldiğini ve dokunduğunu gördüm. Duvara dokundu, bir desenin çevre çizgilerini keşfetti ve güven içinde izlemeye başladı çizgileri. Patlamanın çıkardığı gürültü bize ulaştığında, çatlaktan gelen çıtırtılar ayaklarımızın altında ezilirken ve kaybolan ses çevremizde siyah bir delik açarken, gözlerim bölmede, elinin çizdiği sınırlara göre kalın, ıslak lekeyi gördü; teri, şiddetli baskısı, günlerdir, tuğla ve sıva arasında, odamın duvarının üstüne kadar bu lekeyi anlatmışlardı. Hiçbir zaman görmediğim biçimde görüyordum lekeyi, çevre çizgileri olmadan, duvarın içinden çıkan bir özsu gibi, herhangi bir şeye, herhangi bir şeyin gölgesine de benzemiyordu, akarken ve yayılırken ne bir baş, ne bir el, ne de başka bir şey oluşturuyordu, sadece kalın ve görünmeyen bir akıntı. O da benim gördüğüm gibi görmüş olmalıydı lekeyi. Patlamanın yarattığı fırtınayı da işitmiş olmalıydı. Birden döndü, oturdu, gözlerini gözlerime dikti; sonra ayaklarının üstünde müthiş bir sıçramayla dikildi, kadın çığlığına benzeyen keskin bir çığlık attı, bağırıp çağırmaya başladı: "Ben ölmedim, ölmedim ben" ve hatta elim ağzına dokunup, susturmak için baskı yapıp ezerken, parmaklarım bu çığlığı duymaya devam etti ve hiçbir şey susturamadı onu.

VIII

Sonunda odama döndüm. Kapandım. Şimdi, onun yatağıma oturduğu ve orada saatlerce kaldığı oluyordu. Ve konuşsaydım dinlerdi beni belki, ama sözlerim bana kalıyordu. Yazar gibi yapmak... sadece bundan kurtulamıyordum işte. Masaya gidiyordum, içimden gelerek yazmıyordum, ama bir yığın kararmış sayfa, yaşanmış olaylar; sürekli yazıyordum belki. Ne yapıyor arkamda? Bu soru da hiç bırakmıyordu yakamı. Eskiden bu saatte kadınlar çarşaf silkeler, eşyaların yerlerini değiştirirlerdi, erkekler de işe giderlerdi. Şimdi merdivenlerde bitmeyen ayak sesleri duyuluyordu, çıkılıyor, iniliyordu, süvarilik düşü gibi bir şey. Bununla birlikte salgın hafifleme eğilimindeydi. Ama şiddeti azalalı beri şiddetin hastalıktan hastalara geçtiğini fark ediyordum. Burada bile yakınmaları farklı bir hal almıştı. Kulak kabarttığımda artık çığlıklar ve uğursuz bir sessizlik değil, sabırsız ve vahşi çığlıklar duyuyordum ve ayrıca bir kışla şamatası, sanki yaşam tekrar normalleşmişti, hastalar ve sakatlar gitgide daha fazla karışmışlardı birbirlerine. Ya o? Beni gözlüyordu, ama nasıl bir ihmal içinde, görmeden, duymadan. Bu anda bile, arkamdayken, baktığı ben değildim, daha çok duvara bakıyordu ve ben dönersem şayet, şuyun, yağmur suyunun ve çamaşırhane suyunun soldurduğu gri renkli giysisini, beyaz, bitkisel derisiyle ayağının çıktığı ağır erkek ayakkabılarını görüyordum ve bütün bunlar yayılıyor, aynı küstahça rahatlık içinde gösteriyordu kendilerini, sanki bunları görebilecek kimse yoktu orada. Ve birazdan yemek getirmeye inecekti, tepsisini tekrar çıkaracak, yemek yerken beni yalnız bırakacak, öğleden sonra gelecekti. İlaçlarımı verecekti, şunu yapacaktı, bunu yapacaktı, ama binlerce başka şey de yapabilirdi ve belki yaptığı da oluyordu bunları, ne var ki bu, o kurşun gibi yaşamı, bedeni olabilecek bir şeyin kabaca yontulmuş kaplamasından başka bir şey benzemeyen, ama aynı zamanda kibirli bir tavırla yontulınamış granit de olabilecek giysisinin taş gibi kımıltısızlığını hiç değiştirmiyordu. Bu kız belki Roste'un mutsuzluklarına, tanık olmuş, katılmıştı, benim bunlardan haberim yoktu, hiçbir zaman olmamıştı! Pek fazla önemi yoktu bunların benim için. Ama Roste'la görüşmeye devam ediyordu ve Roste benden nefret ediyordu. Ben de nefret ediyordum ondan, en azından sevmiyordum onu, kimseden nefret etmem. Bu çapsız çocuk kendine bir rol biçme sevdasındaydı. Burada belki eylemi çok geniş bölgeleri etkileyen ve Roste'un o alıştığımız sırıtışıyla bildirdiği gibi mesajlarım, kendisine her zaman ulaşmasına karşın bize çok seyrek gelebilen Bouxx'un yerini doldurmuştu. Sessiz, kibirli, becerikli, aktif, evet, bazı özellikleriyle efendisine benziyordu. Daha canlı, daha trajik bir soy özellikleri taşımıyordu, özgürlük duygusu ve eğitimi de eksikti. Hiçbir zaman anlamamıştı beni, anlamaya da çalışmıyordu. Onun gözünde yerimin ne olduğunu fazlasıyla biliyordum. Ama o benim derinliklerine nüfuz ettiğimi bilmiyordu: İşte aramızdaki fark, diye düşündüm. Onun rolü, tedavi etmek, iyileştirmek, onun işi hastalıktı – öte yandan birtakım yabanıl özellikler taşıyordu, hep hevesli ve gayretliydi. Bu yabanıllık şimdi her yerde görülüyordu. Sokaklarda koşturup duruyordu, biliyordum bunu; bir felaket kalıntısı gibiydi, tedavinin bedelini ödüyordu ve eğer çok yüksek ateşten ve çok sıkı bir mevzuatın baskısından kaynaklanan bir şaşkınlıktan, şimdi resmi olarak evlerine dönmeden tekrar herkesin yaşamına sızan kaçaklardan karanlık, doyumsuz ve oldukça acımasız bir eylem yükseliyorsa eğer, burada, nihayet artık geçmiş hastalığın yeni bir biçimini, getirdiğini ve bıraktığını, kaybolurken var olmaya devam etmesini sağlayan şeyleri görmek gerekirdi kesinlikle. Herkes eskiden beri geçerli olan kuralı açıkça görüyordu, salgın batıda hafiflerken doğuda ortaya çıkmış, sınırlardaki güvenlik bölgelerini aşmıştı ve kısa süre sonra, korunabilmiş bölgeleri de kasıp kavuracaktı. Herkes, her yerde, bize sıkıntı veren ürkütücü olayların ve düzensizliğin yeniden ortaya çıkacağını sanıyordu. Ve şimdiye kadar, yasanın parlak örtüsü altında, vebanın tahribatını sefalete karşı çılgınca bir iyiliğe mal etmiş olanlar da, toplumun dışında, dili şişiren, bedenleri yakan, içinde çürüyecekleri bir çukura dönüştüren bu hastalığa gömülme tehlikesi içindeydiler. Birçok insan şöyle bir umut içindeydi belki: Yaşama geri dönen hastalar, kendilerine hastalığı başkalarına geçirme arzusu veren sülfür ve katran ruhuyla dönüyorlardı, ölmekte olanların sokağı geçme ve kendilerini hasta bulunmayan evlere kabul ettirme gücü bulduklari burada görüldüğü gibi. Amaçları bu evlerde yatmak, ölmek ve ölürken de sağlıklı insanları öldürmekti.

Ve aslında başka bölgelerde de tifüs ya da veba olayları olmadığını kim söyleyebilirdi? Ama bana göre salgın hastalık sözcüğü, burada bütün sonuçlarının zincirlenmiş olması nedeniyle bitmiş gibi olduğundan artık bu biçim altında sınırları geçemez ve başka bir yerde aynı zehirleme gücünü gösteremezdi, ama yüzlerce ya da binlerce yılı aşarak kendisi için yeni bir döneme girerdi; şimdi eğer katıksız yasa alanıyla ilişki içine girmişse, ona mikrop bulaştırmaya çalışmışsa, onu felç etmeye çalışmışsa eğer bu demektir ki, gayrimeşruluk düşüncesi içinde gözüküyor gibiydi ve galip gelmeye çalışıyordu. Bu dönüşümde belirtiler eksik olmamıştı. İnsanlar adaletsizlik duygusundan –tanıyordum bu duyguyu– daha korkunç bir duyguyla sürüklendiklerinde devletin evrensel iyiliğine karşı körleştirildiklerinden pervasızca tarihin derinliklerine atılırlar, başlattıkları olaylar farklı düzeylerde kolayca ortaya çıkarlar ve ham olduklarından anlamlarının kendilerini aşmalarına izin verirler ve onları anında anlayan, yaşayan ve ebediyen gören birinin büyülü bakışları karşısında mitler gibidirler. Ama ne Bouxx ne de oluşturmuş olduğu Komite'deki insanlar çalışmak ve yaşamak zorunda kaldıkları anlamsız koşulların bilincindeydiler sanki. Ona söylemiştim bunu, sürekli yazıyordum, yine yazıyordum:

"Yanlış yoldasınız, siz bu rejimle, sanki o başka rejimlere benziyormuş gibi mücadele ediyorsunuz. Bu rejim öteki rejimlere benziyor belki, ama aynı zamanda da farklı. Dünyaya öylesine derin kök salmıştır ki, ayrılamaz artık, sadece siyasal bir örgütlenme, toplumsal bir sistem değil: İnsanlar, nesneler ve özdeyişlerde söylendiği gibi gökyüzü, yeryüzü yasadır, devlete itaat ederler, çünkü kendileri devlettir. Devlet görevlilerine, kamu görevlilerine saldırıyorsunuz, ama bütün yurttaşlara, bütün evlere ve de bu masaya, bu kâğıda saldırmak da bayağı yararlı olabilirdi. Kendi kendinize de saldırmanız gerektiğini bilin. Bir engel gibi göreceğiniz tek bir toz tanesi olmamalı. Herkes, her şey size karşı suç ortaklığı içinde ve siz bunları yok etmek istiyorsunuz."

Ama bu öğütlere karşı nasıl bir yanıt vermem gerekiyordu benim? Kimi zaman tuhaf:

"Amacımız ne bizim? Arayıp durmayın boşuna, çok basit. Hükümet organlarını otoritemiz altına aldığımızda amacımıza neredeyse ulaşmış kabul edeceğiz kendimizi. Sizin görüşünüzü bir an için bile olsa kabul etseydim çıkmak istediğim dünyaya ebediyen kapatmış olacaktım kendimi."

Kimi zaman daha endişeli:

"Dinleyin, hayalci bir zihniyete sahip değilim ben. Yıllarımı bu toplumu incelemeye adadım. Onun gücünü benden daha iyi kimse bilemez. İnceledim bu toplumu, tarihini derinleştirdim. Bütün gerçekleri göz önünde bulunduruyorum. Benden önce başka sıçramalar oldu. Başarı onları devletin sakin bir bölgesine yükseltmiş olsa da, bunların tümü tökezledi, ama bayağı yasadışı güç kalıntısı bıraktı, dünya bunlarla doludur. Bütün bunlar benden önce var olmasaydı, damgasını taşıdığı zaman içinde yarı sempatik bir suç ortaklığı bulmamış olsaydı basit bir insan yaşamı süresi içinde bu kadar büyük bir örgütlenme, böylesi bir eylem, propaganda, gözetim, intikam ağı geliştirebilir miydim? En resmi merkezlerde bile bir bölge, bir semt yoktur ki hâlâ kendisinin farkında olmayan, geçmişinden, amacından habersiz, muhalefet düşüncesi geliştiren yıkıcı bir örgüt taslağı bulunmasın. Başkaldırı, savaş, grev, hücre sözcükleri bu embriyolar sayesinde anlamlarını korumuşlardır. Her fabrika, her bina yığını yüzyıllar boyunca bazen hiçbir işe yaramayan bir sendika, bazen bir gevezeler kooperatifi olarak yasadışı bölgesini korudu, ama en zararsız amaç için sürekli, düzensiz bir yaşamın özlemini çekti. Ben bütün bu biçimleri yeniden buldum ve tekrar yaşattım onları. Ama doğal olarak bir şey değil bu. Her şeyin sahibi olan bir devlet karışıklıklarını ortadan kaldırdığını iddia eder. Kendisini sarsan şey mutlu eder onu ve bu zayıf düzensizlik içinde kendisini koruyan eylemi bulur. Sınırsız, sürekli bir güven hükümetle, ona saldıran vatandaşları uzlaştırır. Hiçbir zaman suçlu olmaz, sadece şüpheliler vardır. Suçlarımız ne olursa olsun, sonunda bunları açıklayan tatmin olmuş bir iyi niyet hakim olur bize. Ve hiç kuşkusuz, eskiden, zamanı geldiğinde, değişikliklere yardımcı olan bütün uğursuz duygular her zamankinden daha derin bir biçimde var olurlar, ama şimdi baskının hüznü, adaletsizliğin iğrençliği, korku, ölüm bir doluluğun anları gibi hissedilmiştir sadece ve bizi kendi dışına çıkan düşüncenin sonunda kendi kendisini bulduğu devlete geri götürürler. Öyleyse öğretilerin, hakikatlerini ve güçlerini aldıkları bu dünyayla mücadele etmede hiçbir anlamları yoktur. Ama ben fikirlerden nefret ederim. Beni kendi kendimle çelişkiye düşürmelerine aldırış etmem. Şemalarla gösterilen belirli amaçlarla basit bir amacı hedefliyorum sadece. Bana hiçbir şey istemediğim, devletin maddi sistemini ele geçirmenin hiç önemli olmadığı söylenecek. Hiçbir şeyin olamayacağı hatırlatılacak bana. Olsun. Bu bir meydan okumaysa eğer, kabul ediyorum. Hiçbir şey olmayacak. Böylelikle eylemimizden ve çamurumuzdan ve gözyaşlarımızdan çıkacak şeylerin olup bitenlerin yokuşunu aşacaklarından emin oluyoruz."

Bir şakayla çıkıyordu işin içinden. Aslında nasıl karşılık verilebilirdi bir şakaya? Yazılmıştı, hepsi bu kadar ve benim işim okumaktan ibaretti; yeniden okuyordum onu; gerçek kılmak için kendim yazdım onu. O anda tuhaf bir şey oldu: Kalkmak zorunda kalmıştı, yaklaşıyordu, hissediyordum yaklaştığını; arkamdan bana bakıyordu, gözetliyordu beni. Okuyor ve yazıyor numarası yapmaya devam ettim, ağır, erkek işleri yapar gibi ve beraberinde bir giysi hışırtısını sürükleyen o kurşun adımı duyuyordum, bir kadın ve bir erkek birlikte yürümüşlerdi sanki. Neredeyse tam karşımda durdu. Omzumun üstünden bakmasına ses çıkarmadım. Kâğıtları yaydım, karıştırdım, elimi, istediğini yazmak üzere önünde bıraktım. Sonra öyle duramadım ve döndüm. İki adım uzakta olduğunu gördüm onun. Birkaç saniye onu hiç görmediğim gibi gördüm. Bütün yüzünü gösterdi bana, önümde ben sanki orada değilmişim gibi göründü, ilerleyerek, dalgalanarak, ağırlığını hissettirerek, donuk ve olağanüstü görülebilir bir şey gibi bana doğru ilerlerken, ben orada değildim sanki. Adım adım kapıya doğru geriledi, sürekli bana bakıyordu; arkasından yavaş yavaş kapının kolunu çevirdiğini ve girişe doğru kaydığını gördüm. "Rahat durun, dedi giderken. Korkutmuyorsunuz beni. Aşağı inip yemeğinizi getireceğim." Bekledim, çıkmadı yukarı. Öfke içinde bekliyordum onu, bütün dünyayla birlikte niçin yalnız hissetmek istiyordum kendimi ve niçin onun karşısında, yalnız birinin karşısındaydım. Bana böyle bakmasının nedeni neydi? Öğleden sonra epey geç saatte geldi, ufak tefek hizmetçi vardı yanında. Çarşaflar, örtüler getiriyordu. Yatağı hazırladı, odayı çekip çevirdi, sonra hizmetçiyi gönderdi. Biraz sonra işini bırakarak, duvarın karşısında durduğum köşeye doğru döndü: Güneş dolu dolu vuruyordu bedenine. Bu güneş yüzünden zar zor görebiliyordum onu; yer değiştirdim, güneş başına vuruyordu, sarkan yanağını, iradesinin emri olamayacak, ama sarsılmaz bir gereklilikle, taş ve kurşun kararlılığı gibi bir güçle tutulan geniş çenesini görüyordum. Yaklaştım ve koluna dokundum; üst üste konmuş elleri uyuşmuştu, bir heykel kadar sertti, dikilmiş ve dik konumdaki gerçek bir mezar heykeliydi sanki ve şimdi ilk kez ayakta, güpegündüz sırtını mezara vermiş bir kadının gururlu ifadesini gösterebilirdi. Hiçbir parlak yansıma yoktu üstünde, daha çok donuk olduğu söylenebilirdi, ama olağanüstü görünür durumdaydı ve ayaklarındaki gölgesi de kendisi gibi hiç kımıldamıyordu. Bu gölgeye baktım. İnceledim onu, yer değiştirdiğini de uzadığını da görmedim; sanki güneş ilişkilerimizde hiçbir şeyi değiştirememişti ya da sanki hiç ilişkimiz olmamıştı bizim. Karanlık çökünce –ama öğle vakti gibi bunaltıcıydı ortam– yokluğunu fark ettim, kafamı kaldırdım ve odada aradım onu. Tabureye oturmuştu. Kalkması için zorladım, yatağa attım. Kocaman erkek ayakkabıları ağaç çerçeveye çarptı ve bütün ağırlığıyla bacaklarımın üstüne düştü. Doğrusunu söylemek gerekirse direnmedi. Giysisini çıkardım. Sağlam, erkek adaleli bedeni mücadeleyi kabul etti, dövüştük, ama barbar ve amacına ilgisiz gibi gözüken bu dövüş ne istediklerini bilmeyen ve gerektiği için boy ölçüşen iki insanın birbirlerine saldırması gibi bir şeydi. Mücadeleyi bıraktığında bile, sonunda biraz bana doğru dönerken, onun açısından ne razı olma ne de terk etme diye bir şey söz konusu oldu. Beni geri püskürtme çabasında da red ya da mutlak bir direnç söz konusu değildi kesinlikle. Hiçbir zaman sabırsızlık ya da sıkıntı veya herhangi bir duygu göstermedi. Ama kendisini dolaylı biçimde ilgilendiren ve kendi kararını saklı tutan, yabancı bir irade tarafından alınmış bir karara boyun eğmiş gibi gözüktüğünden rahat durdu ve uyku edilgenliği kadar bile soğuk olmayan ve zevkten çok gerçek ve küçümseyici bir uyanıklığın kanıtı, kuru ve sert bir bedene dokunmama izin verdi.

Hizmetiyle ilgili olarak hiçbir şeyi değiştirmedi. Odayı temizliyor, yemeklerimi getiriyordu. Ödevlerini yerine getiriyor, bana bakmaya devam ediyordu, görevi ve doktorun emirleri gereği yapmak zorundaydı bunu. Günler belki de ona bakmak, sesini duymakla geçti, o içeri giriyor, içeride dolaşıyor, doğrudan doğru masaya giderek yemekleri bırakıyor ya da odanın çevresinde dönerek büyük bir dikkatle anlamsız eşyaları kuruluyor, sanki bin fersah ötede gerçekleştirdiği işlerinde olağanüstü bir sabır ve dakiklik gösteriyordu. Keyfince davranmasına izin veriyordum. Yemekler önüme konmuştu ve kimi zaman elim onlara doğru kaydığında, beslendiğimi, günlerin akıp gittiğini, o zamana kadar kitaplar dışında tanımadığım ve zaman denen bir şeyin beni sürüklemeye çalıştığını düşünüyordum; ama tersine, kimi zaman, kendimi, bu kımıltısız yaz günlerinin özellikle kısır bir anına raptedilmiş hissederek bu sessiz gidiş gelişlerin ne zamandan beri sürdüğünü öğrenmekten vazgeçerdim ve kendimi tuhaf bir biçimde gördüğüm şu anda biz henüz ilk günde değilsek o, olması gerekenden daha görülebilir ve daha donuk bir hal almıştı. Arada bir Roste giriyordu içeri. Oturuyordu ve söyledikleri her zaman kulaklarıma kadar gelmiyordu. Ona bakılırsa Bouxx büyük zorluklarla karşılaşmaya başlıyordu. Yasanın ilmiklerinden kaydıktan sonra kendisi nasıl onları yenilgiye uğratarak özgürlüklerine kavuşturma arzusuyla onlardan kaçıyorsa, ondan da kaçabilen insan kitleleri açısından da karşılaşıyormuş bu güçlüklerle. Trajik bir bırakılmışlık nedeniyle sürekli yeniden tarihin dibine düşmeye sürüklenmiş gibi felaketlerin sefil tortuları, umutlarının kımıltısızlığı felç ediyordu onu ve onlarda yasa için en karanlık, en tehlikeli olan şey, yasaya karşı mücadelesinde onu da bayağı rahatsız ediyordu. Onları yaşatmak için bir otorite şiddetine başvuruyordu ve bu amaçla öylesine yöntemli ve öylesine sert bir yönetim uyguluyordu ki, sanki tüm yönetim biçimlerini, en hafiflerini ve ikiyüzlülerini bile gözden düşürmek istiyordu: sonsuz uzlaşma, karşılıklı güven, ödevlerin saydamlığı. İşte bunlar vardı yasa tarafında, ama yasaya aykırılık kendisi için kuralların uzlaşmazlığına ve hem bulanık hem titiz bir disiplinin kesinliğine çağrı yapıyordu. Roste'un oynak düşüncesi, içgüdüsel düşünceyi güncel durumlara karşı gerçek bir güç haline dönüştürmek için böyle katı bir örgütlenmenin gerekli olduğuna inanıyordu. Ona göre bir engelleme ve güçlük çıkarma sistemiyle, bu muazzam durgunluğun hareketsizlik düzeyini yavaş yavaş yükseltmek ve edilgenliğini bozmadan bütün barajların üstüne çıkarmak gerekiyordu. Bu nedenle her hastanın ya da eski hastanın birçok yasağa boyun eğdiği, dışarı çıkamadığı, hatta avluya bile inemediği ve neredeyse bir odada kapalı kaldığı, her an kendini doktor denetiminde ya da hastalığın denetiminde hissettiği, ama bu düzenlemeye ve gözaltına rağmen ve aşağılayıcı bir meydan okuma olan bu büyük gözaltı nedeniyle binamızda yaşamın, sanki herkes kendi keyfince davranmış gibi çok biçimsiz, çok düzensiz ve çok karışık olduğu izlenimi uyanıyordu. Bekçilerin, arkalarında ne idüğü belirsiz dilsiz ve kör bir gurultuyla birlikte her an görev başında bulunduğu, sürekli her şeyi gördüğü, anlattığı başka barınaklarda, sıradan evlerde de durum aynı olmalıydı. Roste, bunların tümünde, gururlu bir tavırla yüce bir planın sonuçlarını görüyordu. Ama onun bilemediği ve benim bildiğim, böylesi bir otoritenin ve düzenin, örgütlendiği iddia edilen ne olduğu belli olmayan sıkıntıyla aynı nitelikte olduğuydu. Ve eğer Bouxx, bu amaca devlet görevlilerinden tümünden daha fazla düşünce ve hareket getirerek gücünün büyük bölümünü yazmaya, düzenlemeye, yönetmeye ayırdıysa bunun nedeni düzensizliğin onda yöntem ve durgunluğun da çalışma olmasıydı ve bu çalışma öylesine azgın, öylesine acımasızdı ki, en düzenli biçimde yaptığı her şey amaçsız bir tutkunun sonucu ve yapılmış olmaktan çok bozulmuş gibiydi. Daha fazla ne umabilirdi? Onda eksik olan ne güç, ne entrikacılık, ne onunkilere benzeyen, her yerde yeniden bulmayı ve doğurtmayı bildiği hatalar içgüdüsüydü. Bu hakikat yavaş yavaş yer etmişti içinde: Yasa her yerde mevcuttu ve belirdiği her yerde meydana gelen şey ışıkla pırıl pırıl parlıyordu ve devletin ağır maddi çarkları da görünmez oluyordu bu arada. Polis kendini gösterdiğinde, işçi işinin arkasında kendisini denetleyen ve ihbar edebilecek denetçiyi fark ettiğinde bu gaddarlıklar ve bu denetim, kaçınılmazlığa mal edilen ve yasanın, katılmaksızın şikâyetçi olduğu talihsiz koşullardan birine benzemiyordu. Tam tersine cop darbelerinin, devletin sonsuz hoşgörüsüyle çelişkiye düşmek şöyle dursun, onun en katıksız anlayış biçimini temsil ettiklerini anlamak gerekiyordu ve size ihanet etmeye hazır bir hainin sinsi casusluğu yüreğin derinliklerinin hakikatinin adil ve doğru bakışıyla bütünüyle çakışıyordu. Öyle ki coplanan, işkence gören, içeri tıkılan kişi umutsuzca, sonsuz iyi olduğunu bildiği bu yasadan medet umuyor, bu onun fazladan darbeler yemesinden başka bir işine yaramıyordu ve sesine kulak veren polisler gülmeye başlıyor ve onu tokatlıyor, yakıyor, nara atıyor, şeytanlar gibi davranıyorlardı, çünkü tarzları o anda en insani biçimde ve insanların en iyisi gibi görünmekti. Olaylara böyle bakan Bouxx en büyük şanslarının devlet daireleri tarafında olduğu ve resmi dairelerin sayısız ajanının rakipleri değil müttefikleri olduğu gibi tuhaf bir sonuç çıkarmışa benziyordu. Yine bu nedenle bütün baskı ve eşitsizlik sisteminden nefret ediyordu, çünkü ona göre evrensel bir yasanın hüküm sürmesi bu demekti ve bundan başka bir şey değildi, bu baskı ve eşitsizlik sistemi, gücünün olduğu her yerde kurulmuş, kendi sistemi olmuş ve onu parçalayan o yöntemli çılgınlıkla mükemmelleşmişti. Böylece her çeşit sayısız memurla bin bir ilişki kurmuştu; devletin bir kamu yaşamı olduğu her yerde küçük gizli bölümleri vardı. Ona göre devletin, bu, bazı yerlerde açık ve sürekli biçimde var olma gerekliliği onunla mücadele etmek için önemli olanaklar sağlıyordu. Her resmi örgüt, önünde sonunda kendi gizli örgütünü barındırmak zorundaydı: Aynı kaynaklar her iki örgüte de hizmet sağlıyor, aynı kâğıtları, aynı kaşeleri ve kimi zaman da aynı insanları buluyordu, ama biri yasadışıydı; uygun ifadelerin kullanılması fazladan bir aldatmacadan başka bir şey değildi ve öbürü gerçekti ve deneyimine başvuran her şeyi gerçek kılıyordu. Bouxx son derece ustaca, titizlikle kurulmuş ağının ansızın yakalamak istediği kişiler tarafından her yönüyle bilindiğini, bu ağı kurmak için kamu hizmetlerinin suç ortaklığından kesinlikle yararlanmış olduğunu, ama bu suç ortaklığının iki taraflı olduğunu ve hizmet ettiği kadar ihanet de ettiğini bilmiyor olamazdı. Yaptığı her şey ve aldığı her karar öğrenilmiş, sınıflandırılmış, değerlendirilmişti; keşfettiğini sandığı her şey kendisini keşfediyor ve savunmasız bırakıyordu onu. Kendi kendisinin casusuydu sanki ve sırrını tam satın aldığı anda satıyordu. Üzmüyordu bu durum onu. Çılgınca hareket etme gibi bir özelliği vardı ve her şey yüreklendirirdi bu özelliğini, onu ona karşı kullanan resmi güçlerin oyununa geldiğini gördükçe, onların ikiyüzlülüklerini, alçaklıklarını ve yalanlarını anlıyordu ve bu durum onu başarısızlığına yeni gerekçeler bulma, mücadele etme ve galip gelme noktasına götürüyordu. Roste içeri girdiğinde hemşire gidiyordu. Birbirlerine şöyle bir bakıyorlardı. Erkekler ona karşı çekingen davranıyorlardı, ama kadınlar genelde hoşlanıyorlardı ondan: Sert ve çocuksu yanları, bir tür aylaklığı kadınlara daha sert ve daha çocuksu özellikler olarak yansıyordu ve çekici gösteriyordu onu. Bir sabah, üstünde bir kâse ve ekmek olan tepsiyi önüme koyduktan sonra, ben kâseyi acele ağzıma dayayınca, sarsarak durdurdu beni:

– Büyük olasılıkla başka bir görev verecekler bana. Artık buraya gelmek için zaman bulamayacağım.

Saldırgan bir üslupla söylemişti bunları. Başımı kaldırdım, yataktan tamamen çıktım neredeyse.

– Eee! Peki? dedi gülerek. Başka biri görecek hizmetinizi.

Ne istiyordu? Bu sözlerde hayali bir şeyler vardı.

Anlayamıyordum onu. Olamayacak olan bir şeyler oluyordu. Ne oluyordu? Ne söylemişti? Birden bana kadar ulaştı bunlar: şaşkınlık içinde keşfettim ki, bu günlerde yapması gereken her şeyi gerektiği gibi yapmıştı, konuşma hariç. Konuşma, gerçek konuşma, buna yapmış olduğuna dair bir anım yoktu. Benimle konuştuğu kesindi, ama onun için konuşmak mutlaka gerekli olduğunda ve kişisel olmayan bir üslupla konuşması gerektiğinde, konuşması, konuşur konuşmaz yok oluyordu. Ve bu tür bir olay sadece sabahları geceyi geçirdikten sonra yatakhaneden ya da öteki kadınlarla birlikte çalıştığı mutfaktan yukarı çıktığında oluyordu. Ama beni muayeneden geçirdikten, yemeğimi yedirdikten, yıkanmama yardımcı olduktan hemen sonra sessizlik başlıyordu. Yüzündeki çok canlı ifade kayboluyordu. Düşünmeye bile fırsat bulamadan şu ya da bu işi yaparken seyrediyordum onu: şimdi şunu yapıyor, şimdi bunu yapıyor. Artık onu düşünmüyordum bile; saatlerce en ince ayrıntılarına kadar, gözlerimin önünde, yaptığını gördüğüm şeyleri anlatmış oldu bana, sessizlik ne daha fazla, ne daha az oldu ve sonunda günlerinin böyle sıkıcı bir gevezeliğin tekdüzeliği içinde geçip geçmediğinden gerçekten emin olamadım, bir köşede oturmuş, onu adım adım izliyor, dinliyor, onu fark etmeden yanıtlar veriyordum.

– Neyiniz var? diye sordum. Ne istiyorsunuz? Bu işin altında galiba kendisini fazla çalışmaktan, sözgelimi çamaşır ütülemekten ya da yama yapmaktan, böylelikle de kafasını yaptığı işten ayıramayan düşüncesiz ve ilgisiz bir hizmetçi durumuna düşmekten koruma kaygıları yatıyordu. Tam olarak ne dediniz?

– Sanıyorum artık gelemeyeceğim.

Bu sesi dinliyordum: nötr, bedeni olmayan, fısıltı halinde bir ses. Uzun süre dinledim. Niçin gelemeyecekti?

Mırıldandı:

– İstemiyorum. Bu... gücümü aşıyor benim.

Kâseye, ekmeğe bakmaya başladı, bana bakmıyordu. Ne olacaktı? Derinliklerinden, bu sözleri yinelemek istermiş gibi başka sözler yükselmek, çıkmak istiyordu, bunlar konuşmasına engel oluyor, onu konuşturuyor, sarsıyor, şiddetli, bağnaz bir kımıltısızlık içinde donduruyordu. Dudakları sıkılıyordu; ağzının köşesi biraz salyayla ıslandı.

– Ben... yapamıyorum, diye kekeledi. Alışamıyorum bir türlü.

Küçük köpük şişti, kurudu. Kâseyi aldım ve yavaşça içtim içindekini. "Tensel bir şey" dedi o kendine özgü gülüşüyle özür dilemek istiyormuş gibi. Dudak silmeyi simgeleyen bir hareket yaptı. Tüm bedeni o kadar dikkat çekiciydi ki, belli belirsiz bakma gereksinimi duyuyordum. Birden döndü, süzdü beni, ağzı biraz açıktı, kollarını da iki yana açmıştı; kokusu yatağa doğru yükseliyordu, mikrop öldürücü bir koku değildi bu, korkulu, karanlık ve mutsuz bir koku. "Tensel, diyordu sürekli olarak, tensel" ve bunu söylerken, sözcüklerinin altından, gırtlağından çıkan gluk gluk seslerini duymaya başlıyordum: Evet, bir su şırıltısıyla başladı, sonra bağırdı. Omuzlarından yakaladım, sarstım ve ellerimin arasında bağırdığını hissediyordum, gittikçe daha yüksek sesle inliyordu. Sonunda bedeni kaskatı kesildi ve inleme beyaz, tekdüze bir nota üstünde yoğunlaştı, ne korku, ne sayıklama vardı bu notada, sadece küçümseyici bir yakınma, insanlıkdışı, basit bir güç. Onu susturmaktan vazgeçerek, dinlemek için oturdum. Başını biraz eğdi, tabureyi aradı. "Geçti, şimdi," dedi. Biraz sonra kapıya doğru yöneldi, gidecek sandım, ama durdu, masaya gitti, telaşla karıştırdı masanın üstünü ve elinde bir kâğıtla geldi. Yüzü bembeyaz, kül rengiydi; dudakları bile beyazdı. Bana birkaç sözcük yazdırmak istediğini anladım.

– Benim hemşireniz olarak kalmamı istediğinizi yazın, dedi ve kâğıdı parmaklarımın arasına tutuşturdu.

Bu bembeyaz kâğıda bakıyordum.

– Başka bir nöbetçi istemediğinizi yazın.

– Ne? Bunu mu yazmam gerekiyor?

– Gerçekten yerinizi bir başkasının alması mı söz konusu?

– Olabilir.

– Sizi başka bir yerde kullanmak isteyen Roste mu? Başını eğdi. Ne işe yarar bu kâğıt? Hiçbir etkisi olmaz.

O anda bir titreme geçirdi; omuzları çöktü, titredi.

– Olmaz olur mu? dedi, alçak ve ıslıklı bir sesle. Etkisi olacaktır. Benim için, bu çok etkili...

Korktum. Bu sözler o kadar uzaklardan geliyordu ki, çok daha fazla uzaklaşmış gibi gözüküyorlardı; ortadan kaybolmak, gömülmek istedim. Ona bir soru sorduğumu duydum:

– Biraz önce niye bağırmaya başladınız?

– Bilmiyorum. Başını kaldırdı yüzüne yavaş yavaş bir öç alma, neredeyse bir nefret ifadesi hakim oldu. Birden sizin, burada, bizzat burada olduğunuzu gördüm, dedi hafifçe gülen sesiyle. Yazsanıza! Ne bekliyorsunuz?

Cebinden bir kalem çıkardı, tepsiyi kucağıma attı.

– Niçin kalmanızı isteyecekmişim? Siz kendiniz istemiyorsunuz bunu.

– Durum daha bir netlik kazanacak.

– Gücünüzün üstünde bir şey yapmaya zorlayamam sizi.

– Durum daha belirgin olacak, dedi hayalci bir üslupla.

Hâlâ hiçbir hareket yapmadığımı görünce kâğıdı, kalemi çekip aldı ve yazmaya başladı, sonra geri verdi kâğıdı bana: "Jeanne Galgat'nın boş zamanlarında bana nöbetçilik hizmetine devam etmesini istiyorum."

– Bu kadar mı? Evet anlamında bir işaret yaptı.

Kâğıdı geri verdim. Bir kız numarası, kurnazlığı! Yatağa uzandım. Işık o kadar güçlüydü ki, bütün oda bir yakıcı su kanalına dönmüştü adeta. Saatlerce son bulmasını bekleyeceğim bu günü düşündüm. Yatıp kalacaktım, güneşin yükseldiğini, gündüzün müthiş parlaklığıyla karıştığını görecektim, sonra alçalacak, beyazlayacak, dalgalanacak, alçalacaktı ve uyuşukluk daha da artacaktı ve karanlık bastıkça gündüz vakti umut veren ışık, yine kendini gösterip yine umut verecekti ve yaz, ne güneşin alçalmasına ne de sonbaharın hissedilmesine izin vererek gece gündüz parlamaya ve yakmaya devam edecekti. Onun, burada çok vakit harcadığını, burada bu kadar vakit harcamaması gerektiğini, binada çok işi olduğunu, öteki kadınların onun burada bulunmamasından yakındıklarını, bu kâğıdı imzaladığım takdirde hiç değilse tutunacak bir dala sahip olabileceğini, odada uzun süre kalmasına daha geçerli nedenler bulabileceğini ve vaktini hiçbir iş yapmadan geçirdiğini sandığından suçluluk duygularından da kurtulmuş olacağını söylediğini duyuyordum. Yatağın kenarına ilişmişti, kâğıt yine elindeydi ve bekliyordu.

– Bir ittifak, dedi ansızın alçak sesle ve kolumu çekti.

– Ne?

– Aramızda bir anlaşma, bir ittifak olacak bu.

– Bu kâğıt mı?

– Evet, burada kalmaya aday olan kişinin ben olduğumu, kesinlikle ben olduğumu, bir başkası olmadığını gösteren bir işaret.

Ona baktım, inceliyordu beni. Kaç yaşında olabilirdi? Ben yaşta mı? Ne tuhaf! "Kaç yaşındasınız?" Kalemi parmaklarımın arasına tutuşturdu: "Şurayı imzalayın." İmzaladım. Anında sıçrayarak yerinden kalktı. Yüzünde inanılmaz bir kurnazlık, gurur, tatmin ifadesi, başı yukarıda, çevresine bakıyordu; birbiri ardı sıra, aşağılamak istercesine, muzaffer bir edayla, oradaki her şeyi, tabureyi, masayı, kâğıtları ve beni, aşağılamak ister gibi seyrediyordu. Başlığını çıkardı, yüzü dağınık saçlarıyla belli bir yaşta gözüktü ve birden, düşündüm ki, o anda konuşmaya başlayacaktı, sabahtan beri sözcükler içinde sıkışıyor, onu rahatsız ediyor, deliye döndürüyordu. Yatağa yaklaştı, diz çöktü. Otuz yaşında olduğunu, buraya yakın bir yerde, ailesinin oturduğu Batı Sokağında doğduğunu söyledi. Babası hali vakti yerinde bir tüccarmış, sabit bir yeri, dükkânı yokmuş, pazarlarda et satarmış ve bazen sokaklarda, kenar mahallelerde yiyecek satarmış. İzinli, mevzuata uygun çalışırmış. Bir gün... Şimdi, anlamsız, ifadesiz bir rahatlık içinde konuşuyordu, sanki geçmiş, söz almış ve edilgen, söylediklerine yabancı bir rol bırakmıştı ona sadece. Babasının, günün birinde, hafif bir suçla itham edilmiş olduğunu anladım, bir müfettiş onu, tüketimi uygun olmayan parçalar satmakla suçlayarak, hakkında dava açmıştı. Ona en fazla, küçük bir tazminata mal olabilecek anlamsız bir iş. Ama Galgat kendisine haksızlık yapıldığına inanmış ve olayı ölçüsüz bir şekilde büyütmüş. İşini bırakmış, çalıştığı semti terk etmiş ve karısı ve küçük kızıyla birlikte, kendi ifadesine göre karar vericilerden uzaklaşmak için banliyölere doğru gitmiş. Çocukluğundaki bu yolculuğu kötü bir ülkeye umutsuz bir kaçış gibi anımsıyormuş. Arabalarını iterek belki ancak birkaç saat yürümüşler, küçük sokaklardan geçerek sonunda döküntülerle dolu banliyö arsalarına girmişler. Ama günlerce sürmüş başıboş yaşam, yoksul sokaklarda dolaşıp durarak, ıssız ya da harabe evlerin aralarında dolaşarak, sefaletin ve terk edişin en derin yerine kadar basamak basamak inerek geçmiş bir süre yaşamları. Olaylar belleğinde yeniden çiziliyordu ve 'biliyorum, böyle olmuştu olaylar' diyordu, şöyle diyordu: Defalarca uyanmış olduğunu anımsıyordu ve her uyanışta araba molozların ve hurda demirlerin yığılı olduğu sonsuz bir düzlükte ilerliyormuş. Tam olarak uyandığında kucaklarında taşıyorlarmış onu, etraf çok karanlık ve hava çok soğukmuş. Çocukluğunun belleği ona hâlâ iki ucundan yıkılmış, penceresiz, rüzgâra teslim olmuş, rutubet lekeleriyle dolu, gürültücü ve kavgacı insanların oturduğu ve o gece sığınmış olduğu tuğla binayı gösteriyordu. Orada yaşanabilir başka evler de varmış, çünkü genç kız sakin sakin mesleklerini icra eden zanaatçılardan ve her gün dışarı çalışmaya gittiklerinden orada bulunmayan işçilerden söz ediyordu: burası hiç kuşkusuz uzak bir banliyö köşesi, il sınırında küçük bir köydü, ama yerleşim bölgelerine de kopması imkânsız bir iple bağlıydı anlaşılan. Babasının parası varmış ve bu ıssız ve sefil bölgelerde yeniden ticarete başlamaya karar vermiş. Babası hiçbir iş yapmasa bile bir süre rahat bir yaşam sürebilirlermiş. Ama babaya bir marangozun yanında çalışma hevesi gelmiş birden. Küçük işler ve kendi ailesi için bazı mobilyalar yapıyormuş. Burada tuhaf olan şuydu ki, adam bu meslekten hiç anlamıyormuş ve sadece öğrenmek ve kusursuz bir marangoz olmak için girmiş bu işe. Ama kesinlikle bir şey öğrenmemiş: Tartışmayı seviyormuş; iki tahtayı yan yana getirmek için bile tartışıyor ve sonsuzca akıl yürütüyormuş. Bir çivi çakmak onu sıkıntılı gösterilere sürüklüyormuş ve bundan çıkan sonuca göre yaptığı işten daha zor iş yokmuş ve sonuç olarak ondan önce hep dikkatsizce çakılmış çiviler. Hem çok konuşurmuş hem az, hem kuşkucu hem herkese inanan bir insanmış. Soyadını birçok kez değiştirmiş. Galgat büyük olasılıkla sonradan aldığı bir soyadıymış. Çok konuştuğundan siyasetten de söz edermiş ve bulanık ve ateşli konuşmaları çoğu zaman yersiz kaçarmış; genç kıza göre bu konuşmaların hepsi aynı kapıya çıkarmış: her insan kendine hasmış ve bu durum bütün öteki insanları reddetmekmiş; her insan yanındakini çürütürmüş ve yanındaki, o insanın cezasıymış. Kendisi de bütün çevresini müthiş rahatsız ettiğine inanıyormuş: Yöre sakinleri katlanamıyormuş ona, yumruklaşmalar olmuş. Babası, kendisini kullanan marangozu bir tartışma sırasında yaralayıp işten ayrılmak zorunda kaldığında, küçük kız ya iki yaşındaymış ya da biraz fazla. O çocuk hayalinde bu ayrılışlar bir yasa görünümü almış ve yasaya boyun eğen her şey gibi ağırlaşarak yenileniyormuş. Belirgin özellikleri hep daha fazla sürmeleriymiş, tek amaçları, titiz bir araştırmayla hep, daha vasat yaşam koşulları hazırlamak, sıkıntı uğruna rahatlıktan, sefalet uğruna sıkıntıdan, kör ve çılgın bir ıstırap uğruna sefaletten kaçmakmış. Adam ihtiyarlamış. Yerleştiği her yerde tekrar bir şey öğrenmeye başlayacağını iddia ediyormuş. Ama amacı öğrenmek değilmiş. Çalışmak ilgilendirmiyormuş onu. İlgilendiği şey, kendisine bir muhatap bulmak ve onu mesleğinin alfabesinden kendisinin de bir başkasının da haberli olmadığına ikna etmekmiş. Bu düşünceleri inatla savunuyor, her vesileyle yineliyormuş, kendisini dinlemek ve söylediklerini anlamak gibi bir kaygıları olmayanlara da anlatıyormuş. Zayıf, sert bir insanmış, saçları hafifçe kırlaşmaya başlamışmış ve başkalarına hiç aldırış etmeden konuşuyormuş ve kendi kendine konuştuğu ya da kendisiyle konuştuklarında cevap vermediği oluyormuş: günlerce, düşünen ya da uyuyan bir insan gibi sükûnet içinde düşlere dalıyormuş; sonra boşlukta gevezelik etmeye başlıyormuş yeniden ve bir arkadaşı ona şakayla karışık çalışmanın neden bu kadar zor olduğu gibi bir soru sorduğunda müthiş öfkeleniyor, sonunda özdeyişler icat ediyormuş: geçmişin olmadığı yerde, on parmaktan fazlası gerekir. – Hava da, toprak da olmadığında biten otun adı tembelliktir. Ailesi için korkuluk olmuş artık; annesi kaçmış. Ölümü biraz gizemliymiş. Yine bir yer değiştirme sırasında başlangıç yerleri olan kenar mahalleye dönmüşler ve o zaman sığındıkları yarı harap durumdaki tuğla binayı tanıyan Galgat aklını yitirmiş. Gece kendisini polisin elinde sanıp kafasını duvara vurarak öldürmüş kendini. Bazı önlemler alınarak gömülmüş anlaşıldığı kadarıyla. Genç kızın söylediğine göre muhtemelen başka cesetlerle birlikte yakılmak üzere bir sarnıca indirilmiş cesedi. Ceset çukurun dibine indiğinde, on iki yaşında olması gereken çocuk ihtiyarın yaşamının son derece ilginç bir biçimde son bulduğunu hissetmiş –ya da daha sonra o zaman bu duygular içinde olduğunu sanmış–: en derin yere inmişmiş, itibarlı bir sona kavuşmuşmuş; bu sarnıç o çocuk haliyle ona önemli ve teselli verici bir şey gibi gözükmüş. Babasının ölümünden sonra onu tekrar kente götürmüşler ve bir öksüzler yurduna yerleştirmişler. Dokuz ay sonra, kendisine göre, hiçbir neden olmadan geri gönderilmiş. Hal ve gidişi mükemmelmiş. Bir gün bir gözetmen nedensiz yere dövmüş onu; yine bir keresinde yemek vermemişler ve günlerce oda hapsinde kalmış, nedenini bilmiyormuş; o hep akıllı uslu olmuş, hiçbir emre karşı gelmiyormuş. Sonuç olarak gitgide daha sert davranmaya başlamışlar ona ve hiçbir zaman gerekçesi olmuyormuş bu sertliğin, atılmış yurttan. "Kimdi bu gözetmen kadın?" Hatırlamıyordu, herhangi bir kadın. "Size, sadece size saldırmasının bir nedeni yok muydu?" Hayır, yokmuş. Kesin bir ifadeyle, gururlu ve sert bir görünüm içinde böyle söylüyordu. Ve belki de kendisinin inanmadığı bir içine kapanmışlık ve düşmanca tavırlar görüyorlardı onda, bu bir suçtu onlara göre ve bu haksız muamelenin izah edilemeyecek bir vahşet olduğuna inanıyordu kesinlikle. Yurttan atılmış, ama parasız kalmamış, çünkü bir esnafın yanına verilmiş, o yörede bir ayakkabıcının yanına yerleştirilmiş, ayakkabıcı kendisini evlat edinme amacıyla almış yanına. Orada akıllı uslu, sakin bir yaşam sürmüş, kolektif çalışmanın katı disiplininden kurtulmuş ve hemşirelik mesleğinin başlangıç ilkelerini öğrenmeye başlamış... kendisinden soyadının değiştirilmesi isteninceye kadar. O, büyük olasılıkla gerçek soyadı olmayan bu Galgat soyadına yapışmış ve kendisini evlat edinen ailenin soyadını almayı kabul etmemiş. Linge adlı ayakkabıcı bunun üzerine, oda niyetine kullandığı yüklükte bulmuş onu. Galgat, onun ayak seslerini duyunca bir kutu almış ve giysilerini doldurmuş içine. Adam kapıyı açmış ve genç kıza bakmış. Belki de dile gelmemiş bir anlaşmayla gerçekleştiğini sandığı tasarısının mantıklı bir neden olmadan, kızın anlaşılmaz bir kaprisiyle başarısızlığa uğradığını düşünerek hüzünlü bir şaşkınlık içine düşmüş; ve adam belki sadece hakareti silmek için ondan bir açıklama istemeye ve reddettiği soyadı yeniden önermeye geliyormuş sadece. Ama adamın sessizliği, yüzünde ve gözlerinde okuduğu kararsızlık karşısında korkmuş ve bir tabure fırlatmış kafasına. Linge yere yıkılmış. Genç kız giysilerini koyduğu kutuyu bile alamadan kaçmış. Artık onun için de başıboş dolaşma zamanı gelmiş. Şaşmaz bir içgüdüyle Batı Yakasında bir iş bulma bürosuna doğru yönelmiş. Bu büro Bouxx'un Komitesiyle ilişki halinde, durumları uygun olmayan kişilere iş veriyormuş. Sırasıyla bir kâğıt fabrikasında, bir tıbbi ürün imalathanesinde ve bir maden ocağında çalışmış ve sonunda bu maden ocağında sağlık hizmetleriyle ilgilenmeye başlamış. İşe yerleştiren büro gözetiyor ve koruyormuş onu; resmi soruşturmaların dışındaymış biraz, sanki yasaların altında, simgesel bir maden kuyusunda yaşıyormuş ve ihtiyat tedbiri olarak fazla oyalanamayacağı çeşitli işler arasında, aşağı yukarı babasının banliyöden, kendisini indirdikleri sarnıcın dibine kadar izlediği aynı yolu izlemiş. Tuhaf olan, şu andaki durumuna yaklaştıkça, belirsiz bir şey, donuk olaylar, soyut referanslar aynı zamanda mitsel bir şey, sadece yaşamı önemli olmadığından kendisine uygulanabilen bir şey olmasıymış. Yer altında, elektrikli vagonunu sürerek gece gündüz çalıştığı dönemle, basit bir

'Artık çalışmayacağım' düşüncesiyle ve inat üzerine alınmış bir kararla çalışmanın bütün ağır dış aygıtını dışlayıp dispanserlerdeki ve yurtlardaki sefil yaşamı kabul ederek işi bıraktığı gün arasında sanki hiçbir şey olup bitmemişti ve aynı karanlık salgın hastalık yaşamıyla dolu olan bu iki dönem her anlamda benzeşmişti, öyle ki baskı ve teslimiyet, köleliğin hüznü ve özgürlüğün hüznü güçlükle ayırt edilebiliyordu birbirlerinden. Bir günde bir yaşamdan başka bir yaşama geçmişti ve geçtiği yaşam aynı dünya, aynı karınca yuvasıydı. Ve şimdi buradaydı ve ne o ne ben, madenin karanlık günlerini gerçekten terk ettiğine inanamayacaktık.

Tek fark, tabii fark denebilirse buna, nihayet konuşmaya karar vermiş olmasıydı. Aynı ilişkileri sürdürdük, hiç kimse, tavır ve tutumunda en küçük bir değişiklik fark edemezdi. Tepsiyi masaya koyuyordu ve hatta ben kendisinden benimle birlikte yemesini istediğimde, oturuyor ve iştahla atıştırıyor, bana karşı ne mesafeli ne yakın davranıyordu; tersine, her eyleminin tek bir anlamı vardı, şu duyguları yineleyip duruyordu: Beni rahatsız etmiyorsunuz ve ben rahatsız olmuyorum. Geceleri istersem yanımda kalıyordu; istemezsem uygun bir saatte gidiyordu. Ve gitme zamanı geldiğinde kendisine kapıyı açtıran harekette bir acelecilik görülmüyordu, pişmanlık da görülmüyordu, aynı şekilde ellerim onu ne zaman tutsa ne direnç ne de telaş gösteriyordu. Hikâyesi konusunda bir fikir edindiğim andan itibaren, konuşmalarımız her zaman kuru ve kısa olmakla birlikte, sessiz kalmaktan vazgeçti. Dinliyordum onu, ama dinlemeseydim de benimle aynı şekilde, soğuk, kişiliksiz bir sesle, söyleyeceği şeyden bir an önce kurtulmak istermiş gibi, ama hiçbir ayrıntıyı ihmal etmeden, titiz bir dürüstlükle konuşurdu. Bu dönemde, ona arkadaşlarıyla ilgili, istedikleri ve söyledikleri konusunda sorular sorarken, umutsuz kararlar zamanının yaklaştığını fark ettim. Bouxx'un durumu tuhaftı. İllegal örgütler, dışarıda kendilerini göstermelerine rağmen devlet onları hâlâ tanımıyor, göz ardı ediyordu. Göz ardı edişin kendisi bile hemen aydınlatılmadı. Komite yönetiminin pek cılız bir muhalefetle karşılaştığı anlaşılınca eskiden en küçük bir sapma karşısında çok hassas davranan resmi güçlerin birden bire yöntem değiştirdikleri ve 'tarihin çamuru, hapishane döküntüsü' diye nitelendikleri insanları aday gösterdiklerine bile inanılmıştı. Komite üyeleri hiçbir biçimde yönetme ve karar verme haklarına karşı çıkıldığını görmemişlerdi. Şimdi artık mahzenlerin dibinde değil en büyük binalarda çalışıyorlardı, salgın hastalık kaosunun her şeyi yönetmesine izin vermiyorlardı, ama kendilerini pervasızca ve beğenilme tiksintisi içinde zorla kabul ettiriyorlardı. Ne hak, hukuktan, ne adaletten, ne keşfedilmesi gereken yeni bir hakikatten ne de geliştirilecek çıkarlardan söz ediyorlardı. Daha çok utanç adına konuşuyorlardı muhtemelen ve alçaklıktan ve kepazelikten söz ediyorlardı, çünkü bu kavramlar onlara göre hâlâ en insani, üstünde en uzlaşılabilen kavramlardı. Ama hiçbir şeyden de yakınmıyorlardı. Kendi kendilerini haklı çıkarmaya vakitleri yoktu ve düşünmüyorlardı böyle bir şeyi. Kim için yapacaklardı bunu? Şöyle bir şeyi kime bildirebilirlerdi: "Sizinle hemfikiriz, haklarınız için mücadele ediyoruz, olmak istediğiniz şeyi temsil ediyoruz biz," eğer yasadan başka bir şey görmeyenler yasanın arzusundan başka bir şeyi anlayamıyorduysalar ve başkalarına, kendilerine uygun gelebilecek hiçbir şey önerilemiyorduysa, onların birbirlerinden ayrılmasına ve hepsini söz konusu etmeden içlerinden birinden söz edilmesine her zaman olanak tanımayan aşırı dayanışma, onları aynı zamanda acımasız, yalnız ve genel çözüm yollarıyla bağdaşmayan bir yazgının en derin yerine gömmüyor muydu? Komite'nin kara günlerde kazanmış olduklarını kimse tartışma konusu yapmıyordu. Anısı yaptığı her şeye eşlik eden bu uyuşukluk günleri onu tanıtmak için yeterliydi ve her yerde solumaya devam ettiğimiz küstahlık ve şaşkınlık havası en güçlü düşüncelerin yerini dolduruyor, programları ve vaatleri gülünç kılıyordu. Eylemin gücü tamamlanıyor gibiydi, rakip henüz yok edilmemişti, ama yerin dekoru ve öldürücü hastalık kayboldukça ilk sıralara egemenlik iddiasında bulunan en sefil insanların yerleştikleri görülüyordu. Bu umutsuzluk otoritesi anında her şeyi kaybetti. Hiç kimsenin tartıştığı yoktu bunu. Vebanın kazdığı muazzam çukura yaklaşılmaya başladığında ve resmi temsilciler Komite'nin merkezine kadar girdiklerinde, geleneksel ikiyüzlülüklerini göstererek ve sanki trajik koşullarda örnek nitelikler sergilemiş teknisyenleri kutlamaktan başka görevleri yokmuş gibi her zamanki tavırlarını gösterdiler. Bu temsilciler hiç kuşkusuz çok kötü bir şekilde karşılandılar. Bütün sokaklara götürüldüler, boş evler, içlerinde hâlâ insanların bulunduğu, gözeticilerle kuşatılmış boşalan hapishanelerden getirilmiş genç insanlarla dolup taşan dispanserler gördüler. Pis alanlara doğru gittiler ve uzakta çukurların üstünde yükselen sis kendini gösterdi onlara. Yurtlara girdiler ve hastalara baktılar, çığlıklarını işittiler. Onlara eşlik edenler konuşmuyorlardı ve onların da hiçbir şey söyledikleri yoktu. Böyle bir aşağılama Bouxx'un düşüncesini anımsattı bana: kendi yöntemlerine göre hareket eden derin hınç düşüncesi. En parlak yerlerden gelmiş bu ziyaretçileri özgürlük içinde geri gönderiyordu, ama hepsinin sırtına kurtulmaları kolay olmayacak ağır bir ceset bağladıktan sonra gönderiyordu. Açıkça efendi olduğunu göstermeye karar verince ve felaketin kaprisli yolunu izleyen bir bölgede yönetim aygıtını eline alınca bir yadsıma bekledi. Ama olmadı böyle bir şey. Bulaşıcı hastalık tehlikesine rağmen görevlerinin başında kalan ve böylelikle onunla işbirliği içinde olduklarını kanıtlayan kamu görevlileri ciddi biçimde yardımcı oldular kendisine. Ama dışarıdan beklediği düşmanlık yerine hiçbir işaret gelmedi. Onu rahatsız etmiyorlardı, davranışlarını onaylamıyorlardı, onunla ilgilenmiyorlardı. Olaylar iki otorite arasında bir boşluk oluşturmuştu. Yaralanan yasa, organlarından birinin izah edilmez bir biçimde rahatsızlandığını görünce, iyileştirilmeyi bekleyerek sessizliğe gömülüyordu. Bu özgürlük çok sayıda insanı sarhoş etmişti. Duvarların arasından teneffüs ediliyordu bu özgürlük. Ama çok büyük, yakalanamayan bir özgürlüktü bu. Bouxx'un aldığı kararlar gerçekleşiyordu, yasanın gücüne kavuşan kâğıtlar imzalıyordu. Birkaç kişiyi bir odada topluyor ve onlara 'bugünden itibaren falanca görevle Komite'yi temsil edeceksiniz' diyordu ve bu insanlar bu görevleri yerine getiriyorlar ve Komite'nin temsilcileri oluyorlardı. Etkinlik müthişti. Sonuçlar bu etkinlik boyutlarında değildi, çünkü çoğu zaman her şey eksikti, ama yine de çok şeyler oluyordu, bunların yapılmasına katkıda bulunanların hiçbirinin ihtimal veremeyeceği kadar çok şey. O halde herkes keyiflenebilirdi ve her türlü doğrulamayı hiç utanç duymadan geri çeviren düzensizlik düşüncesi daireden daireye onun hazırlamış olduğu yola göre gitgide daha geniş bölgelere uzandığından cıva kadar canlı ve ağır olan ve çukurlardan, delik deşik evlerden, ıssız sokaklardan çıkan bu sahte otoritenin nasıl her yerde yasanın yerini alamadığı ve saygınlığını yok ettiği anlaşılamıyordu.

Bu arada söylentiye göre Bouxx merkez binadaki bürosuna suskunluk ve öfke içinde daha sık kapanıyor ve kanı yükselmedikçe duygusuzluk krizlerinden pek çıkamıyormuş. Bütün bir gece Komite'deki Lenz adlı ve devlet kadrolarında resmi muhalefeti bir süre yönetmiş olan ve günün birinde istediği rolü üstlenerek sürülen en önemli muhatabını aşağılamıştı: Elli yaşlarında, ufak tefek, zayıf ve güçsüz bir adamdı. Bouxx, Rodos heykeli diyordu ona. Rodos heykeli, içi güzel dışı kof görünümüyle hiç kimse ondan daha fazla hak edemezdi bu takma adı ve Bouxx bütün gece büyük bir öfkeyle bir hakaret gibi yinelediyse bunu, nedeni belki aslında kendi kendisini dev bir heykel, en küçük adımı dünyayı sarsabilecek bir heykel gibi görmesiydi; ama mükemmel yürüyüşünü hiçbir engelle karşılaşmadan gerçekleştiren bu heykel şekilsiz ve kımıltısız, basit bir taş yığını olduğundan kuşkulanıyordu kendisinden sonunda. Basit darbelerle kendi kendisini kandıramayacak kadar ciddiydi kesinlikle. Başarıları olağanüstüydü. Çevresindeki herkesi coşturuyordu bu başarılarıyla. Yasanın bu kadar ani felç olabileceğini kim kestirebilirdi? Dahiyane bir şeye karşı, sayısız kolları her tarafa uzanan ve sadece bazı hareketlere izin veren bir canavara karşı mücadele edileceği bekleniyordu; ama daha ilk anlarda hayvan kendi içine kapanmıştı: yorgun ve aşağılanmış gibiydi; bir saldırıya uğramıştı, bu aşağılanmışlığın beklenmedik sonuçları olabilirdi. Aynı akşam şunları söylemişti Bouxx: "Planın gerçekleşmesi, kararların uygulanması nedeniyle sizi coşkulu gördüğümde bir istihkama gömülen ve telefonla emirler vermeye devam eden askeri bir önderi düşünüyorum: Olaylar çok uygun olduğu takdirde ve verdiği her emir harfiyen uygulanırsa bağlantının kesildiğinden, kendisini kimsenin dinlemediğinden kuşkulanacak ve olup bitenlerden hiç haberi olmadığından her şey başaralı gibi gözükecektir kendisine. Her şeyde başarılı oluyoruz, çünkü bir odaya kapatılmış durumdayız ve duvar saatine emirler veriyoruz. Demek ki başarımız sadece şu olguyu, bizim hâlâ deliğimizde kaldığımızı ve hâlâ çok güçsüz olduğumuzu gösteriyor." Uzun zamandan beri Bouxx'un etkinliği şiddetle eleştiriliyordu: onda kültürlü insan zayıflıkları, şiddetli bir otoritelere yaklaşma ve bazı sıkıntılı sorunları onlarla birlikte çözmeye çalışma eğilimi olduğu söyleniyordu. Arkadaşları resmi bir örgütle konuşmaya başlar başlamaz, onun uzlaşma içinde olduğuna inanıyorlardı. Ama kendisinin başlıca amacı büyük olasılıkla devlet konseylerinde kararlarının dikkate alınıp alınmadığını, bu kararlara değer verilip verilmediğini ya da sadece etkilenip etkilenmediklerini anlamaktı. Öyle sanıyordum ki, boş bir arazide dolaşıyormuş gibi hiçbir güçlükle karşılaşmadan başlıca yönetim görevlerini peş peşe alarak ilerlemesi başını döndürüyordu ve onun her şeyden önce bütün bunların bir hayal olmadığını, Komite'yle şu ya da bu kararı almak üzere bir masa çevresinde bir araya geldiğinde kararlarının dikkate alındığını, bu kadar dramatik ve olağanüstü eylemin, bu kadar kesin zaferin satranç oyununda taşların yer değiştirmesi gibi görülemeyeceğini ve uyku saatlerinde belki Komite'nin varlığından emin olmak için dua etme noktasına kadar geldiğini, hapishanelerin kapılarının açıldığını, görevden alınmış ya da daha kötü bir muameleye uğramış tek bir doktor bile kalmadığını ve korkunç bir biçimde aldatılan insanların onları yeniden kendi köleliklerinde coşkuyla çalıştırabilecek hayali bir sistemin kurbanı olmadıklarını kendi kendisine kanıtlamaya gereksinimi vardı. Bütün yardım talepleri olağanüstü başarılı oluyordu. Dispanserler baştan aşağı yeniden donatılmıştı. Boşaltılan evlerin muğlak nüfusunun yığıldığı evlerde yatak takımları, örtüler, giysiler dağıtılıyordu; imalathaneler yavaş yavaş çalışmaya başlıyordu yeniden. Hızla kurulan bazı ilişkiler sonucu elde edilen bu yardımlar her tarafa yayılmış olan örgütlerin gücünü kanıtlıyordu, ama Bouxx'a hiçbir şey öğretmiyordu bu durum, çünkü bu gizli ağı, her yöne doğru çizilmiş bu yolları oluşturan oydu. Ve böylesine geniş eylem olanakları dolayısıyla çok mutlu olması gerekirdi hiç kuşkusuz, ama daha fazlasını istemiş bulundu: Yeni dairelerde, yeni denetim bölgelerinde ilerlemeler kaydettiğinde yandaşlarının kendisine işaretler çakmasından ve kendisiyle ittifak içinde olduklarını bildirmesinden hoşnut olması, yani bizzat kendisinin her yerde bulunması değildi mesele, rakip otoriteyi temsil eden yabancı birinin yüzünde bir kez, sadece bir kez uzun zamandan beri ezilmiş ve yok edilmiş farz edilen bu sefillerden birinin beklenmedik ortaya çıkışı karşısında bir endişe ifadesi görmekti onun derdi.

Bir gün Bouxx'tan bir pusula geldi, şunlar yazılıydı pusulada: "Birtakım olaylar tezgâhlanıyor, şimdi herkes yerini almalıdır bu çatışmada." Bana hiç kimse hiçbir şey söylemediği halde, Jeanne, sorularıma sessiz bakışları dışında hiçbir yanıt vermediği halde, o zaman anladım ki, sayısız uyanıklık ve uyku durumuyla hazırlanmış bu muazzam girişim, çukurlara ve hapishanelere gömülen bütün bu talihsizler, hayat belirtisi vermeyen bu patlama, yollarda akıp giden ve yavaş yavaş en yüksek evlerin düzeyine kadar çıkarak çatırdamış sefil cephelerini silen bu özgürlük, bütün bu zaferler, kendi kendilerinden kuşkulanan bütün bu umutlar missillemelerin şiddeti ve kanın adaletiyle barışın bağrından yasayı çıkararak, sonunda ondan bir düşmanlık bildirgesi elde etmeye çalışıyorlardı. Ben şimdi bazı saatlerde sokakları dolduran donuk ve perişan kitlelerin ne anlam ifade ettiğini biliyordum oysa başka bazı saatlerde, gece yaklaşırken, en canlı semtler tamamen tenhalaşıyor ve görünümü sanki kovduğu kalabalık kadar belirgin oluyordu. Geceleri, şahane kabarcıkların patlayışını tekrar işittiğimde, sabahları tesadüfen seçilmiş yerlerde patlamalar, önce damla damla, sonra akan ve can veren her şeyin binlerce damar ve kanalla kendisine doğru aktığı bir yaranın açgözlülüğüyle hücum etmeye başladığında dünyanın aşağılanmış güçlerinin, aşağılanmalarından uyuşma ve yatışma dışında başka şeyler çıkarmak için hangi karanlık işlere hazırlandıklarını anlayabiliyordum. Ve Jeanne'a, tanıdığım insanlarla ilgili sorular soruyordum: Roste'a hakaret eden, kendisinin bana anlattığı, o uğursuz saatte, gece bekçiliğini yaptığı, kollaması gereken fabrikanın yanışını yan gelip yatarak seyreden eli yaralı çocukla ilgili; son derece soylu bir ihtiyar olan ve bir gün bir işçibaşını taşa tutma amacıyla bir çeteye katılarak onu küçük bir hangara sokan ve kafasına şişe, demir parçaları atan Abran'la ilgili; eskiden güneyde, yeşillikler ortasındaki güzel bir kır evinde hizmetçilik yapan mutfaktaki kadınlardan biriyle ilgili; kocası çeşitli işyerlerinde geçici vasıfsız işçi olarak çalışıyormuş ve düzenli olarak da büyük bir bıçkı fabrikasında ağaç yerleştirme işine yardımcı oluyormuş. Bir gün iş konusunda anlaşmazlıklar çıkmış; adamın koşulları bu gibi işlerle ilgilenmesine izin vermeyecek kadar mütevazıymış; çalışmış, çalışmamış hiç kimse için hiçbir önemi yokmuş bunun; o da orada burada çalışmaya devam etmiş ve tersine daha kârlı koşullarda bulmuş kendisini. Kadın ev işleriyle ve bir bölümü temizlik edevatına ayrılmış bahçeyle ilgileniyormuş; ayrıca patronlarının oğlunun bakımını da üstlenmiş; çocuğun ana babası yüksek devlet görevlileriymiş ve bu anormal delikanlıyı sayfiyede saklıyorlarmış. Bir akşam kocası dönmemiş eve, ertesi gün, daha ertesi gün de gelmemiş adam, kadın adamın durumunun ne olduğunu anlayamamış. İki gün sonra gelen bir polis ona bıçkı fabrikasında kavga çıktığını, kocasının yönetici yardımcısına kazmayla saldırdığını ve adamın da kendisini korumak için silahını çekerek ateş ettiğini söylemiş. Yaralanan vasıfsız işçinin hastanede olduğunu söylemiş. Kadın inanamamış. Belki polise karşı önyargılı olduğu için, polisin her zaman, anlatması gereken asıl şeyin yerine başka bir şey anlatmak için gerekçe bulduğuna inanırmış ve polis raporlarına uğursuz bir belirtinin belirsiz anlamı gibi bakıyormuş sadece. Belki de olayı anlamsız buluyor, vasıfsız bir işçinin, birisini, kendisini hiç ilgilendirmeyen bir kavgada öldürmek istemesini kabullenemiyormuş bir türlü. Hastaneye gitmemiş ve evde kalarak, her akşamki gibi kocasının dönüşünü beklemiş. Ölüm haberi kendisine resmen ulaştığında yine inanmamış ya da en azından o kadar çok beklemiş ki, o anda inanamazmış artık. Altı ay boyunca işine devam etmiş, sonra günün birinde, patronlarının oğlu olan ve hâlâ onunla birlikte kalan anormal delikanlıyla birlikte ayrılmış oradan. Genç kız, bana, bu insanlardan, soğuk bir tavırla, üslubunda en küçük bir doğallık olmadan söz ediyordu, bunun bir nedeni de şuydu: Konuşmak artık benimle yaşamının bir parçasıydı onun için. Ama soğuk bir sesle anlatılan bu hikâyeleri dinlerken aynı zamanda Bouxx'un pusulasındaki sözcükleri de işitiyordum, sanki bir hoparlör bu sözcükleri benim için ve herkes için yineleme işlevi üstlenmişti: 'Birtakım olaylar tezgâhlanıyor, şimdi herkes yerini almalıdır bu çatışmada.' Bu sözcüklerin bir yanıt beklediğini biliyordum, ama yanıt öylesine trajik ve öylesine aşağılayıcı bir anlam yüklenmeye mahkûmdu ki, bu dünyada hiç kimse yerinden kalkacak, bir masanın başına gidecek ve bunları yazmak için hoparlörü bir süre durduracak gücü bulamazdı. Kendisinden nefret ettirmek isteyen ve dostluk bildirileri içinde boğulan bir adamın bu öfkesinde gülünç bir yan vardı belki. Ama bu kadar insanın, silinmesi olanaksız bir aşağılanma darbesi altında, kendilerinden başka kimsenin fark etmediği bir küçüklük duygusundan çıkarken özgür olmak için düşmanlarını düşmanlara ve onlarla ilişkilerini savaşa dönüştürme gereksinimi ve bu insanların bütün soğukkanlılıklarını yitirerek kurtlara dönüşmeye hazır olmaları, her kapıyı misilleme ve savaş makinesini harekete geçirme amacıyla bir kasap tezgâhı yapmaları ve sonuç olarak bütün bu cinayetlerden iyi huylu önlemlerin artmasından başka bir şey çıkmaması gibi bir duruma, göz kapaklarının kırpılması kadar kısacık bir an içinde bile bakılamazdı. Savaş, diye düşündüm. Ama kiminle savaşılacaktı? Felaketi anımsayıp umutsuzluk içinde savaş düşleri görülüyor. Ama başladığında da savaş olmuyor tabii ki bu, sadece aşağılayıcı bir maskaralık, yüzünü buruşturan bir özlem, barışın yeni ve utanç verici bir imajı.

Bir sabah birlikte çıktık. Binaları ziyaret görevini üstlenmişti ve artık beni yalnız bırakamıyordu. Sıcaklık anında yükseldi. Caddeye sırtımızı verdik ve evler gittikçe seyrekleşti; yer neredeyse sarıydı. Sokak genişledi, akar gibi oldu, tekrar daraldı ve birbirlerine yaslanmış küçük tahta dükkânlar, sac çatılı viraneler yol izlerini yitirdiler ve hiçbir yere çıkmayan sokak taslakları çizdiler. Demir kalıntılarıyla kaplı yerler görülüyordu zaman zaman ve yolun kendisi bunlar arasında bir yol kalıntısı haline geliyordu, ama biraz ötede sokağı yine o duraksayan, kendinden emin haliyle, evlerin ortasında, sıcaktan hiç etkilenmemiş şekilde yeniden buluyorduk. Ben mi onu izliyordum, o mu beni izliyordu, bilemiyordum. Yanımda, kendi hesabına, düzenli adımlarla, sağına soluna hiç bakmadan yürüyordu. İnsanlarla karşılaşıyorduk, bazıları arkamızdan geliyorlardı ve bize yetişmek için bir anda adımlarını hızlandırıyorlardı. Arabalar bizi kaldırıma ya da tahta çitlerin yanına itiyorlardı. Bazen gürültü artıyordu, sanki kentin bütün itiş kakışı çevredeki bütün yollardan bu tek sokağa atılmıştı ve kendi yokuşundan habersiz, tükenmiş bir suyun yavaşlığıyla dereler gibi akan, gelip geçen yüzlerce insan bu sokağa koyuveriyordu kendini. Bu gürültü ve bu kalabalık, birbirlerine bir bağın gölgesiyle bağlı bu iki gölgenin hangi çölde ilerlediklerini gösteriyordu. Sokağın ıssız bir bölgede kaybolmuş bir yol olması daha uygun düşerdi hiç kuşkusuz; canlı bölgelerden çıkarken, soğuk ve kısır bir kuzeyde bir taş kaosuna girmiş olsa daha az şaşkınlık yaratırdı bu durum. Ama acımasız bir gündüz güneşi altında kamyonları, köylü arabaları, gruplar halinde, amaçsız, yavaş yavaş dükkânlardan çıkan kadınlarıyla bir kentti burası ve aynı zamanda da korkutan gücü yalnızlıktan, ölü topraktan ve de dünyadaki kötü bir şeyden değil, ihtişamdan, huzurlu ve tükenmeyen yaşamdan gelen bir çöldü.

Önünde durduğu ev hangarlardan ve boş avlulardan düzensiz bir manzaranın ortasında yükseliyordu. Koridorda kimse yoktu. Koridorun ucunda, iyi aydınlatılmamış bir merdivenin karşısında apartman görevlisinin odası vardı, görevli çıktı, bana baktı, kıza baktı ve içeri aldı bizi. Ne o, ne de bu ve başka evlerde rastladığım kimseler kimliğim konusunda kuşku belirtileri göstermişlerdi; bana kim olduğumu, bulunduğum yerde ne aradığımı hiç kimse sormamıştı; varlığımdan hiç kimse şaşırmış görünmemişti. Bir dolaptan kâğıtlar çıkardı, masaya yaydı bu kâğıtları, kâğıtlardan birinde adları ya da uydurma adlarıyla sığınmacıların listesi vardı: üç yüzü aşkın sığınmacı vardı binada. Öteki kâğıtlarda hasta, yaşlı, çocuk sayısı, sakatların meslekleri yazılıydı, yiyecek stoklarının önemi, tüccarların adresi, almakla görevli kişilerin adları vardı; en sonunda da eksik olan en acil ürünlerin uzun listesi geliyordu. O bu kâğıtları karıştırırken, adam ne yapacağını bilemiyordu, ben de bilemiyordum ne yapacağımı, gözlerimi bazen adlara ve rakamlara dikiyor, bazen kötü bir ampulle aydınlatılmış odanın karanlık köşelerine çeviriyordum. Dip tarafta, daracık bir yüklüğe bir yatak sıkıştırılmış olmalıydı; iki sıra bank geçişi engelliyordu; oda kirli değildi, ama uzun süreli bir karanlığın izini taşıyan o daracık yer her türlü aydınlatılma olanağından ebediyen yoksun kalmış gibiydi. Jeanne kapıya doğru yürüdü. Daha ilk adımlarımızı attığımız anda, dispanserdeki korkunç kokuyu hatırlatan, ama daha sinsi, kadın seslerinin çıkardığı kuşku ve suçlamalarla dolu fısıltıyı andıran, yavan, tatlımsı ve keskin bir koku kapladı çevremizi. Sahanlıkta, görevli adam, bize daireleri göstermek istiyormuş gibi birçok kapıyı itti, ama daire değildi bunlar; küçük odalara açılıyordu kapılar, bir giriş vardı ve bu giriş belki başka odalara açılıyordu. Yerin temiz olduğu söylenebilirdi, ama burada, katlanmış şilteler, örtüler, yığılmış bavullar arasında insanların yaşayabileceklerini belirten hiçbir işaret yoktu, küçük bir taşra istasyonundaki bagaj odasını andırıyordu burası: Sanki bir ıslık sesiyle kadınlar gelecek, hazır ve bağlanmış denkleri alacak, sırtlarına vuracak ve gideceklerdi. Kendimi gösterdiğim zaman tek bir söz işitilmedi. İlk ben girmiştim içeri. Sırtlarında sabahlıkları ya da mantolarıyla altı ya da yedi kadın hiç kımıldamadan baktılar bana, oraya birini beklemek üzere getirilmişlerdi sanki ve bekledikleri belki ben belki bir başkasıydı, ama hiçbir hareketlerinden böyle bir şey düşündüklerini çıkarmak mümkün değildi. Bu arada adam da içeri girmişti ve pencereye ulaşmaya çalışıyordu, ama vakit bulamadı buna, Jeanne da içeri girdi ve arkasında, sanki o ana kadar bir büyü yapıp sakladığı ve sonra da içeri girmesiyle binanın her köşesinden, kattaki odalardan, çağrılmış gibi gelip üşüşen başka kadınlar çıktı ortaya, bu kadınların haber verdiği başka kadınların da merdivenden inerlerken ayak sesleri duyuluyordu. Az sonra küçük odada yeni on kişi görüldü, meraklı ve uyuşuk, benzer yüzlü, ne genç, ne yaşlı, ne kentli, ne köylü, hayali bir evden, sanki etten kemikten insanların oturduğu gerçek odalardan değil de bir kımıltısızlık ve sabır ardiyesinden çıkmış on kişi. Yüzlerinde hiçbir şaşkınlık, sitem belirtisi yoktu, ilgi belirtisi de yoktu. Edilgin bir biçimde kendilerinden biri olmadığımı dile getiren saygısız bakışları derinleştirmeden böyle bir yargı üstünde duruyorlardı. Edilgenlikleriyle, görme nedeni olan aylaklıklarıyla bakıyorlardı bana ve fanatik denebilecek bu aylaklık, ne olduğunu bilemediğim onarılmaz bir şeyle, etkileri sınırlanamayan çılgınca bir eylemle korkutuyordu beni. Jeanne'a bir işaret yaparak çıkmak istediğimi belirttim. Büyüklerin yanına sokulmuş çok sayıda çocuk rahatsız ediyorlardı beni, içlerinden biri ceketime asılmıştı; silkinerek attım onu ve düştü çocuk; ama bağırmadı, gözlerini benden ayırmadı, düşerken bile cesur ve hoşnut bir ifadeyle bakmaya devam etti. Kalabalığı yardım. Sahanlıkta, öteki katlara götüren basamaklar hâlâ kalabalıktı. Bir yığın sinek, diye düşündüm, üçte biri ezilmiş, yalaka ve bıktırıcı sonbahar sinekleri.

Sonra devam etti sokak. Şimdi koku da damgasını vuruyordu sokağa: Sıcaklık gibi ağır, evleri haber veriyor ve evlerden taşıyordu ve bütün sınırları yitiren evler, hâlâ alan bulunan her yerde, sonsuza kadar uzanıyorlardı sanki. Şose boyunca insanlara rastlıyorduk ve bu insanlar bu geçici kumsala sessiz sakin oturmuşlardı ve kabaran deniz onları oraya kadar sürüklediğine göre kendilerine ayrılan yer burasıydı ve kesinlikle başka bir yer değildi, onlar buna inanıyorlardı. Yatmış durumda, ayakta, yemek yiyerek, uyuyarak, her şeyi kabullenerek, yakıcı güneşi, arabaların tozunu, gelip geçenlerin ayak darbelerini ve beni sessizlikleriyle, çılgınca ve telafisiz bir şeyle tehdit ederek, bana küçümseyici bir telaşsızlıkla bakarak hareketsiz bekliyorlardı. Jeanne tekrar yanıma geldi, olabileceklere karşı o kadar ilgisiz, o kadar yabancıydı ki, ben sanki bu gezinti sırasında hoparlörden gelen sesleri kendi kendine tekrar ettiğini duymamıştım: 'Şimdi! Şimdi! Şimdi!' Her geri dönüşümüz böyle oldu. Bununla birlikte onunla ilişkilerimin değiştiğini de biliyordum. Her zaman çok soğuktu, ama bu soğukluk itiraf edilemeyecek bir şeyin işareti gibiydi. Benden tiksinti duyduğu oluyordu ayrıca bu tiksinti doymak bilmiyordu. Soğuktu hiç kuşkusuz, ama bende de, benim çevremde çizilen çemberde de soğuk bir umutsuzluk, soğuk bir nefret, soğuk ve kapalı bir yabanıllık belli oluyordu ve sıkıca birbirine bağlanmış biri canlı, öbürü ölü iki durumdan sürekli iki adım uzakta duruyorlardı, ben sadece öfke ve açlık düşüncesiyle bana çevrilmiş kayıtsız bakışı görüyordum. Ağırbaşlıydı, ölçülüydü, son derece itaatkârdı bana karşı: Oysa sanki dakikliği, dikkatsizlik, iradedışı ve kaçınılmaz bir hareket olmuş gibi emirlere karşı ne kadar kayıtsızlık içindeydi. Ağırbaşlıydı ve hiçbir şeyin karşısında olmaksızın, bomboş ve her şeyden yoksun, onun burada olduğunun farkında olmaksızın, onda şimdikinden başka bir şeyin, tanınabilir bir biçim alan, ama içlerinde sen ve benin sürekli aldatıcı bir diyalog içinde çözüldüğü o vahşi hayvanlardan birinin gizlendiğini hissederek pasif ve anonim bir şeyle karşı karşıya kaldım.

Bir gün patladı ve çılgınca bir sahne tasarladı ansızın. Artık odamı terk etmeyeceğini söyledi ve benim de dışarı çıkmamı yasakladı. Zar zor duyabildiğim bazı sözcükleri tekrarlattı bana. Şu sözcüklere benziyordu: "Seni seveceğim ve koruyacağım, sadece sana bakacağım." Kaçmak zorunda kaldım ondan, çünkü yüzümü tırmalıyordu. Bir köşeye büzüldüm, üstünü başını yırtıyor, ağlıyor ve bağırıyordu. Ve seyrederken, onu ansızın tekrar dimdik, yarı çıplak, ama kaskatı ve telaşsız bir halde gördüm, öyle ki sanki bilemediğim bir hatamdan dolayı, diplomalı hemşireliğinin verdiği yüksek otoriteyle azarlamıştı beni ve ben onun bedeninden kara ve koyu bir suyun, bir kez duvarlardan akmış olan suya benzeyen o suyun damla damla aktığını görüyordum. Belki sudan da fazlası: henüz el sürülmemiş, ama bir yandan da sıvılaşmaya hazır bir şeyden gelen bir belirti, sızabilecek ve tedirgin bir şey, ışığa çıkan ve ona bulaşan, bir koku gibi yayılan, gezinen, durgun, ve sonra soğuk, koyu ve siyah bir suyun ruhu gibi yeniden ortaya çıkan.

Bunlar öğleye doğru oluyordu. Su çekilince oda tekrar görülür duruma geldi: oda, öğle ışığının parlaklığı, uçan ve dönüp duran sineklerin şaşırtıcı suskunluğu.

Sonra günler geri döndü. Bana daha önce bakmadığından daha fazla bakmıyor değildi artık. Ama odaya kimse girmiyordu ve odadan çıktığımızda beni koridorlarda kaydırıyor, asansöre kapatıyordu ve sokakta görmediğim insanların ortasında yapayalnız yürüyorduk. Bu sokakların tümü her gün daha da ıssızlaşıyordu. Şimdi sanki sadece olayların gidip gelmeye hakları vardı ve hâlâ kapalı evlerin arasında yürüyen ve koşan insanlara rastlanıyorsa eğer bunun nedeni direngenlik ve kurnazlıklarıyla yeteri kadar güçlü özü tane tane toplamayı başararak en küçük bir dokunuşta ölçüsüz bir yaşama düşebilecek bir cisim oluşturan olayların geçici olarak kılık değiştirmiş olmasıydı. Herhangi bir semtte gerçekleşebilirdi böyle bir rastlaşma: herhangi bir zamanda. Her gece olaylar oluyordu ve gündüzleri, kaos şaşkın ağırlığıyla ilerleyerek herhangi birini, herhangi bir şeyi saptıyordu ve böylece seçtiği mutsuzluk nesnesine durmaksızın saldırıyordu. Kim yakıyordu? Kim yağmalıyordu? Kimsenin sorduğu yoktu bunu kendine, çünkü kurbanların gözlerinin önünde bireyler değil yakıcı ve kanlı şeylerden oluşan bir topluluk beliriyordu ve herkes hâlâ kekeleyen kendi yaşamının, intikam ve tarihin yeni adaleti olmuş, hapsedilen ve uzak, inanılmaz ve ansızın serbest kalan anıların saldırısına uğruyordu. Her akşam sonsuz yağma sahneleri vardı. Şafak vakti bazı semtler depremi unutmuş olan ve sokakların ve evlerin, her şeyin muazzam, sessiz bir kor yığınından başka bir şey olmadığını açıklayamayan bir adamın aptallığıyla uyanıyordu. Şaşkınlığı daha da artıran şey, düzensizliğin, onu getirenler ve etkisini hissedenler arasında hiçbir sınır çizgisi yaratmamasıydı. Kimi zaman geçit törenlerinde eksiksiz düzenleriyle düzene kibirli bir tavırla meydan okudukları görülen en iyi disipline olmuş kuruluşlar, eylemin şiddetinde kendilerine rağmen her evi kundakçıların ve kurbanlarının ortak mezarı durumuna getiren uçlara teslim oluyorlardı: Böyle bir eylem bozgundan çok sefahate bağlıydı ve düzenden çıkarak başkaldırı durumuna geçen küçük topluluklar rasgele ateş etmeye, birbirlerini bıçaklamaya başladıklarında, boğazlamaya geldikleri insanlar birden bire saldırganlarını yaşamlarını borçlu oldukları koruyucular gibi görüyorlardı. Bundan karmaşık ilişkiler ve meşale ve dinamitle iş görenlerin kimin hesabına çalıştığını anlamaya olanak vermeyen olayların değeri üstüne bir belirsizlik ortaya çıkıyordu. Gece korkularının iyi komşuluk ilişkilerine zarar bile vermemesi çılgınlıktı: Evlerinin yıkılmış olduğunu gören, yaralanmış ve onların eşyalarını çalmış ve onları yaralamış olan insanlar arasında belki de hiçbir gerçek hoşgörü duygusu yoktu; kurbanların tek bir arzuları vardı belki, korkularını ve acılarını gizlemek ve insani bir sıcaklığın olası hayalini olabildiğince uzun bir süre uzatmak; ama şu da görülüyordu ki, eski kabalık, buna başvurmuş olan insanları rahatsız etmiyordu ve bu insanlar kışkırtıcı niyetleri olmadan, yapmış olduklarına kayıtsız kalarak ve onların özgürlüklerinin izlerini silerek kendilerini korkutanlarla birlikte dostça yaşamayı sürdürüyorlardı.

Bütün sokaklardan daha sakin ve daha endişeli bu

boş sokaklar ne söylemek istiyorlardı? Harabelere bile ulaşan bu eylemler ve yıkımlar ne anlama geliyordu? Haksızın haklı olmak için gösterdiği bir çaba mı? Ölümle bir uzlaşma mı? Kendi krallığından çıkmış ve bozulmuş yasanın maskesi altında dolaşan çılgın bir düşün yürüyüşü mü? Normal zamanda polis ne yapıyordu? Şüphelileri yakalıyordu, onları hukuki yolların uzun dolambaçlarından, bir mahkûmiyetten çok suçlanan kişiyle ilgili bütün hikâyenin öğrenilmesi olan yargıya doğru götürüyordu ve sonunda suçlanan kişi sıkıcı, şaşırtıcı bir gerçek yüklenerek, kendisini, bir hapishaneye kapatılmış gibi bu hikâyenin içinde buluyordu ya da tersine kayboluyor, uçuyor, masumiyetinin saf görülmezliğine yeniden kavuşuyordu. Ama bugün aynı anda, suçlanmış, mahkûm edilmiş, cezamız infaz edilmişti ve hiç kuşkusuz boğazlanmış ya da kurşunlanmış bahtsızlar ölüm cezasından bu cezanın kendilerine çektirdiği suçun kendisini alıyorlardı. Bu konuyla ilgili olarak, en korkunç yasadışılıkların gizlice hukukun yerini aldığını söylemek mümkündü ve bu hukuk henüz geçmişi olmayan çok özet bir hukuktu, bununla birlikte uzmanlar için de yüce bir hukuktu, ama yasadışılıkların uyandırdığı belirsiz korku suçun taraf değiştirdiğini de kanıtlıyordu ve darbelerin sertliği ve acımasız niteliği kurbanların çevresinde bir kuşku ve suçluluk çemberi çiziyordu.

Yasa nerededir? Yasa ne yapar? Bu tür çığlıklar her zaman duyuluyordu, güzel zamanlarda bile ve bu çığlıklar bir eleştiri ya da hoşnutsuzluk durumunu dile getirseler de onun o ünlü soyluluğuna duyulan bir saygı niteliğindeydi. Çünkü gizlenmek ve ortaya çıkmak yasanın soyluluğuydu: Her birimizde gizleniyor, herkeste gösteriyordu kendisini; görmediğimizde o olduğunu biliyor; gördüğümüzde ise kendimiz olduğumuzu bilemiyorduk artık. Bu yüzden, ihbar ve kuşku çok uzun bir süre ne olduğunu bilmediğim bir soyluluğu korumuşlardı ve bu soyluluk izlenimi bu tür uygulamalar için hissedilmesi gereken küçümsemeye de egemendi. Gammazlar, bir biçimde arkanızda olmakla yetinen yönetimin ağzı sıkılığını temsil ediyorlardı: Sessizce yol alması, hava ve güneş ve herkesin yaşamının her hareketi olmasına karşın çok büyük güçlerinin duraksayışını, dahası boyun eğişinin, münzevi, pek fazla güven altında olmayan ve neredeyse gözden düşme ve sürgüne yaklaşan yaşamının kanıtıydı. Ve eğer bir kimse ansızın, o uğursuz suçlamanın (sabotaj, sabotaj) çınlayışını duyarak arkadan vurulduğunu gördüğünde hiç kuşkusuz üzüntü ve sıkıntı duyardı, ama bu sıkıntı kendisine yönelik değil, herkesin bencilliğini korumak için kendisini herhangi bir şeye ya da birine bağlıymış gibi hissetmeye devam eden yönetime yönelikti.

Yasa nerededir? Yasa ne yapar? Korkunçtu bu çığlıklar şimdi. Issız sokaklarda duyuyordum bu çığlıkları ve bu yüzden birkaç saatliğine her tarafa koşuşturan insanların o müthiş itiş kakışına rağmen boştu bu sokaklar. Evlerin panjurlarının arkasından işitiyordum bu çığlıkları ve molozları kaldırmaya çalışan işçilerin gazyağı döktüğü ve patlayıcıların altına kapattığı yıkıntılardan başka bir şey değildi bunlar. Ve bunları bu kadar trajik kılan şey onların suçlayıcı gürültü patırtıları değildi, çünkü kim yüksek sesle yakınmaya ve talihsizliğini uluorta sergilemeye cesaret edebilmişti? Sesleri duyulmuyordu ve en kötüsü de buydu. Boğulmuş gibiydiler: dudak aralarından geçmeyen, seslerini duyurmayı reddeden mahzenlerden gelen çığlıklar, duvarın arkasından gelen iniltiler. Bir yığın insanın, yanma ve açlığın, söyleyecek bir şey bulamadan kendilerini karşılamaya koşuşlarını görmüş olmaları ve en küçük bir homurtu bile yükseltmeden tarihin sendelediği o müthiş deliğe doğru kaymaya hazır olmaları... İşte benim içime kadar tunçtan bir çığlık gibi işleyen bu sessizlik uluyarak, soluksuz kalarak, fısıldayarak, bir kez kendisini dinlemeyi kabul eden kulağı deli ediyordu. Ve bu umutsuzluk çığlığı evrenseldi. Ölümü ve yasayı isteyenlerin onu da ötekiler gibi geri çevirdiklerini biliyordum; ve kimilerinin sarsılmaz bir rejime karşı, olup bitenleri dikkate almayacak ve ondan söz edildiğinde omuz silkecek derecede güvenlerini açıkladıkları, kimileri için de adaletin bittiği, korkunun başladığı, devletin büyüklüğü için ihanetin, devletin yok olması için ihanetin egemen olduğu yerde bilginin olanaksızlığı önündeki sıkıntıyı anlatan bu taş kesmiş sessizliğin, bu son derece trajik sessizliğin herhangi birinin sandığından çok daha ürkütücü olduğunu biliyordum, çünkü mezara girmesinin nedenini ve de mezara giriş nedeninin onu aşmak mı yoksa kabullenmek mi olduğunu söylemeyi reddederek yasanın kendisinin sessiz cesedinden çıkıyordu o.

O günlerde ateş içinde yaşadım. Öbürleri gibi beklemeye başladım, sanki tehdit eden tehlike bana da ötekilere de adını belirtmeyi kabul etmemişti ve ceza zamanı ya da doğrulama zamanı gibi mi adlandırılmasını gerektiğini açıklamadı. Uzanmış durumdaydım, bütün gücümü bazı hareketleri yapmamak, bazı sözcükleri yazmamak için harcıyordum ve gözlerimin açık kaldığı bu uykuda hangi yaşamı yaktığımı hiç kimse bilmez. Ona bakmıyordum, o da bana bakmıyordu; çoğu zaman başka odalara gidiyor ve kan ve yanmış et kokusuyla dönüyordu. O yanımdayken olabildiğince az hareket ediyordum, ancak gerekli olursa konuşuyordum kendisiyle; o da bana sessiz sedasız ve mantıklı bir üslupla yaptıklarından, başkalarının yaptıklarından söz ediyordu. Bir akşam, üstlerine bazı sözcükler karaladığım kâğıtları yırttı, toz haline getirdi hepsini, ama çok sakin bir şekilde, en küçük bir sabırsızlık belirtisi göstermeden ve tek kelime etmeden yaptı bunu. Başka bir akşam bana getirdiği yemeği yemekte çok büyük güçlük çektim. Onun yanında yemekten tiksindiğimi gizledim. O gittikten sonra bu tiksintinin üstümdeki baskısı daha da arttı. Sanki önümde hafifçe dalgalanmış, beni lavabonun yanına çekmiş, sonra birden yolunu değiştirerek ve koridora sürükleyerek, bana kapıyı açtırarak dikkatle ve özenle merdivene götürmüştü, her an gizlenmeye hazır bir suç ortağı tavrıyla izledim onu ve kendimi birinci katın mutfağında bulduğumda beni elim böğrümde bırakarak ve beni o zamana kadar aradığım şeyi istemek zorunda bırakarak kaybolduğunu fark ettim. Sonunda bir kadının sorusu üzerine içecek bir şey istedim: tercihen şarap. Bir bardak şarap verdi kadın ve ben yine önümde, şimdi şarapla hafifçe renklenmiş ve biraz önce bana rehberlik etmiş, yükselen, debelenen, kapıları açan bulantıyı hissederek tekrar yukarı çıktım. Bu rehber güvenli değildi belki ya da benim bilmediğim birtakım art düşünceleri vardı: Odaya girerken sendeledim ve döşemedeki tozu soludum bir süre. Kısa süre sonra o da çıktı yukarı. Yatağa uzandı, bana tuhaf geldi bu. Sonra üstüme doğru eğilerek kokladı beni ve küçümseyici bir üslupla şöyle dedi: "Şarap içmişsiniz." Hiç hareket etmedim. Geri dönüp oturdu. Öne doğru eğilmiş, neredeyse kalkmıştı.

– Ben yokken dışarı çıkmamalısınız, dedi. O kadınlarla konuşmamalısınız. Burada kalmalısınız ve bir şeye ihtiyacınız olursa, sadece benden istemelisiniz onu.

Hiçbir hareket yapmadım. Kalktı ve farkında olmadan gömleğini çekiştirmeye başladı; bir düğme sıkıntı veriyordu ona, kumaşı yırttı. Bu yırtılma sesi korkuttu beni. Ona şöyle bir soru sorduğumu işittim: "Niçin gizlenmem gerekiyor?" Sırtı yarım dönüktü bana ve gömleğinin yırtık yerine bakıyordu; biraz daha yırttı kumaşı, kuru bir ses çıktı. Ona tekrar aynı soruyu sorduğumu işittim: "Niçin gizlenmem gerekiyor? Beni niçin bir kenarda tutuyorsunuz hep?" Bana doğru bir adım attı ve sakin bir tavırla şöyle konuştu:

– Böylesi daha iyi. Ve aynı sakin sesle, bana hiç bakmadan, sürekli kumaş parçasını çekiştirerek devam etti: Sükunete ve dinlenmeye çok ihtiyacınız var. Şu sırada yaptığınız işe bakın.

– Birkaç adım...Mutfağa kadar!

– Hayır. Bu kadınlar aptal ve kötüdürler. Size neyin yararlı olduğunu bilmezler. Kim verdi bu şarabı size?

– Bilmiyorum, hatırlamıyorum.

– O yaramaz, dedi, ıslıklı bir sesle. Sizi gözlüyor, yaptığınız her şeyden haberli ve gülerek anlatıyor bunları. Katlanamayacağım ona. Döveceğim. Ezeceğim onu.

– O değildi.

– Oydu, diye bağırdı. Kalkın, kalkın canım!

Kolumdan tuttu, kaldırdı, beni tepeden tırnağa süzdü, sonra gülmeye başladı. Geçen günkü sahnenin tekrarlanacağını sandım, titriyordu, ağzı yarı açıktı ve ağzı açıldıkça dişleri sıkılıyordu. Başım döndü. Geri çekilmek istedim, ama heyecan içinde tuttu beni. İki ya da üç kez fısıldadı: "Şimdi! Şimdi! Şimdi!," sonra olağanüstü bir telaşla, ama hep fısıltılı bir sesle bana şunu söylediğini duydum:

– Şimdi, sizim kim olduğunuzu biliyorum, buldum, ilan etmek zorundayım. Şimdi...

– Dikkat, dedim.

– Şimdi... Ve ansızın dikildi, kafasını kaldırdı ve duvarları delen bir sesle kenti, gökyüzünü sarsıyordu, son derece gür, ama son derece sakin, son derece buyurgan bir sesle beni hiçliğe indirgiyordu ve şöyle bağırdı: Evet, sizi görüyorum, sizi işitiyorum ve Yücelerin Yücesinin var olduğunu biliyorum. Onu yüceltebilirim, sevebilirim. Ona doğru dönerek şöyle diyorum: Dinle, Tanrı.

Bakamıyordum artık ona. Birkaç gün önce olan olayı düşünüyordum. Dışarı çıkarken bir kadınla karşılaşmıştım, ona kapıyı açmış ve selam vermiştim. Bu kadın bana bir an bakmış, titremiş ve bembeyaz kesilmiş ve yavaşça, hesaplı bir hareketle ayaklarıma kapanmış, alnını yere koymuştu, daha sonra birden kalkmış ve ortadan kaybolmuştu. O gittikten sonra heyecan kaplamıştı içimi. Olağanüstü bir şey yapmak istiyordum, kendimi öldürmek sözgelimi. Niçin? Keyiften hiç kuşkusuz. Şimdi inanılmaz geliyordu bana bu sevinç eylemi. Acıdan başka bir şey hissetmiyordum. Sıkılmıştım ve düş kırıklığı içindeydim.

– Kendinize saklayamaz mıydınız bunu? dedim.

Yatağa oturmuştum, yaklaştı ve hafif bir sesle konuştu:

– Gidebilirim. İsterseniz terk ederim burayı.

– Niçin konuştunuz? Şunu aklınızdan çıkarmayın: Sırlarınıza ortak olmuyorum. Sorumlu değilim bunlardan. Ne söylediğinizi bilmiyorum. Anında unuttum onları.

Hareket etmedi.

– Sözlerinizin hiçbir anlamı yok, dedim, acıyla. Hatırlayın bunları. Doğru bir şeyle ilintili olsalar bile hiçbir değerler ifade etmezlerdi.

– Gitsem iyi olacak, dedi.

Kendimi yine odanın ortasında buldum. Sürekli yürümüş olduğumu, hâlâ yürüdüğümü fark ettim. Ter içindeydim. Açık pencereden yoğun bir sis bulutu giriyordu. Odayı kat etmek istedim, ama beni müthiş bir gürültüyle sendeleten ağır ayakkabılarına çarptım. "Defolun, diye bağırdım. Defolun." Bağırdığım için utandım. Aksi bir tavırla devam ettim bağırmaya: "Katlanamıyorum size artık. Vücudunuzdan, gözlerinizden, burnunuzdan iğreniyorum. Benim gücümün üstünde bunlara tahammül etmek." Yatakta, bir köşeye büzülmüştü, hiç konuşmadı. Sessizce yanına oturdum.

– Yorgunum, dedim biraz sonra. Bir lokma bir şey bile yemedim neredeyse. Saat kaç acaba?

O da ben de ışığı yakma gereksinimi duymadık. Biraz sonra kapıya vuruldu, kapının arkasından adını seslendi biri. Kapıyı açmaya gitti. Döndüğünde, içindekini içmem için bir kâse uzattığını gördüm bana, mutfağa inmiş olduğunu anladım.

– Roste çağırtmış beni, dedi.

Bu adı duyunca titredim.

– Dostunuz mu? İlişkiniz nedir bu Roste'la? Kâseyi uzatıp duruyordu hâlâ. Kaptım elinden ve yere attım bu kâseyi. Bir an sıvı olan kara leke yavaş yavaş akarken yoğunlaştı, ayaklarına yayıldı.

– Bu beni ilgilendirir, dedi geri geri giderken.

– Evet, benimle birlikte yaşıyorsunuz, ama aynı zamanda onunla da yaşıyorsunuz!

– Bu beni ilgilendirir, diye yineledi sırtını duvara vererek.

Alnına, o kaba yüzüne baktım. İlerledim, ama elim belli belirsiz dokundu ona: "Dokunmayın bana, bana dokunmayı aklınızdan geçirmeyin," diye bağırdı, tükürmek istemişti bana sanki ve kendisinden uzakta olmama rağmen, bir yandan beni tiksinerek itmeye devam ederken çok alçakça iki sözcük daha ekledi, sonra "Bırakın beni," dedi. Ona gitmesini söylemeyi denemek zorunda kaldım, ama dudaklarım titriyordu, elimin önünde titriyordu, elim de nemleniyor ve yavaş yavaş titriyordu. Birden uykudan uyanmış gibi oldum ve tuhaf bir duygu kapladı içimi: bir ihtişam, soylu ve ışıltılı bir sarhoşluk duygusu. Günün olayları, sözler gerçek yerlerini bulmuşlardı sanki. Her şey son derece sağlam ve sarsılmaz bir durumdaydı. Bir belirginlik her şeyi değiştiriyordu. Aynı zamanda yüzüme dayanan bu ıslak, canlı elin onun eli olduğunu da fark ettim: El gidip geliyor ve konuşmak istediğimde ağzıma dayanıyordu.

– Şimdi yatırmak gerekiyor sizi, dedi.

Doğruldum; biraz arkamda oturmuştu, yüzü hafif bitkindi.

– Sıradan biriyim ben, dedim yüzüne bakarak, unutmayın bunu.

– Peki.

– İstersem dışarı çıkarım ve kiminle istersem onunla konuşurum.

– Peki.

– Gece olup bitenler konusunda hiçbir şey bilmiyorum, hiçbir şey.

– Peki.

– Beni kandırmak istediniz. Benimle oynamak istediniz. Hemen anladım bunu.

– Evet, dedi, doğru. Şimdi yatın artık.

Gözlerinin içine baktım.

– Komedi, komediden başka bir şey değildi demek,

iğrenç bir şaka!

– Evet, evet, evet, diye bağırdı. Şaka yapıyordum, yine şaka yapıyorum. Ne istiyorsunuz? Ne yapacaksınız?

Üstüne atıldım, boğuyordum onu. "Defolun," dedim. Köşesine çekilmiş, ezilip büzülüyordu. "Gidin hemen, hemen. – Evet, bırakın gideyim. Şaka yapmadım, yemin ederim." Yüzünü bana doğru, başının üstünde bir gölge gibi asılı kalan elime doğru kaldırıyordu.

– Dinleyin beni!

Hafifçe itti beni, kalktı, taş kesmiş gibi kaldı ayakta. Sonra alçak sesle konuştu:

– Sözlerimi şakaya dönüştürmeyi çok isterdim, çünkü ağırlık yapıyorlar üstümde. Ama şimdi inanmalısınız bana. Söyleyeceğim doğrudur. Söyleyeceklerimi kabul edin, bana inanacağınızı söyleyin, yemin edin.

– Evet, inanacağım size.

Duraksadı, sert bir hareket yaptı, sonra güler gibi kafasını öne eğdi: *Biliyorum ki sen Teksin, Ulusun. Senin karşında kim ayakta kalabilir?*

Onunla göz göze gelmemek için arkamı döndün. Biraz daha hareketsiz kaldı. Sonra kapıya doğru yürüdü. Beni terk edeceğini sandım. Yalnız olmaktan mutluydum. Ayakkabılarını aldı ve gerçekten koridora çıktı.

IX

Ertesi gün, olayların belki de bizi gitmek zorunda bırakacağını söyledi. Ama ben yerimden kalkmıyor, yemek yemiyordum. Ona da bakmıyordum hiç. Ona hoş görünmek için yapmak isterdim bunları, ama önceden nasıl davranıyorsam öyle davranmam gerektiğini biliyordum, kendi köşemde, ölü gibi kalmalıydım. Beni yemek yemeye razı etmek için bütün gücünü harcıyordu. Sürekli huzursuz etti. Saatlerce tekdüze ve yavan bir sesle, yiyin, yiyin, yiyin deyip duruyordu, bu ses sanki beni beslemek için ağzıma tıkmak istediği yiyecek olmuştu. Yorgun düştüğünde uyukladığı oluyordu, ama arada bir uykusunda yineliyordu aynı şeyleri: Yiyin, haydi, yiyin. Hiç nefes alamıyordum, bir insanın gösterebileceği en büyük çabayı göstererek hareketsiz kalıyordum.

Sonunda şunları söyledi:

– Yemek yemeyi reddetmeye devam edebilirsiniz. Kimseye haber vermeyeceğim, kimseyi getirtmeyeceğim buraya. Ve işine gitti.

O kapıyı kapatır kapatmaz bir kaçma isteği uyandı içimde. Odanın içinde duvarın altında bir yer vardı, buradan, lavabonun küvetinin hemen altından çok geniş bir boru geçiyordu. Boru burada aynı zamanda dirsek yapıyordu ve hafif su sızıntılarının nemlendirdiği geniş bir leke belli bir yerini kaplıyordu bu borunun. Bu lekenin görünümü çok çirkindi. Sızıntı bazen çok açık bir biçimde gözüküyordu ve hafif akıntı sesine dikkat eden biri, dinleyen biri, gerçek bir damlanın oluştuğu anı ve bu damlanın genişleyerek metalin altından akıp yerde bir bezin üstüne düşmesini tam olarak görebilirdi. Bu bez çok parlak, kırmızı bir kumaş parçasıydı. Şimdi anlıyordum, bu kumaş parçasına çok bakmış olmalıydım ben ve yalnız olduğumdan bakmaya devam ettim o tarafa. Binlerce kıvrımdan oluşmuş geniş bir kumaş parçasıydı yerdeki. Olağanüstü bir parıltıyla ışık saçıyor ve kızıl yansılar yapıyordu. Aslında gerçekten parlamıyordu belki, çünkü kendisini hafifçe gösteren boğuk bir rengi daha vardı aynı zamanda ve bu boğuk gizli renk onu öylesine tehlikeli bir biçimde görünür kılıyordu ki, sanki bana yaklaştığı o yerde buradaydı, sonra sokakta, yavaş yavaş yürüyerek daha uzağa gidiyor, gözümün önünden inanılmaz bir hoppalıkla geçiyor, sonra yine daha uzaklarda bir yerde gömülüyordu ve ben onu bir ipin ucuna asılmış ve rüzgârın salladığı bir kumaş parçası gibi, tehlikeli bir biçimde çer çöp içine karışmış, çöp kovasında büzüşmüş, parlak ve dokunulmaz bir şey gibi görüyordum. Hiç hareket etmiyordu. Bitmek bilmeyen bir süre kesilen hafif damlamaları bekliyordu. Sonra ansızın, içeriden gelmiş bir emirle hareket etmiş gibi, oluşumunu tamamlayan damla metalden geçiyor, hızla kendini topluyor, büyüyor, kendini gerçek bir sıvı parçası haline getiriyor, esrarengiz bir saniye süresi içinde, kırmızı kumaş parçası üstünde yine bütünüyle hareketsiz, tehditkâr, ürkmüş bir durumda kalıyordu. Ve bu damla, arkasında onu itecek, bu borunun kirli yaşamı gibi bir içgüdü bulunmasına karşın düşmediği sürece umut sürüyor, gündüz de saflığını koruyordu. Ve düşünce de, küçük bir kabarcığın hafifliği ve aydınlığıyla kat ettiği yol boyunca sanki hiçbir şey sezmiyordu ve olacak olanın olmayacağına inanmak mümkündü hâlâ. Ama tam kıvrımlar arasında kaydığı ve en küçük bir iz bırakmadan bütünüyle emilip kaybolduğu anda, ne kadar gizlenmiş olursa olsun, kumaşın içine dalan suyun sesinden başka bir şey işitmiyor, ne olduğunu bilemediğim utanç verici, kendisinden daha nemli bir nemle, yapışkan bir genişlikle, neme doymuş, sızıntısı durdurulamayan bir birikintiyle buluştuğunu hissediyordum onun. Bu ses deli ediyordu beni. Bozulan, saydamlığını yitiren, döküntü bir varlığın salgıladığı, hep daha nemli bir şey durumuna gelen, soğuk, yoğun ve kara bir leke olan bir sıvının sesiydi bu. Ve bu durumu çok tehlikeli kılan, saatlerce suyun sızmasını beklemek, bu küçücük damlanın düşüşünü kestirmek ve istemek ve de sesini duymak, onun, insanın kendi bedenine hafifçe sızmasını hissetmek gerektiği değil, kumaşın, her yeni damlada aynı kuru, parıltılı görünümünü, aynı ışıltılı ve değişmez kırmızılığını sunmasıydı. Bu hikâyenin lanetli hilesi buydu işte. Her zaman kuru olan kabuğuna durgun bir su birikintisi depolayan bu yırtık kırmızının, ansızın, gizli özel yaşamını açıklığa kavuşturmak, onu dışarı sıçratmak ve sonsuza kadar kalacak silinmez, kalın ve kara bir leke gibi yayma amacıyla, bu çok belirgin ve açık seçik kumaş parçasının üstünde sıkışmalarının yeterli olacağı düşüncesiyle kolumdan nasıl çektiğini, bedenimi nasıl sürüklediğini, öne doğru eğdiğini, parmaklarıma gerçek bir sarhoşluk duygusu verdiğini bilmemeye hakkım yoktu.

Birçok kez geldi, her seferinde daha sinirli ve kızgındı. Sonunda fark etti ki, ona bakmamamın nedeni başka bir şeye bakmamdı ve onunla konuşmamamın nedeni o anda ilgilendiğim şeyden başımı kaldırmak istememdi. Bunu anlamak için epey zaman harcaması gerekti. Ama durumu anlar anlamaz da yüzü değişti, kulaklarımdan tuttu, kendisini görmeye zorlamak için bütün gücüyle karşısında durmaya zorladı beni, sarstı, sağa, sola itti, sonra lavaboya doğru koşarak bir tas ve bez aldı, göremediğim, anlamsız bir ses dolayısıyla anladığım bir hareket yaptı ve zafer kazanmış ve intikam almış biri gibi tasla birlikte kaybolduğunu gördüm.

Dönünce özenle yüzümü yıkadı. O anda çok iyi davranıyordu bana. İçinde soğuk kahve bulunan bir kâse uzattığında da bir yudum içmek için çaba harcadım. Kâseyi kendim tuttum, gözlerimi bu çok tuhaf, çok az kara sıvıya doğru çevirerek inceliyordum onu, büyülüyordu beni bu sıvı. Ama neredeyse hemen o anda sabırsızlık belirtisi bir hareket yaptı, yapışmış olduğum kâseyi kavradı ve onu geri iter gibi yaparak bu kez içine bitkin ve çekingen bir bakış atarak kendisi inceledi.

– Ah, bıktım artık sizden!

Odanın içinde dolaşıp duruyordu: Bereket versin, beni rahatsız etmeden, sakin adımlarla dolaşıyordu.

– Çok şeye katlandım. Ama gerçekten buna da katlanmamı kimse bekleyemez benden.

Masanın üstündeki mürekkep lekeleriyle kaplı kâğıtları gördü; durdu, kâğıtları bakışıyla yırttı ve çevresindeki her şeyi seyretmeye başladı.

– Ya bu oda! Bakamıyorum artık bu odaya. Umalım, bir bomba birdenbire temizlesin.

Sert bir tekmeyle tabureyi devirdi.

– Bunların hepsi! Size benziyor! Tatmin olmuş bunların hepsi sanki, çünkü sizi bakıyorsunuz onlara, çünkü bakışlarınızı sadece onlara adamışsınız siz. Pöh! Ne acayip bir dünya!

Yüzünü elleriyle sakladı, ama birden gözlerini kaldırınca bir şeye bakışımı sürdürerek kendisine meydan okuduğuma inanmak zorunda kaldı, çünkü kafamı bir yastığın altına soktu, saniyelerce yumrukladı kafamı. Öylece kaldım ben. Çok uzaklardan gelen bir gülme sesi işitiyordum sanki. "Bir larva, paçavra." Bu son sözcük kulağımda patladı ve yine ayakta gördüm onu, elleri tam önümde duruyordu, o kadar yakındı ki, kendimi geri atmak istedim. Önünden kaçtığım bu ellere o da baktı, alçı gibi donuktu bu eller.

– Kör değilim, dedi ellere bakmaya devam ederek. Ben yaklaşır yaklaşmaz siz uzaklaşıyorsunuz. Uzaklaşırsam, fark etmiyorsunuz bunu. Hiç bakmıyorsunuz bana, duymuyorsunuz beni. Bir bez parçası kadar dikkatinizi çekmiyorum sizin.

Yavaş, serinkanlı denebilecek bir ses tonuyla konuşuyordu, öyle ki söyledikleri tartışma konusu olmaktan kaçıyor, hiç kimseye ait olmuyordu artık. Elini yatağa doğru uzattı.

– Niçin geldiniz buraya? Çok daha önce de sorabilirdim bu soruyu size. Niçin şu anda, burada, yanımdasınız? Eğer beni hor görmek, benimle alay etmek için geldinizse, olanlar utandırmıyor beni, gururlandırıyor. Eğer beni reddetmek içinse, yaralamış değil bu beni, aksine güçlendirdi. Çünkü ben de sizinle alay ediyorum. Sizin kim olduğunuzu biliyorum ve alay ediyorum sizinle.

Yeniden bağırmaya başlıyordu, ama sesi kulağıma hüzünlü ve yeterli bir sükûnet içinde ulaşıyordu. Sürekli sözcükler ve sözcükler duyuyordum, geçiyorlardı, alaydan, utanmazlıktan, saygısızlıktan, yüzümün hemen yanındaki yüzünün gerçeği gibi hüzünlü ve soğuk bir hakikatten başka izler bırakmıyorlardı. "Yalnızca sizin duygularınızla ilgileniyorum." Şimdi bunu yineleyip duruyordu, amaçsız bir heyecanla yineliyordu, sanki günler bu zincirleme konuşmadan başka bir şey üretmeden geçip gitmişti.

– Köpek gibi hapsedeceğim sizi. Kimse haber alamayacak sizden, benden başka kimse görmeyecek sizi.

"İzin verin konuşayım," diye bağırdı yine yüzünü biraz daha bana doğru yaklaştırarak ve soluğunu hissediyordum, yerden bitmiş bir bitkinin kokusunu andıran bu soluğun kokusuna nüfuz ediyordum.

– Sizden hiçbir şey beklemiyorum. Sizden hiçbir şey istemedim. Sizin yaşamınıza hiç aldırmadan yaşadım ben. Şunu bilin ki, size asla yalvarmadım, yakarmadım. Hiçbir zaman 'gel, gel, gel!' demedim.

Korkunç bir çığlık attı: Ansızın, kara, iğrenç bir deniz kabarması yükseldi içinden ve istila etti beni. Saçlarıyla örtüldüm, bedeni bedenimin üstünde akıyordu. Her şey söz düzeyinde mi olup bitiyordu yoksa gerçekten salyası, ıslak uzuvlarıyla beni odanın köşesine, sokağa, ebediyen doymuş ve sular altında kalmış o yerlere mi çekiyordu, bilemezdim bunu. Ağzım su içinde kalmıştı. Onun bana yabancı bir bedenle, enerjisini yitiren ölü bir bedenle yapışmış olduğunu hissediyordum; ve ben ittikçe o eriyor, çevremde toplanıyordu. Sonunda yüzüne tükürdüğümü sanıyorum, bütün bedenim tükeniyordu, ama o da hiç konuşmadan gözlerime, yanaklarıma tükürüyordu ve ben boğazından gelen inanılmaz çığlıkla zaferini kestiriyordum onun.

Ben onun kaybolduğunu zannederken bu çığlık, yalnız başına sürüp gidiyordu. Maddi kılıfından yoksun, sessiz, bu odaya kapatıldığı için biraz ürkmüş bir halde başıboş dolaşıp duruyordu çığlık. Kimi zaman sadece bir mırıltı, açık bir ağzın düşüncesi oluyor, sonra tekrar şişiyor, duvarlardan taşıyor, sınırsız bir alanı kaplıyor, avludan, evden gelen sesleri, bütün kentin uğultularını kovuyordu önünden. Belirli bir anda doğruldu ve kulak kabarttı. Sokakta bir hoparlörden sert ve otoriter bir ses geliyordu; hoparlör pekâlâ sokağa yerleştirilebilirdi, ama belki de ulaşılmaz bir ateş ve açlık bölgesinden, peş peşe sözcükler atıyordu. Ses kesildi, yerini sessizliğe bıraktı. Ses daha sonra, yine, daha uzaklardan, yine ulaşılmaz bir bölgeye, tehdit ve korku bölgesine dalarak duyurdu kendini; sonra yine bir sessizlik ve daha da uzaklardan, umutsuz ve kımıltısız, ölümün derinliklerinden herhangi bir kimseye hitap etmeye devam ederek, onu işitemeyen ve anlayamayan, bulunmaz ve adı bilinmez birini arayarak tekrar ortaya çıktı.

Birden ayağa kalktı ve sanki bir çayırdaymış gibi kapılara ve duvarlara aldırış etmeden korkunç bir gürültüyle koşarak öne doğru atıldı. Ama gürültü ondan koptu, baş döndürücü bir hızla kendisini karşılamak üzere geri döndü, her şeyi sarıp sarmaladı ve sonunda herşeyi benim bulunduğum noktaya atmak ve kendisi sendeleyen ve oyuk boşluk olan müthiş ağır kitlesiyle üstüme atılmak için herşeyi topladı. Hiç kımıldamadım. Yakıcı, kalın bir toz yükseldi, yavaş yavaş soludum bu tozu. Bir köşede durduğumdan, sıvanın üstüne yapışma gereksinimi duydum, sıvanın çevremde ve bedenimin üstünden akmasını hissedecek şekilde oraya yapışmak istedim. Kumların içinde, neredeyse yaş bir tabakayla temas ettim ve biraz daha gömülünce tam göğsümde gerçek bir nemin izini buluyordum. "Korkmayın," dedi. Bir saniye epey uzak durdu, çömelmiş gibiydi ve bu sırada sesi ratsgele beni aramaya devam etti, sanki eski bir durumun anısına yapışıyordu ve tanınmaz kalıntılar içinde bir yol açmak istiyordu. Ve kendisi de, ilerlediğinde, titreyen bir yerden zorlukla ayrılmış gibi gözüktü, aslında dengesizliğine eşlik eden, onu izlemek üzere gevşeyen ve birden bire geri çeken bu yerden çıkmıyordu. "Korktunuz," dedi, beni sertçe kavrayarak. Olabildiğince sıvaya saplandım. O titremeye devam ediyor, teması korkutan, bembeyaz, cesedi andıran bir koku gibi yer değiştiriyor ya da bir burgacın içinde kayboluyor, arkamda geziniyor, beklenmedik biçimde sıkıştırıyordu beni. Bu koku tehdit doluydu. Uzanmış kalmıştı orada, bir beden kadar ağır, çevre çizgilerinden yoksun, taşan, her yerde mevcut ve kendisini koklatmanın aldatıcı sabrı içinde bekleyerek duruyordu. Ve ben onun sabır, bekleme ve kurnazlıkla, sonunda kendisine suç ortağı bir soluk bulacağını hissediyordum: Sıvanın yumuşaklığı da içine işliyordu ve konuştuğunda, şimdi geçti, bizi alt edemediler, bitti, derken, gerçekten konuşmuyor, sözlerinin arkasında kayıyor ve sabırla hâlâ kendisini kabul edecek soluğu bekleyerek, kendisiyle birlikte gizli, toprak ve sudan oluşan bir yaşam getiriyordu. Beni bazen, sanki yutacak bir çamurmuş gibi soluksuz bırakarak ve boğarak, bazen de kaybolarak ve kendisini su dolu bir çukurun belirsiz dibi haline gelmiş uzak bir yerde aratarak ve koklatarak inatla kaldı orada.

Gece geçince sokağa sürükledi beni. Ama yolun duraksadığını çok iyi gördüm, bazen hareketsiz, dumandan ve tozdan oluşmuş bir düzensizlik içinde gözüküyordu. Sonra ileri doğru itme tutkusuna kapıldı ve zikzak yaptı, uzadı, tekrar sıkıştı, kara bir tozla kaplandı, fabrikayı andıran büyük bir binanın yanından ve sonunda da bir avludan geçti. Hedefi küçük bir köşktü, oraya doğru itiyordu beni yavaş yavaş, doğrudan doğruya benimle birlikte girdi içeri, yol, şimdi kendisini bu oda olarak bulmuştu sanki. "Şimdi, rahatsınız işte, dedi. Yalnızlar için köşk." Beni iki yataktan birine yatırır yatırmaz, geçişimi engelleyen sandıkları ittiğini, kaldırdığını, çevirdiğini, düzenli bir biçimde üst üste duvarın kenarına yığdığını gördüm. Biraz sonra kapıyı açtı ve çıktı. Bu kapı camının arkasında cama yapışmış gibi duran ve onu karartan bulanık denebilecek bir ışık gözüküyordu. Oradan yavaşça odanın ortasına doğru akıyordu ve karşı duvarda, yükseldikçe, sayısız küçük gri noktanın harekete geçtiğini, son derece küçük, ama duvarın kendisini hareketli hale getiren çok küçük hareketlerle bu sütsü bölgeye doğru yaklaştıklarını görüyordum. Bu arada ışığın tümü de harekete geçti, kaydı, sanki onu uzun süre gözetledikten sonra o anda avını haklamaya karar vermişti ve gerçekten de üstüne atıldı ve küçük noktalar genişlediler, küçük, kanatsız, yerlerde sürünen, yeni doğmuş ve anında bir sindirim sisteminin sessizliğine kapanmış sinekler oldular. O sırada içeri girdi ve ayağıyla kapıyı itti. Bir tarafında bir süpürge, bir torba, öbür tarafında bir tas tutuyordu. Torbanın içinden küçük bir lamba çıkardı ve üstüme yerleştirdi. Gidip geliyordu, kimi zaman, sehpanın üstüne düşürdüğü bir tahta tutuyordu elinde, kimi zaman bir bavulu açıp ellerini daldırıyordu içine. Bir ara odanın bir köşesini gizleyen bir perdeye baktı ve kayboldu; oradan çıktığında yüzünden, boynundan, kollarından sular damlıyordu. Oturacak bir yer ararken gördüm onu, hiç kımıldamadan duruyordu, yüzü biraz bitkindi, başı dalgınlıkla saçlarını çeken, ayıran, karıştıran ve zaman zaman ağzına ne olduğunu bilmediğim bir şeyler götüren ellerine asılmıştı. Bu hareketleri yaparken başı hep öndeydi ve bir çığlık attı, endişe verici, hayvanca bir çığlıktı bu, korkunun boğduğu bir havlamaydı ve ben anında ondaki hayvansı bir içgüdünün, korkutucu bir şeyin yaklaştığını sıkıntı ve endişe içinde hisseden bir hayvanın içgüdüsünün uyandığını, sakin sakin saçlarını düzeltmeye devam ettiğine göre o farkında olmadan uyandığını düşündüm ve onu ağzından iğne çıkarırken ve "girmeyin" diye bağırarak kapıya doğru bakarken gördüğümde bile sözlerinin arkasında çınlayan ve artık kimsenin silemediği bir işaret gibi kalan bu çığlığı duymaya devam ediyordum. İçeri girdi, bana baktı. "Dispansere gidiyorum, dedi. Bir yaralı kıyımı var. Sakın kımıldamayın yerinizden." Saçlarını bir bezle sardı, bana baktı ve çıktı.

Hiç kımıldamadım yerimden. Ne olursa olsun, o an hareketsiz kalmam gerektiğini biliyordum. Bu benim şansımdı. Aslında her şey çok sakindi. Dışarıdan mırıltı halinde sesler geliyordu. Düz ayak olan ve çok hoşuma giden bu yeni odayı düşünüyordum; duvarları, kapısı, penceresi ötekine çok benziyordu; üstelik burada daha az terliyordum ve hemen dalmıştım içeri. Biraz sonra neredeyse mutlu oldum. Öylesine güçlü ve öylesine sakin düşünceler içindeydim ki, uzun süredir böylesine güzel bir öğle sonrası yaşamamışım gibi geldi bana. Hiçbir şey olamayacağını hatırlıyordum ve bunu bildiğimi hatırlıyordum. Biliyordum bunu. Bu düşünce olağanüstü bir rahatlamaydı, anında her şeyi geri veriyordu bana. Kalkayım da ortalığa biraz çeki düzen vereyim, diye düşündüm. Oda gerçekten karmakarışıktı, yerde açık kalmış valiz, giysi, çamaşır, örtü yığınlarının altında kaybolan masa ve de bir köşede bir tarak ve bir ayna. Kalktım, süpürgeyi aldım elime. İçeri girdiğini görünce onun bu süpürgeye atılacağını umduğumu hatırlıyordum, çünkü yerler toz, kurumuş çamur, hatta samanla kaplanmıştı. Düzayak bir yerdi burası, belli oluyordu bu. Uzun uzun ve dikkatle süpüreceğime dair söz verdim kendime; döndüğünde burayı tertemiz görünce sevinecekti. O anda geldi bu düşünce aklıma: Kız kardeşime benziyordu o. Tezgâh altlıklarının yanındaydım, yaslandım ve düşüncelere dalmışken hafif bir gürültü duydum. Tamamen hareketsiz kaldım, hiçbir yere bakmıyordum; biraz sonra süpürmeye başladım yine. Epey uzun bir süre süpürdüm; biraz heyecanla yaptım bu işi; tozla çevriliydi her yanım. Bir toz toprak yığını oluşturunca, sandıklara doğru sürükledim bu yığını. Çok iyi ancak biraz şaşkın hissediyordum kendimi. Sandıkların yanına ulaştığım sırada o hafif gürültüyü yine işittim açık seçik biçimde. Duvarın dibine, yığının karşısına çöktüm. Bu çer çöpten çamurla karışık bir rutubet, soğumamış, ama sürekli soğuk kalmış bir küf kokusu yayılıyordu. Hafifçe, tuhaf bir duyguyla içime çektim bu kokuyu, çünkü benim burada birinin korkusunu soluduğum çok açıktı: Karanlık tadını biliyordum onun, yer hizasında dolanıyor, şu gürültünün çıktığı yerden geliyordu. Tekrar kalkmam gerekiyordu, ama yapmadım bunu, tersine, çöplerin üstüne çöktüm. O andan itibaren kuşkulanma özgürlüğüm olmadı artık: Sandıkların bulunduğu yerde bir şeyler oluyordu. Bir sıçrama sesi geldi kulağıma, yavaş bir hareket, sürüklenme gibi. Bir hareket? Hayır, çok daha az gerçek bir şey, korkak ve beceriksiz bir çaba, tek bir organın alelacele gerçekleştirdiği bir girişim. Ah, hareketsiz, hareketsiz, hareketsiz kalayım ve yüreğim bunu yinelemeye başladı ve ben onu dinliyordum ve dinledikçe şaşkınlığım artıyordu, çünkü o da çıldırmış ve kendini kaybetmişti ve her vuruşu korkunç bir ses çıkarıyordu, bir başkasının kalbinin karanlık sesiydi bu. Ve bu arada, oldu: Hareketsiz kalabildim.

Kendimi topladığımda hâlâ gündüz vaktiydi. Eşyalar yerinden oynamamıştı, sadece oda daha boş gözüktü gözüme: daha heybetli ve daha ezici, ama daha boş; çekilmiş gibiydi ve biraz arkada bekliyordu, dolmak için benden ne olduğunu bilmediğim bir şeyler bekliyordu; onu tekrar ele geçirmem ve bunun için de bir şey yapmam gerekiyordu, yerine getirmeyerek bir görevden kaçıyordum. Neydi bu peki? Ona bakmak mı? Hemen kaçtı benden ve ben kaydığımı, bir burgacın içine düştüğümü hissettim. Bir hareket yapamadım, donuk, neredeyse soluk bir salyayla kaplanmıştım, akıyordu, burnumu ağzımı dolduruyordu bu salya, boğuyordu beni; boğuluyordum. Ama o anda çekildi. Biraz sonra, içime işleyerek, girerek yeniden aktı, onunla soluk alıyordum, kendimi hissettiğim gibi hissediyordum onu da. Sonra çekildi. Aynı anda, tam karşımda, yeniden başladı bu gürültü, tam karşımda, düzensiz, kesik kesik duyulan bir gürültü, akan ve süzülen bir kum, son derece hafif bir soluk soluğa kalış, sanki soluk alan, soluk almaya engel olan, tam karşımda gizlenmiş biri vardı. Gözlerimi açmak, kendimi serbest hissetmek istedim, ama o anda büyük bir korku içinde gözlerimin zaten açık olduğunu ve hiçbir bakışın ulaşamayacağı ve tahammül edemeyeceği şeylere baktığını ve dokunduğunu ve onları gördüğünü anladım. Bağırmak zorunda kaldım, uluyordum, başka bir dünyada uluma duygusuyla yırtınıyordum.

O içeri girdiğinde ben hâlâ bağırıyordum, ama bunun nedeni çığlığımın artık kökleşmiş, yerleşmiş, sakin olmasıydı, hiçbir şey fark etmemiş gibi davrandı. Kalktım, masanın öbür tarafına geçtim. Arkamda sandıklar yükseliyordu. "Niçin itiyorsunuz böyle?" dedi sandıkları tutarak. Bir sepetten, kocaman bir saat, bir tabanca, içi tıka basa kâğıt dolu bir sigara kutusu çıkarıyordu. "Bir yaralıya ait bunlar, saklamam için verdi." Hâlâ bakıyordu bana. "Orada durmayın, istiyor musunuz?" ve tahtanın üstünden tuttu beni. Eli kolumdaydı, beni incelerken, sadece bana bakarken hiçbir şey görmüyordu. Hafifçe çekti beni ve yatağa kadar gittim. Hiçbir şey söylemeden yiyecek bir şeyler verdi bana. O da ayakta bir şeyler atıştırıyordu, gözü kapıdaydı, kafasını da benim üstümde bir yerlere doğru kaldırmıştı. Gece yarısına doğru nöbet sırasının kendisinde olduğunu söylediğini duydum. "Önce dinlenmem gerekir; mutlaka uyumalıyım." Eski yağmurluğunu geçirdi sırtına, boyuna göre ayarlayarak belini sıktı. "Gitmeyin," dedim. Dışarıdan karışık sesler geliyordu, bazıları dışarı çıkıyor, bazıları şiddetle çekiç sallıyorlardı. Kolunu oynattı ve eli hafifçe yüzümü okşayarak omzumda kaldı. Öteki eliyle gömleğinin cebinde bir şeyler arıyordu. Bir kâğıt çıkardı ve kâğıt, ince, parlak hale gelen gözlerine doğru yükseldi.

"Gidişat iyi," dedi. Kâğıdı, yazıyı gösterecek şekilde bana doğru çevirdi, sonra aniden durdu, kulak kabarttı. Doğruldum. Yatağın baş ucundan, hemen hemen duvarın ortasından hafif bir gürültü gelmişti. Bakışı bir şeye yapıştı sanki, sonra daldı ve dağıldı bakışları. Hangi günde olduğumuzu sorduğunu işittim.

– İnanamıyorum, dedi, günün birinde böyle bir şey olsun. Mümkün mü? 'İşte bu tarihten sonradır ki...' denebilecek mi?

Yüzünün ifadesinden tekrar kulak kabartmaya başladığını, dinlemesine engel olamadığını anladım. Ama ben, hiçbir şey işitmiyordum, işitmem mümkün değildi. Kendim de yavaş yavaş yükselen, hafif sıçramalarla alçalan bu gürültünün içindeydim. Bu belirsiz, kör, her tarafa yönelen bu el yordamına yapışıyordum ve sıkıştırılan, kendisinden sızan korkuyla çevrilmiş, yapışkan leke, kendi korkusuyla, varlığını gitgide yayıyordu gün ışığına. Duvara baskın yaptıktan sonra, emin olunca, bu gürültü, benim tarafımdan açık havaya doğru harekete geçti, birden rahatladım. Jeanne'ı bileğinden yakaladım.

– Bu... bu bir karakurbağası, dedim ona kesin bir ifadeyle.

Hafifçe geri çekildi.

– Ne diyorsunuz? Ne dediniz? Niçin bundan söz ediyorsunuz bana? Kalkmak istedi.

– Nerede?

Önce ilgisiz bir bakış attı bana, sonra yüzümü yakaladı gözleri: yüzümü, beni değil. Çizgilerimin üstünde çekingen bir tavırla durarak büzülmüştü. Yatağın altını hızlı bir şekilde araştırdı belki, ama öylesine çabuk oldu ki bu, aynı endişe ve kuşku ifadesiyle anında gözlerini tekrar bana dikmiş durumda buldu kendini. "Sizin durumunuzun ne olacağını soruyorum kendi kendime," dedi. Yağmurluğunu çıkardı. Hafif bir kumaş hışırtısı duydum ve kapıyı kapatmaya gittiğinde gece sesleri eşlik etmeye başlamıştı kendisine. Dönerken, eli masanın üstünden geçti, eşyaları sepetin içinde topladı. Ellerini kaldırdı, lambanın yanındaki küçük rafın üstüne uzattı.

– Uzanacağım, dedi. Uyumam gerekiyor.

Duvara doğru yanaştım. İkimizin üstüne bir örtü attı, uzandı ve hiç hareket etmedi.

– Çok neşeliyim, dedi karanlığın içinde. Beni alıp götürmemesi için mücadele etmem gerekiyor. Gündüz nesneler biçimlerini koruyor. Ama geceleri insan binlerce plan yapmaya, yepyeni düşünceler kabullenmeye sürükleniyor. Sesi bir an duraksadı. Ben çok yorgunum ve sessiz kaldı.

Biraz üşüyordum, örtüyü çektim ve duvara sıkıştım. Bir ara soğuğu yendiğimi sandım, ama az sonra titredim. Titremeler uzaktan, odanın farklı noktalarından geliyordu, beni karmaşık bir titremeye dönüştürüyorlardı ve benden ayrılmadan, gitgide daha geniş bölgeleri karıştırarak başka bir yere geçiyorlardı. Sesi de girdi titremeler dünyasına.

– Beni sakın bırakmayın, dedi. Sizden gelmenizi istemedim, ama şimdi... Yaklaştı ve sertçe çarptı bana. Yapmış olduğum şeylerin bedelini bir gün ödeyeceğimi biliyorum. Önemi yok. Adınızı koydum sizin, yalnız ben biliyorum bunu.

Sesi öyle bir titredi ki, birilerinin dışarıdan çağırdığını sandım.

– Ne oluyor, dedim, ne var?

Sesim sert ve boğuktu. O da doğruldu ve ikimiz de kımıldamadan durduk. "Ne sefil hikâye," dedi alçak sesle. Biraz daha bekledi ve örtünün altına gömüldü.

Biraz sonra buz gibi bir deliğe indiğimi hissettim; tekrar kalktım: bir şeyler gizliyor gibiydi karanlık. Elim temkinli bir şekilde duvara doğru ilerliyordu, ama çok uzağa gitmesine karşın sağlam hiçbir şeyle karşılaşmıyordu ve güçsüz bir şekilde sürdürüyordu temasını ve karanlıkta artık tam bir el gibi hareket etmiyordu. Birden kalkmış olduğunu anladım. Kapıya birkaç vuruşu, beden boşluğa kaydığında yatağın sallanmasını hatırladım. Usulca sandallarımı buldum ve ayaklarım kıvrıldıklarında, çelikten daha sert, daha soğuk olduklarında ayağa kalkıyordum. Ayaklarımı ellerime aldım, korkunç bir şekilde kasılmışlardı. Ovuşturdum, ısıttım; yavaş yavaş bu ölü madde durumundan çıkarak, eşyaların çevresinden yavaşça dönerek ve geçerek odaya doğru sürüklediler beni. Masanın önünde durdum. Yatağa doğru döndüm ve kolumu uzattım, parmaklarım küçük tahta hizasındaki bir kutuyu aldılar, lambayı aldılar, kaldırdılar. Lamba zayıf bir ışık verdi. Lambayı tam karşımda tutarak hareketsiz kaldım: Aynı zamanda bir tuzak olan soğuk bir tabaka yayılıyordu oradan. Hemen eğildim, lambayı yere bıraktım yatağın kenarına attım kendimi, ayaklarım iskemlenin altına sıkışmıştı. Önümde, gölgeye, köşeleri sivri betondan bir mezar gibi kazılmış boş bir alan görüyordum. Gözlerimi oynatmıyordum, bu yere bağlanmış ve yapışmış, kalmıştım. Boş, çıplak, temelsiz görüyordum burasını, çevre çizgileri açık seçik belirtilmiş ve keskindi. Ama bu boş deponun, yatağın yanındaki kenarlarından biri, ötekilere göre daha belirgindi, yumuşak bir çizgi oluşturuyor, yuvarlaklaşıyordu, başka bir bölgenin profili gibiydi... Mümkün müydü böyle bir şey ve aman Tanrım, hareket ediyordu bu gölge, hafifçe sallanıyor, genişliyordu. Üstüne çullandım ve bilinçsiz bir hareketle lambayı uzaklaştırdım. Anında bir çıtırtı, yumuşak ve esneyen bir gerilme. Ağır bir suyun sesi, korkutucu bir yoğunlukla, bir kap içinde şıpırdayarak bütün sınırların ötesine yayıldı, yükseldi, duvara çarptı. Yatağın yükseldiğini gördüm, onu çevreleyen şeyler kitlesi ve hatta karanlık, dev, kör, bütün engellerden daha güçlü bir baskı altında sallanıyordu, bu baskının büyüdüğünü, hiçbirinden haberdar olmadığı nesnelere karşı hayvanca bir güç geliştirdiğini gördüm. Ve ansızın –kim itti beni?– tek bir hareket yapabildim ancak ve lambayı eski yerine koydum. Anında sessizlik. Tuhaf, şaşkın bir sessizlik: boş ve şaşkın. Ve uzun bir aradan sonra, bu boşluk sanki bir düşünceye dönüşmüş gibi, hafif bir çökme meydana geldi, devam etti sonra, sonra ara vermeksizin devam etti, yavaş ve devasa, sonsuz, ölçüsüz biçimde uzayarak, öyle ki onu durdurmayı denemek istemiştim, yapılmış olan her şey *kendi* açısından sadece eylemleriyle değil varlığıyla da hakaret dolu ve tehdit edici bir büzülmeyi andıran inkârla bütünüyle yok edilinceye, tam anlamıyla hiçliğe indirgeninceye kadar uzanarak... ve ben bir an görmek zorunda kaldım onu, daha fazla bir şey olmadı: Her şey önceki gibi oldu tekrar.

Önceki gibi, gözlerim ışıklı bölgenin çevresine bakıyordu. Lamba, önceki gibi aynı dingin ve huzurlu ışığı gönderiyordu. Arka tarafta her şey, önceki gibi sessizdi. Hiçbir şey olmamıştı. Dayanamadım. Kalktım, ışık tabakasına girdim. Boşluğa giriyordum. Çılgınca bir eylemle kat ediyordum boşluğu. Sonra geri dönmek istedim, ama bedenim hareket etmedi. Gözlerimi çevirmeye çalıştım ama yanımda, hemen, ne olduğunu anlayamayacağım kadar yanı başımda, yavaş bir yutuşun başlangıcı gibi hafif bir çıtırtı oldu, bir patika belirdi, sonsuzdaki her bir noktadan gelip toplanan belirsiz bir çalkantı... ve bir an, ölçüsüz bir güce ulaşarak iğrenç bir sıçrayışa geçti, kımıltısız yaşamında donmuş maddi bir şeyin sıçramasıydı bu. Üstüme düşeceğinden hiç kuşku duymadım. Başım geri düştü. Göğsümde, ani bir şoktan sonra yayılan, uygun biçimde giysilerime yapışan bir sidik kesesinin ağırlığını hissettim. Ellerim aşağı doğru kıvrıldı ve boşluğu dövdü, eğilmek istedim, ama ağırlık çok fazlaydı, nefes alamıyordum, yaşantıma karışmış kalın bir ur gibiydi. Ağzım biraz hava kapabilmek için açılmak zorunda kaldı, hava yoktu, ağzım çırpınarak hava istiyordu, her şey yağlı ve vıcık vıcıktı. Tiksintiyle irkilerek büküldüm ve dışarıya çıkan bir yol bulmaya çalışırken yerin titrediğini hissettim ve düştüm, yarım yere yarım da yatağa.

Döndüm, bedenim kendi çevresinde döndü. Lambanın kırpışmasını izliyordum ve gözlerim kımıltısız, pırıl pırıl, yeşilimsi bir kitleye doğru kaydı; fark etmeden bakıyordu gözlerim bu kitleye, düşerken yassılaşmış ve moloz izleriyle kaplanmış bir toprak döküntüsünün üstünden geçiyordu bakışlarım; alçak yığın aşağı yukarı toprak rengindeydi: sıkıştırılmış ve açık bir yığın – bir delik. Ama gördüklerimi ellerimle doğrulama amacıyla bir hareket yaptığımda, parmaklarım anında çıldırdı, büzülerek, gevşeyerek, dönerek, boğuluyordum, derimi ısırıyordum, elimin üstünden büyülenmiş ve dehşete düşmüş gözlere bakıyordum. Kesinlikle hiç hareket etmiyordu, hareketsizliği yere yapışmıştı, oradaydı, görüyordum onu, tam kendisiydi bu, hayali değil, hem içeriden hem dışarıdan görüyordum, bir şeyin aktığını, katılaştığını, yeniden aktığını görüyordum ve hareket eden hiçbir tarafı yoktu, her hareketi tam bir uyuşukluktu, kırışıklıklar, aşırı büyümeler, kurumuş çamurdan yüzeyi çökmüş içiydi onun, donuk yığın ise biçimsiz dışı, hiçbir yerde başlamıyor, hiçbir yerde bitmiyordu, ilgisiz bir tavırla herhangi bir tarafa meylediyordu ve zar zor seçilebilen biçimi yassılaşıyor, içinden gözlerin hiçbir zaman çıkamayacağı bir hamurun içine düşüyordu.

Bu boş bakışa dayanamayacağımı anladım. Bir adım attım sonra bir adım daha. Lambanın yanına çömeldim. Yığın benim varlığımı hiç dikkate almıyordu. Yaklaşmama izin veriyordu, şimdi daha da yakındım ona ve o hiç hareket etmiyordu, ona yabancı bile değildim, sokuluyordum yanına, benim gibi hiç kimse sokulmamıştı böyle ona ve o kaybolmuyordu, uzaklaşmıyordu, bana bir şey sormuyordu, benden bir şey almıyordu. Birden –ve ben gördüm bunu– bu kitleden oldukça uzun bir ek çıktı, bağımsız bir yaşam ve dışarı çıkmak istiyordu sanki, gerilmiş bir durumda kaldı, bütün kitle aptalca bir rahatlık içinde, kımıldamadan, yavaşça döndü. Köksüz, parlak, yağlı, son derece kaygan, bir yüzeye konmuş iki küçük saydam küre gördüm. Bana bakmıyorlardı, ne bir gölge, ne bir hareket geliyordu onlardan ve ben de sanki benim kendi gözlerimmiş gibi görmüyordum onları ve çok yakınlarındaydım, tehlikeli biçimde yakınlarında, hiç kimse bu kadar yakın olmuş muydu onlara? O anda kolumun ilerlediğini, lambaya doğru kaydığını hissettim, parmaklarım tuttu lambayı; yavaşça çekiyorlardı onu. Parmaklarımın yaklaştıklarını, yavaşça önümden geçtiklerini gördüm, olağanüstü yavaş hareket ediyorlardı, yere gömülüyorlardı, çakılıyorlardı ama –nasıl olmuştu bu?– şimdiden daha uzakta bulunuyorlardı. O anda yalnız olduğumu gördüm, beni tutacak kimse yoktu, ne bir emir, ne bir düşünce, ne bir engel ve ben bir şeyler olacağını, iğrenç bir şeyler olacağını anladım ve gördüm, her şeyi anladım... ve elim, önüne alev yansıtarak sıçradı, ben bu sırada yere düşmüş, eğilip bükülüyor, debeleniyor ve bana karışan karanlık ve biçimsiz sesleri, çığlıklarımı bastırmaya çalışıyordum.

İçeri girdiğini işittim ve yatağa attım kendimi. Odanın ortasındaki öteki ot minderi çekti. Onun üstüne uzanmak zorunda kaldı, ama biraz sonra yatağımın ucuna dokunmak istedi, çarşafı yokladı ve çarşaf aracılığıyla bir şeye dokunmak istiyordu. Birçok kez yineledi bu hareketi. Uyuklarken bile elini benim tarafıma gönderiyordu. Biraz sonra kımıldadı ve örtünün altından kafasını yatağımın hizasına kadar kaldırdığını gördüm, sonra daha yukarı kaldırdı kafasını, bir disk gibi yassıydı kafası, benim karşımda durmak istedi, benim bulunduğumu sandığı yerin karşısında. "Neredesiniz? Ben girdiğimde niçin saklandınız?" Sonra küt diye düştü. Tekrar gözlerimi açtığımda ayakta, hemen yanı başımda duruyordu. Ama ben hareket etmiyordum. Kımıltısızdı, bedeni biraz öne doğru eğilmişti, bakışlarıyla çarşafların yerini değiştirmeye çalışıyordu. Ama ben soluk almıyordum. Bakışları iki ya da üç kez gözlerimin önünden geçtiler, ama beni görmediler. Örtünün kaydığını hissediyordum, tutamıyordum örtüyü, ama o işitmedi. Ve birden dondu kaldı. Dimdik, kaskatı kaldı öyle, gözleri olağanüstü bir sertlikle bakıyordu bana; hatları büyümüş, çenesi daha genişlemiş, boynu çıkmıştı; bir ara tüm varlığıyla gevşedi, kurtulmak, uzaklaşmak istedi, sadece gözlerimden ayrılmayan gözleri, tam anlamıyla hareket etmesini engelliyorlardı, sonra yavaşça döndüler, büyülü bir beyazlık içinde bana baktılar. Örtülerin altında gizlenmek, örtülerin altına kaymak istedim, büzüldüm, bedenimin bütün ön tarafı ortaya çıktı. Bedeni kendi çevresinde döndü, ama anında karşıma attı kendini, kollarını sertçe benim tarafıma doğru sallıyordu. Geriledim. Kaçmaya çalıştım. Ot minderinden bir örtü aldı, defalarca öne doğru salladı bu örtüyü, beni herhangi bir tarafa sıçramaya zorladı ve sonunda bedenimin yarısı yatağın dışındayken, kafama geçirdi örtüyü.

Ayağım kaydı ve yere düştüm, ellerim, ayaklarım ve bedenim örtüyü sarıldı. Karanlık bütünüyle hareketsiz bıraktı beni. Anlaşılmaz bir sessizlik vardı ve örtünün altında bir su sesi duyuluyordu. Gözlerim ağırlaşıyordu. Hemen kurtulmam gerektiğini hissettim bu durumdan. Bir ağaç parçasına çarpınca yapıştım ona, kendimi yukarı çektim, ama bir şeyi devirdim ve hafifçe kaldım. Tekrar çıkmaya başladım, örtü bana karşı geriliyordu, sevimsiz bir şekilde sert ve pürtüklüydü ve sonra yine boşluk. Bu düşüş kamçıladı beni, ani sıçramalarla debeleniyordum, örtüyü sallıyor, çiğniyordum. Örtü açılınca, neredeyse yüzü koyun, başım sandığa yapışmış, yatağın yanında olduğumu gördüm. Öyle kaldım, gittikçe daha yavaş soluk alıyordum, gözlerim kapalıydı, tatlı bir su sesi duyuyor, uzaklarda, ayakkabılar, çıplak bacaklar görüyordum, onlara bakıyordum, biraz daha çöktüm, sessizlik çok ağır basıyordu, uzaklaşan, silinen ve sonunda bembeyaz kesilen bacaklara ilişti gözüm. Hemen tanıdım onları ve doğruldum. Yüzü de ortaya çıktı, kalktım, boş mekânda kaydı yüzü, yaklaştı, ürkmüş bir uzaklığa çekildi. Örtünün içine gömüldüm. O, ot mindere oturmuştu, dirsekleri dizlerine dayalıydı ve bütün bunların üstünde yüzü gözüküyordu. Arkamda, dip tarafta bir şeye bakıyordu. Gözlerini bu noktaya dikmişti, kalkar gibi yaptı, sonra yatak boyunca eğilerek geçti ve elinde lambayla geri geri yürüyordu ve lambaya bakıyordu, parmağıyla cam kalıntılarına dokunuyordu.

Süpürgeyi aldı. Her taraf sakin, sessizdi. Yere doğru bakıyor, süpürüyordu, havayı hafifleten ve soluk almama yardım eden hafif, kara bir toz gönderiyordu bana doğru. Sonra çıktı.

Uyuklamaya başladım, uzaklardan küçük sineklerin çıkardığı sesi duyuyordum; duvarın önünde bir böcek hafifçe sıçrıyor, düşüyor, kalkıyor, tekrar düşüyordu; yerde, yine ağır bir ses çıkararak vızıldıyordu, koşuyor, duvar boyunca sürünüyordu, dinlenemiyordu, tutamadığı aşırı sesin kokusunu çevresine saçıyordu. Birden kapıya sertçe vuruldu, kapı sallanıyor, sarsılıyordu, kalktım, açıldı kapı ve birbirlerini iten ve birlikte içeri giren iki adamı ortaya çıkararak duvara çarptı. "Ah! özür dileriz," ve bunu söylerlerken, kapının kanadı onları dışarı itmiş gibi tekrar dışarı çıktılar, sonra yavaş yavaş eşiğin yanına döndüler, onların dışarıda, eğilmiş, odanın içini görmeye çalıştıklarını fark ediyordum, ot minderin üstüne atılmış giysi ve yağmurluğu görünceye kadar biraz yaklaştılar. "Aaa! Bir kadın." O anda müthiş bir gürültü koptu, bir patlama, büyük gürültü patırtı çıkaran ve boğulan bir ses. Bir şey bacaklarına atıldı. Büzüldüm, duvarın dibine sığındım. Pencereye doğru çıkmak istedim. Köpek havlamaları üstüme doğru atıldılar, çığlıklar, iğrenç, umutsuz yakınmalar ezildiler. Köpek yatağın önüne doğru atılıyor, uluyarak yere uzanıyordu: Ah! Tanıyordum onu, uzun süredir beklenen bu anı, tüysüz, soluk benzini, kan çanağı gözlerini görüyordum. "Delisiniz siz," diye bir çığlık attı. Köpek örtüye atladı ve ben de bir çığlık atarak, çarşafla müthiş bir darbe indirerek püskürttüm onu, bu arada içerisini havlama sesleri dolduruyor, bu sesler boğuluyor, daha inatçı oluyor ve daha uzaktan duyulmaya başlıyordu ve hatta sesler kesildiğinde bile duvara yapışmış durumdaydım ben ve bu havlamaları, altından hâlâ iğrenç koku larvalarının yükseldiği örtüye karışmış gibi hissediyordum.

Bana bir şey içirmek istedi. Yaklaşıyordu, kendisinden ayrılmış olan kolunu uzatmıştı; bardağın boşlukta zıpladığını görüyordum, biraz daha yaklaştırdı bardağı ve sıvının karanlık uzamı dönmeye başladığından, ağzım onu istemeye başladı, ama bardak sürekli daha fazla titriyordu ve hemen geri çekti. Hiç kımıldamadım. Yüzümün alt kısmına, hâlâ öne doğru hareket eden, bu sıvıyı isteyen ağzıma bakıyordu sürekli ve bardak tekrar yavaşça yaklaştı ve ben yakıcı bir lezzetin dalga dalga içime girdiğini, beni yaraladığını ve boğduğunu hissettim. Bedenimin üst kısmını keşfetti ve rahat rahat soluk almama izin verdi. Elleriyle boynuma dokundu hafifçe. Örtüyü düzeltmek, çarşafı yaymak istedi; arkama bir yastık koydu. Olabildiğince hareketsiz kalmak için çaba harcadım. İşini bitirince köşeye itti beni ve ısrarcı bir tavırla, açıkça dokundu bana, sanki eli, 'görüyorsunuz, dokunuyorum size' demek istemişti bana. Sonra yatağın yanındaki iskemleye oturdu. Böceğin vızıldamasını işitiyordum, duvara konmuş, ışık alanını yakalamıştı, ama kenarda duruyordu ve olağanüstü yumuşak bir ses çıkararak vızıldıyordu.

– Sanıyorum, burayı tahliye edecekler, dedi. Ama sizinle ilgilenmeyi sürdüreceğim, bırakmayacağım sizi.

Böcek şiddetli ve anormal bir gürültü çıkarmaya devam ediyordu; bir kanadının dörtte üçünün kopmuş, duvara yapışmış olduğunu ve de güçlü bir şekilde kalkmış olduğunu gördüm.

– Bütün gücümle, gece gündüz, hiç dinlenmeden çalışacağım, dedi.

Durdu ve benimle birlikte duvar tarafına baktı. Böcek çok hızlı hareket ederek tırmanıyor, iç karartıcı bir uğultu çıkarıyordu. Pencerenin yanına geldi ve pencerenin ahşap kısmına tutununca, kanatlarının sürekli, büyüleyici biçimde titremeye başladığını duydu ve bu titreme bana açlığa benzer bir baş dönmesi veriyordu. Ani bir hareketle kalktı.

– Rica ediyorum, dinleyin beni, dedi, soluğu kesilmiş bir halde. Şimdiye kadar yanlış bir tavır içinde oldum. Ama şimdi mücadele edeceğim, benim olan her şey sizin olacak. Ah, biliyorum, başaracağım.

Hafif hafif ıslık çalmaya başladım. Biraz daha kuvvetli çaldım ve kanatların hafif çıtırtısı sarsıldı; o bana doğru eğildiği anda böcek uçtu, döndü ve ters dönerek, küt diye çarşafın üstüne düştü. Bir süre hareketsiz kaldı; sadece ayaklarından biri titriyordu ve ben gördüm o ayağı. Sonra yavaşça sallandılar ve tekrar hafif, yakayı hiç bırakmayan, çarşaftan geçen uğultu duyulmaya başladı; ayaklar yanlamasına yapıştılar örtüye, yavaşça bir ipliğe asıldılar, hafifçe ıslattılar ipliği ve böcek birden bire öylesine sert bir şekilde döndü ki, ezildi ve bir daha hiç hareket etmedi. Bağırdığını duydum: "Sizin yaratığınız olacağım. Asla, asla benden uzaklaşmayacaksınız." Böcek çılgın bir hızla koşturup duruyordu, sürekli yön değiştiriyordu, önünde, arkasında hep aynı tehlike vardı. Onu daha iyi görebilmek için kalktım, soluğu kesilmiş halde durdu, sonra bir ok gibi, şaşkın, şaşkın kaçtı. Bu arada o da üstüme atıldı benim, arkaya doğru devrildi sonra. Duvara yapışıp kaldım. Çenem öylesine sıkılmış ve uyuşmuştu ki, gıcırdıyordu. Biraz sonra tabureyi itti ve koşarak dışarı çıktı. Boğulmamak için yavaşça ağzımı oynattım.

Geri döndüğünde esrarengiz bir tavırla yaklaştı, yüzü uzaklardaydı ve meydan okuyordu, manşetlerini elinde olmadan dudaklarına bastırıyordu. İlgisiz bir tavırla baktı bana ve ot mindere uzandı. Biraz sonra eşiğe çıktı. "İlk kafile geliyor galiba, dedi tekrar içeri girerken. Orada biraz dolaşmak zorunda kalacağım." Saçlarını bir bez parçasıyla bağladı. Masanın üstündeydi ve ses çıkarmadan aynaya bakıyordu. Birden kendini yatağın önünde diz çökmüş buldu. "Birazdan döneceğim, diye mırıldanıyordu. Her güçlüğün üstesinden gelmeyi becereceğim. Şartlar ne olursa olsun sizin peşinizden geleceğim, yanınızda kalacağım. Sadece sizin gözlerinizin önünde yaşayacağım." Solgun gözleriyle bakıyordu bana, sonra hızla eğildi, ağzı yaklaştı. "Öpün beni, dedi ıslıklı bir sesle. Gerçekten öpün beni. İşleri yarım bırakmamak gerekir. Gelin, gelin" diye bağırdı, kollarını belime dolayarak, ama bu arada bedeni sanki benim bedenime eklenmeye başlıyordu, çırpınarak ayrıldı benden ve geriye doğru sıçradı. Düşer gibi oldu, tekrar ayağa kalktı. "Peki, dedi biraz sonra, yaptım bunu. Benden başka hiç kimsenin, hiçbir zaman yapmadığı bir şeyi yaptım." Beyaz bir parıltı geçti gözlerinden, yağmurluğunu aldı ve çıktı. Peki şimdi, dedim içimden. Hava ağırdı. Pencereye doğru dönebilmek için çaba harcadım, ama bu hareketi yaparken gözlerim kapandı. Onu tekrar odada görmek şaşırtmadı beni, bavul taburenin üstündeydi ve açıktı, sakin bir şekilde gidiyor, geliyor, üst üste koyuyor, düzeltiyordu. Üst taraftaki rafa doğru uzandı, yaralının eşyalarını sardı, masaya koydu. Sakin bir tavırla bana bakıyordu. "Şimdi vakit geldi, sanıyorum," dedi. Yaralının paketini aldı ve çıktı. Yataktan inmeye çalıştım. Örtüler engelliyordu beni, çevremde bağlanmış gibiydi hepsi. Çektim örtüleri ve yatağın kenarına yaklaştım. Yavaşça inmeye hazırlandım. Ama kapının açıldığını, onun bana baktığını fark ettim. Bana bakmaya devam ederek kapıyı kapattı; gözlerini gözlerime dikmişti, bana doğru geliyor, neredeyse hiç kımıldamadan ilerliyordu. Yatağın önünde yine baktı bana ve alçak sesle şöyle dedi: "Size asla yalvarıp yakarmadım. Sizin önünüzde küçüldüğümü hiç sanmıyorum. Birbirimize karşı kabahatimiz yok." Elindeki paketi sürekli bastırıyordu göğsüne. Çözmeye başladı paketin ipini.

– Şimdi artık bir son vermemiz gerekiyor bütün bunlara.

Örtüler boğuyordu beni, yüzü gidiyor, kayboluyordu, zar zor bakabiliyordum ona. Birden yatağa bir tekme attı.

– Duyuyor musunuz beni? Taşla mı konuşuyorum

ben? Sonsuza kadar aldatacak mısınız beni yoksa?

Titremeye başladım, hareket edemiyordum, her şey sallanıyordu. Bana çok yaklaştı ve alçak sesle ve hızlı hızlı konuştu:

– Ama görüyorum sizi. Siz sadece düşlenen biri değilsiniz, sizi tanıdım. Şimdi şunları söyleyebilirim: Geldi, önümde var oldu, burada, çılgınlık bu, burada. Pakete baktı. Bunu yapmak zorundayım, dedi usulca. Sizi canlı bırakamam.

Öylesine titrediğimi hissediyordum ki, soluğum kesildi, anlamsız bir şey kapladı bütün bedenimi. Konuşmam gerekir, diye düşündüm.

– Canlı, siz sadece benim için canlı biri oldunuz: Benden başka kimse, kimse, kimse için. Benim için ölmek değil midir bu?

Konuşmaya hazırlandım, titrememe hakim olmam gerekiyordu, ama her tarafım titremeye başlamıştı, ağzımı açsam, korkunç bir hıçkırık patlayacaktı.

– Şimdi artık zamanıdır. Varoluşunuz yalnızca benim içindi, dolayısıyla onu almak da bana düşüyor.

Derinliklerimden gelen hıçkırığı hissediyordum, beni sarsıyor, kaldırıyor, boğuyordu.

– Kimse sizin kim olduğunuzu bilmiyor, ama ben biliyorum, ben kaybedeceğim sizi.

Bir çığlık attım, ama umduğum gibi bir sözcük değildi bu: Sadece onu titreten ve hareketsiz bırakan boğuk, kaygı verici bir homurtuydu, bununla birlikte onun bu çığlıkla bir şeyler algılamış gibi olduğunu söylemek mümkündü, çünkü gözleri beni sanki sorguladılar, beklediler, duraksadılar, yine beklediler, ama benim titremem gittikçe artıyordu ve o sustuğunda, artık onunla konuşabileceğimi ummuyordum. Diz çöktü ve bir tabanca çıkardı. Üstünde güneş ışığının kaydığı yarığa baktım. O da silaha bakıyordu ve biliyordum ki gözlerini kaldırmadıkça biraz daha vaktim olacaktı. Soluk almayı kestim. Gözlerim yerdeydi, hiçbir şey duymuyordum. Silah yavaş yavaş doğruldu. Bana baktı ve gülümsedi. "Hadi bakalım, elveda," dedi. Ben de gülümsemeye çalıştım. Ama yüzü birden dondu kaldı ve kolu öylesine şiddetli bir şekilde gevşeyiverdi ki, duvarın dibine atladım ve atlarken de bağırdım:

– Şimdi, şimdi konuşuyorum ben.